Cuentos completos

Sección: Literatura

Juan García Hortelano:
Cuentos completos

El Libro de Bolsillo
Alianza Editorial
Madrid

Calle Milán, 38; ☎ 200 00 45
ISBN: 84-206-1714-8
Depósito legal: M. 3225-1979
Compuesto en Linotipias M. Mínguez. Carolina Coronado, 46
Impreso en Gráficas Palermo. Palermo, 58. Madrid-33.
Printed in Spain.

Noticia preliminar

Bajo la genérica denominación de Cuentos Completos, se reúnen dos anteriores recopilaciones aparecidas en forma de libros, y se agrupan por vez primera cuentos y relatos dispersos. *Gente de Madrid* (Editorial Seix Barral, Barcelona, 1967) se publica ahora en versión íntegra, reparados los destrozos que en su día tuvo a bien perpetrar la censura. *Apólogos y Milesios* (Editorial Lumen, Barcelona, 1975) se reproduce sin variaciones. La sección titulada *Cuentos Contados* agrupa quince piezas, de las cuales dos inéditas y trece que fueron publicadas en revistas españolas o tuvieron que emigrar a revistas extranjeras. Estos quince cuentos se fechan, quizá sólo para denotar cómo en veinte años, arropadas por diferentes maneras de escritura y por variadas peripecias, ciertas obsesiones permanecen.

1. Gente de Madrid

Then suffer me to take your hand, said he. The goodness of your heart. I feel sure, will dictate to you better than my inadequate words the expressions which are most suitable to convey an emotion whose poignancy, were I to vent to my feelings, would deprive me even of speech.

James Joyce

Las horcas caudinas

Hace tiempo
yo era niño y nevaba mucho,
mucho. Lo recuerdo.

Angel González

A comienzos de diciembre cayó la primera nieve. Una semana más tarde, nevó durante tres días y sus tres noches. Las trincheras se llenaron hasta los bordes y los parapetos crecieron medio metro. La extraña luz de aquellas tardes —y la insólita excitación de las mañanas— nos dejaba, al anochecer, quietos y silenciosos en los quicios de los portales. Los campos cercanos, los solares y las aceras, hasta entonces embarrados, estaban grises o blancos, según las horas y la nieve nueva que hubiesen recibido. En nuestras casas, después de la cena, escuchaban la radio más atentos, casi ansiosos.

La mañana que descalabraron a Tano fue la primera de aquella nevada constante. Cuando salíamos, parecía el atardecer y eran las doce del mediodía. Habían colocado una bandera roja en la cresta —piramidal y curvada— del último parapeto de la calle. Desfilamos varias veces por delante de la bandera, cantando canciones del frente, con los pies bien hundidos en la nieve. Luego, empezamos a tirarnos bolas. Alguien —pero sin intención, puesto que sólo estábamos los de nuestro barrio— debió de apelmazar de nieve una piedra. El cantazo le pegó en la sien derecha. Como si le hubieran empujado por el estómago, Tano se encontró sentado, de golpe, y se dejó resbalar muy despacio hasta quedar tendido. Mientras le llevábamos entre todos, cogido por las piernas y los brazos, comenzó a sangrar.

Ya en el primer tramo de la escalera la portera chillaba y no sé cómo me descuidé que Luisa me cogió en la puerta del piso de Tano y me subió a casa. El abuelo, que había bajado en seguida a curar a Tano, dijo durante la comida que un día —que el día menos pensado— nos mataríamos, ya que, evidentemente, estábamos dejados de la mano de Dios. Mi padre, Luisa y él se fueron excitados y repitieron miles de veces que se había acabado jugar en la calle, con los golfos; la abuela comía en silencio, a veces sonriente, cuando yo la miraba. Luisa me mandó a la siesta, entornó las contraventanas y siguió con lo de que mamá, al final de la guerra, no querría saber nada de mí. Se estaba bien debajo de las mantas y me puse a pensar en la Concha.

El reflejo de la nieve permitía ver al otro lado de la ventana unas nubes bajas y negras. Parecía de noche. Después que Riánsares me partió el pan y el chocolate, entré en la salita a dar un beso a la abuela y me bajé a la calle. Serían las seis y media. En la esquina del Paseo estaban construyendo un muñeco, junto a la bola que habíamos rodado por la mañana. Me acerqué a ayudar, pero me encontraba intranquilo, sobre todo por Tano, que estaría en la cama. Hablamos un rato del asunto de la manifestación, hartos de aquel frío que quemaba las manos bajo la lana de los guantes. Decidí ir a esperar a la Concha, pero, una vez a solas en la tapia del antiguo convento, recordé de nuevo a Tano.

Nada más sentarme en el sillón de mimbres, al lado de la cama, comprendí que Tano no estaba de buen humor.

—¿Estás de mala leche?

Ni me miró. Recostado en los almohadones morados y en las almohadas, bebía sorbos de malta. Me dio una galleta y dijo que bajase de la estantería las novelas de Julio Verne, las de Salgari y las de «Hombres Audaces».

—¿Todas?

—Sí, todas.

Al poco rato, llamó a su madre para que se llevara la bandeja y pudiésemos cubrir la cama con los libros. Pero ni los tocó, una vez extendidos. Se puso una mano en la venda, que le daba aspecto de moro, y cerró los ojos.

—¿Te duele? —las de Julio Verne eran mías—. El abuelo dice que un día nos vamos a asesinar —cuando llegase Reyes, las hubiese leído o no, le pediría que me las devolviera—. Son las siete, ¿sabes? La Concha habrá bajado a por la leche. A lo mejor, ya ha oído que tú estás escalabrado —posiblemente le dolía mucho—. Si quieres, me voy —abrió los ojos un instante—. Parece que mañana va a haber una manifestación.

—¿Así que no han quitado aún la bandera?

—No —dije.

Entonces se puso a hacerme preguntas sobre los otros de la banda, como si hiciese años que estaba en la cama. Tenía un pijama azul, muy bonito, que nunca le había visto. Me ordenó que colocase los libros en la estantería, pero no me di cuenta de que quería que me marchase, porque le estaba contando lo que había de la manifestación. Llamó a su madre otra vez y le pidió una aspirina. Su madre me dijo que me fuese, que Tano tenía que dormir, que el abuelo y mi padre estaban jugando al tute, en el cuarto de estar, con el padre de Tano. Yo le contesté que me subía a casa. Tano quizá se dio cuenta de la mentira.

Como los bordillos de las aceras estaban invisibles bajo la nieve, me quedé apoyado en el cierre de la carbonería del señor Pedro. Hacía mucho frío y, cuando lentamente bajaban los copos, era igual que ser Miguel Strogoff. Pero no se podía ser Miguel Strogoff mucho tiempo, ya que se quedaba el cuerpo helado y, más que en las azarosas funciones de Correo del Zar, pensaba en la Concha y en Tano.

Durante la cena no me preguntaron si había estudiado la lección de francés, ni dijeron nada de que nos fuésemos a matar, ni nada de la mano de Dios, ni del disgusto que tendría mamá (que estaba en el otro lado). Sin que me lo mandasen, cuando se pusieron, como ramas inclinadas de árbol, alrededor de la radio, me fui yo solo a la cama. Me puse a pensar en lo triste que había estado junto al cierre metálico de la carbonería, hasta que me acordé del cuerpo de la Concha. La abuela vino a remeterme las mantas y yo estaba ya casi dormido.

Desde los descampados del final del Paseo, oímos el ruido de las pisadas. Había más banderas rojas en los parapetos y se movían pancartas sobre la muchedumbre que avanzaba por la calle. Empezamos a correr. Me gustaban « ¡A las barricadas, a las barricadas! », porque me la sabía entera, y «Si me quieres escribir, ya sabes mi paradero», porque tenía muchas variantes. Fuimos por calles que ya no eran del barrio. Durante un rato pude poner las manos en uno de los palos de una pancarta; luego me quedé retrasado y ronco de gritar: « ¡No pasarán! » y « ¡No pasarán, no pasarán, y si pasan, morirán! », que era mejor, ya que ayudaba a desfilar por la nieve y el barro, haciéndonos ir a todos al mismo ritmo. Una vez o dos me acordé de la Concha, pero no la vi. Nevaba mucho, como con rabia, y el viento ponía en la cara inyecciones de frío. Nos habíamos desperdigado los de la banda y volví solo al barrio y con retraso, por lo que me castigaron a comer en la cocina.

Atenta a las llamadas de Luisa, al fogón, a su propio plato y al fregadero, Riánsares comía en pie. Yo les dejaba creer que era un castigo, pero se estaba mejor allí, frente a la ventana del patio, que daba al jardín del antiguo convento de monjas, con todas aquellas idas y venidas de Riánsares, viendo sus corvas al inclinarse sobre la pila. Además —siempre que se supiese hacer—, a Riánsares se le podían sacar noticias de la Concha.

—¿Era bonita la manifestación?

—Sí —le dije—, muy bonita.

—Tenía que ser muy bonita. Yo me asomé al balcón, pero nevaba sin parar.

—Se cantaba y se gritaba. Otras veces, se iba en silencio, como si todos cantásemos por lo bajo. Muy bonita.

—Cómete todo el pan, que hoy queda más para la cena.

—También había banderas y carteles. Madrid será la tumba del fascismo, ¿sabes?

—Sí, me alegro de ello. Cómete todo el pan. ¿Había enfermeras?

—¿Enfermeras? Había muchas milicianas. Algunas llevaban fusil. Dicen que si los hombres se quedan sin cojones...

—No digas cojones, que luego se enfada tu hermana.

—¿Por qué no te sientas?

—Me gusta comer en pie.

—Pues decían que si a los hombres les castran los cojones, ellas se irán al frente. Enfermeras no he visto. Oye, Tano dice que la Concha sólo tiene quince años.

—Lo menos dieciocho o diecinueve. ¡Quince años...! Tengo yo diecisiete y es más vieja que yo.

—¿Más vieja que tú? —a Riánsares se le veían un poco los enrojecidos muslos, casi redondos—. Tano dice que no.

—Buenos estáis vosotros, con un hormiguero en cada mano. ¿Te has comido todo el pan? —Riánsares colocó los platos del postre en una bandeja, en cuanto oyó la campanilla de Luisa—. La Concha es vieja como una gallina. Y puta como ella sola.

La sangre, como si tocase los dos cuerpos al mismo tiempo, se me apretaba en las mejillas, cada vez que Riánsares decía de una mujer que era puta. Después de beberme la malta con leche condensada, me acerqué al fregadero en silencio y metí las manos por debajo de la falda de Riánsares. Se asustó tanto, que creí que se había enfadado de verdad. Así estuvimos, hasta que Luisa me vino a buscar para acostarme a la siesta.

A pesar de que fui a la tapia e incluso estuve sentado en el alféizar de la ventana del chaflán, en cuanto dieron las siete me subí a casa de Tano. Llevaba otro pijama y la venda también se la habían cambiado. Le conté lo del fascismo, lo de las milicianas, las pancartas y el « ¡No pasarán! » y Tano, que nunca se acordaba de lo que uno le decía, quiso contarme «El Corsario Rojo». Me dio dos galletas de su merienda.

—Hoy me han castigado a comer en la cocina. La Riánsares dice que la Concha es más vieja que ella —Tano, con un gesto, me mandó cerrar la puerta de su dormitorio, antes de sacar los cigarrillos de anís—. Tú, ¿qué crees?

—Puede —dijo Tano.

—Y que es puta.

A Tano le pegó la tos, con la primera bocanada, y mientras, yo temía que cambiase la conversación cuando hablara de nuevo.

—La Riánsares la tiene envidia —dijo, por fin.

—¿Por qué?

—Porque la Concha es una señorita y ella es una criada. Y, además, de pueblo.

—Pero a lo mejor —insistí— la Concha es una puta.

—Es una señorita, te digo.

—Cuando la sobamos nosotros, a veces se deja.

Sonrió, como si no le importase saber —igual que yo sabía— lo poco que la Concha se dejaba.

—Porque nosotros también somos unos señoritos.

—¿Nosotros?

—Sí, nosotros. Y déjame en paz con tus historias de criadas.

—Y, si somos unos señoritos —Tano abrió el libro—, ¿por qué llevamos tirador y decimos blasfemias y tocamos el culo a las mujeres? —me ruborizó aquella mirada fija, que tenía que estar siempre repitiendo que él era el jefe—. ¿Por qué, eh? ¿Por qué?

—No chilles, que puede venir mamá —me dio el cigarrillo casi consumido, para que lo tirase a la calle—. Porque ahora es la guerra.

—¿Y qué?

—Que después de la guerra ya no le tocaremos el

culo a las mujeres, ni diremos blasfemias. Y tendremos que ir al colegio.

—Yo sí las diré. Hasta que me muera.

—No, porque ganarán los nacionales.

—Los nacionales no ganarán. Esta mañana lo decían en la manifestación —hacer crujir el sillón me puso más rabioso aún—. En Madrid vamos a enterrar al fascismo.

—Bueno, bueno... Pregúntale a tu padre, o al mío, lo que oyen por la radio. Anda, pregúntalo —entonces fue cuando Tano me dio la segunda galleta—. Ha dicho tu abuelo que, si me porto bien, pasado mañana me podré levantar.

—No me importa lo que oigan ellos por su mierda de radio, que ni se oye —el cigarrillo me quemó los dedos y me levanté a abrir el balcón—. Tú decías antes que los mayores son unos mentirosos —Tano volvió la cara hacia la pared y se quejó de dolor de cabeza—. Bueno, pues si pasado mañana te levantas, podemos ir a esperarla.

—¿A quién?

—A la Concha.

Pero se puso a contarme «El Corsario Rojo» y «El Corsario Verde», ya que siempre olvidaba lo que uno le decía. Yo estaba cansado y como triste y no le quise repetir que los había leído, ni que para mí lo del colegio no tenía importancia, puesto que yo daba ya clases con doña Berthe. Es decir, que le dejé hablar, hasta que se puso contento y casi me puso a mí también.

En la cama, mientras oía a mi hermana Luisa contestar a la abuela que sí, que seguía nevando, determiné hacerme el dormido si se venían allí a rezar el rosario. Me juré que al día siguiente, pasase lo que pasase, buscaría a la Concha. Por la mañana, me desperté calculando cuántas horas quedaban para las siete.

La nevada de aquella noche, más fuerte que la de los dos días anteriores, había cubierto el hielo embarrado de los parapetos y de las aceras. En la calle silenciosa, la luz hacía daño en los ojos; me obligaron a ponerme las katiuskas, cuando decidí acompañar a Riánsares a la cola de la panadería.

Las mujeres hablaban mucho, se peleaban inopinadamente, gesticulaban; una de ellas dijo que la guerra iba bien, que les estábamos dando una paliza. Apoyado en un árbol, con la nieve hasta cerca de las rodillas, levanté la cabeza para saber cuál de ellas había dicho aquéllo; ví a la Concha, al final de la cola. Como siempre, moviéndole los gruesos labios, su risa ronca parecía, en los tonos más altos, la de un hombre. Me acerqué y me dio con la mano en el cogote.

—¿Sabes que a Tano le han escalabrado?

Se lo tuve que repetir, y aunque éramos de la misma estatura, inclinó la cabeza, al tiempo que apoyaba un brazo en mis hombros.

—Un día os vais a matar.

—Fue sin querer, de broma. Sólo estábamos los del barrio. Oye, ¿vas a bajar esta tarde a por la leche?

Riánsares vino hacia nosotros, guardando los cupones del racionamiento en la bolsa del pan. Me pusieron nervioso con tanta charla y me largué a la carbonería del señor Pedro, que se cubría la calva con una boina. Verdaderamente aquella mañana hacía más frío que nunca había hecho. Estuvimos hablando de la nieve, de Tano, del carro con ruedas a bolas de rodamiento que yo llevaba seis meses construyéndome, según el modelo del carro del señor Pedro. Al señor Pedro le llamó su mujer y yo estuve por la calle, sin saber bien qué hacer o a quién buscar. Vi a unos y a otros, pero todos nos encontrábamos desganados, al tiempo que impacientes por aprovechar la nieve en algo que no sabíamos. Regresé a la panadería, donde ya no estaba Concha. Por fin, me subí a ver a Tano.

Estaba tan simpático, que el tiempo se nos fue de prisa. Le dije que no, que hasta el domingo no me darían el dinero de la semana, y que no, que no tenía ni un solo cigarrillo de anís. Pero no se enfadó. Me dio él a mí, fumamos mucho, no me hizo bajar los libros de la estantería y proyectamos muchas cosas para el día siguiente.

Total, que Luisa tuvo que bajar a buscarme porque era la hora de la comida. El abuelo nos comunicó que, a partir de aquella tarde, se rezaría el rosario después de la siesta, para poder oír la radio con tranquilidad a la noche. Recordé que había olvidado decirle a Tano que la guerra iba bien, que les estábamos arreando un hermoso palizón. Me desperté pronto, le di un beso a la abuela y me bajé a la calle. Estaba ya oscuro.

Sentado en el alféizar de la ventana del chaflán se me ocurrieron cosas complicadas, mientras aguardaba y aguardaba, sin saber la hora, dispuesto a largarme de cuando en cuando. Con Tano, aquellas esperas nunca se habían producido. Jugábamos juntos y, de pronto, la veíamos venir. Tampoco con Tano se la esperaba todos los días, ni había nieve, ni el frío dañaba como aquella tarde. Me di unas carreras por la negrura de la calle, para no helarme. Más tarde, me guarecí en el portalón del garaje del Paseo, antes de volver a la ventana del convento. El Paseo daba como miedo y fue entonces cuando se me ocurrió que Tano podía pensar que yo le había descalabrado. No recordaba nada, igual que si no hubiese intervenido en la batalla de las bolas de nieve, pero decidí que, inmediatamente después, le confesaría a Tano haber tocado a la Concha. Daba lástima imaginar que la nieve se derretiría y que acabarían aquellos días raros, con Tano en la cama, aquel miedo soportable y excitante de las tinieblas blancas, de la soledad, del frío.

No salté al suelo en el mismo instante en que percibí su abrigo verde y su gorro de lana.

—¿Qué haces aquí, con esta noche?

—¿Te llevo la cacharra?

—No. Anda, vamos a casa. Ten cuidado no resbales.

—Ten cuidado tú —por la frente, unos mechones de pelo rubio se le escapaban del gorro—. Estás muy guapa.

Se rió como para sí misma, mientras íbamos despacio, ella pegada a la tapia de ladrillos rojos y yo, con las manos desnudas en la boca, echándoles el aliento.

—Oye —dije, sin pensarlo e imitando una cierta entonación de Tano—, te estaba esperando.

—Ya lo sé —dijo Concha.

En el portal dejó la cacharra en el suelo y mis manos se lanzaron, desprendidas y veloces, a sus caderas y a sus pechos. Me rechazó de una manera inhabitual, con una brusquedad que tardé en comprender; es más, salíamos de nuevo a la oscuridad de la calle y parecía huir de mí. Junto a la tapia, se estuvo quieta aquel infinito tiempo, durante el cual se me helaban las manos y me temblaban. Cuando la besé por primera vez, se rió un poco. Me dejó que le tocase por debajo de la ropa, en silencio, sin empujarme. Hasta que descubrí que ella también me tocaba, y entonces recordé las cosas que sabía —gracias a embrolladas conversaciones con Tano y con los chicos del barrio— de los hombres y las mujeres.

—Ya está bien —dijo, de repente.

—¿Te has enfadado?

—No hables cuando me tocas, ¿quieres?

—No he —retiré las manos— hablado nada.

—Es muy tarde. Adiós.

—Salud.

Se volvió a mitad del portal y yo corrí hacia ella.

—No digas nada, ¿eh? Los hombres muy hombres no dicen nada. Ni a tu hermana Luisa, ni a Tano, ni a...

—¿Quieres que vaya con Luisa, cuando baja a tu casa?

—No.

—¿Somos novios?

—Es muy tarde. Hasta mañana.

Al día siguiente Tano tampoco se levantó. Concha y yo estuvimos muy poco tiempo juntos. Cené también en la cocina, porque estaba continuamente castigado. Hasta Riánsares me regañó, al regresar de servir el postre.

—Tu abuelo y tu padre están muy enfadados, porque te escapas a la calle a todas horas. Te vas a hacer un golfo. ¿Eres un golfo ya?

—Toma —le di la mitad de la naranja que acababa de pelar—. No, no soy un golfo. Estudio las lecciones y hago los deberes. Después de las vacaciones, tendré hechos todos los deberes. Dime una cosa, Riánsares, ¿a las chicas no se las puede hablar mientras se las magrea?

—¿Lo ves como eres un golfo? A las chicas —se puso a fregar los platos— lo mejor que puedes hacer es no tocarlas.

—¿Por qué? Es bueno y a ellas les gusta.

—Si se enteran tu padre y el abuelo...

—Vamos a ganar la guerra, Riánsares.

—No sé, no sé... Unos dicen una cosa y otros otra. Pobrecillos, madre, los que esta noche tengan que estar en una trinchera. Anda, vete al brasero.

—Aún no he terminado de cenar. ¿Se les puede hablar o no?

—¿Y a mí qué me dices?

—Yo creo que se les puede hablar, pero poco. De repente y un poco sólo, ¿no?

—A mí no me vayas a tocar.

—No te iba a tocar, Riánsares.

—Bueno, por si acaso...

Me puse a pensar en mis asuntos, casi dormido sobre la mesa de la cocina, frente a la ventana del patio. La luz del cuarto de Concha estaba encendida y también había luces en el piso de Tano. Hice examen de conciencia —como decía el abuelo— mientras me despedía de ellos, que escuchaban apiñados la radio, besaba a la abuela, que hacía punto, mientras recorría el pasillo, mientras me desnudaba y miraba hacia la calle emblanquecida. El próximo día no pasaría sin contárselo a Tano.

Tano bajó, cuando ya habían limpiado de nieve delante de los portales. Le dejamos sitio en el bordillo de la acera. Explicó que se encontraba mejor de la herida en la cabeza, que se figuraba quién había sido y que le iba a partir la boca.

—¿Quién ha sido? —pregunté.

—Le voy a partir la boca, y después le voy a restregar los morros en el estercolero del Campillo.

Me hablaba como a otro cualquiera de la banda, como si yo no fuera su amigo especial.

—Pero ¿sabes seguro quién fue? A lo mejor te cuelas.

Escupió entre sus pies separados, antes de tocarse la venda y ordenar:

—Esta tarde nos vamos al Campillo a patinar.

A nadie se le había ocurrido aquella maravilla de colocar una tabla en las pendientes y dejarse ir sobre la nieve endurecida y sucia. Estuvimos hasta el anochecer subiendo y bajando declives, riendo, como si todo fuese igual. Tano y yo volvíamos en silencio a casa, cuando decidí hablarle de la Concha. Pero, por una de esas cosas misteriosas, me habló él primero.

—Un día de éstos hay que esperar a la Concha.

—Sí —dije.

—Ahora anochece pronto y la cogemos en la calle. Luego, la metemos en el ascensor y nos la subimos al último rellano de la escalera, donde la puerta...

—Sí, donde la puerta de la azotea.

Lo habíamos planeado tantas veces, que no pude saber que sería la última que lo proyectaríamos. Resultó una buena tarde y una buena noche, los dos juntos, hablando de muchas cosas, como amigos especiales.

Aunque me dolía un poco y, sobre todo, me inquietaban las posibles reacciones de ella, le busqué para que esperásemos a la Concha. Pero no quiso oírme; hizo como si no me oyese y, encima, me obligó a subir a mi casa, a que Luisa nos enseñase unas canciones. Era la tarde del domingo y en la calle bufaba un viento que tumbaba las ramas de los árboles y desmochaba de hielo los parapetos.

Luisa nos hizo sentar alrededor de la mesa-camilla y, al rato, vinieron también Rosita, que sólo tenía ocho años, y su hermano Joaquín, de quien todo el mundo en el barrio sabía lo marica que salió en las únicas dos, o tres, dreas en las que estuvo. A Tano le brillaban los ojos, cada vez que lograba ir a coro con Luisa en lo de «Prietas las filas, recias, marciales...».

—Ahora —dijo Luisa— os voy a enseñar otra, maravillosa. Pero no levantéis mucho la voz —carraspeó y comenzó a cantar a roncos gritos, como si desfilase en manifestación—. «Giovinezza, giovinezza, primavera di bellezza...»

—Es preciosa —interrumpió Joaquín.

—¿Qué significa?

—Está en italiano —explicó Luisa— porque es el himno de los balillas, que son como los nacionales, pero italianos. De Italia, ¿sabéis?

—Llevan camisas negras —dijo Tano.

—Eso —dijo Luisa.

Tano me cogió en el vestíbulo.

—¿Dónde vas?

—A la calle —salí a la escalera—. No me da la gana cantar esas cosas.

—Ya iremos a la calle. Vente para dentro.

—¡No! Además, tampoco aguanto a ese maricón, ni a la cría, ni a mi hermana, que bastante me fríe la sangre todo el santo día. Me voy a esperar a la Concha. ¿No querías que nos subiésemos a la Concha a la puerta de la terraza?

—Vuelve o no te doy más cigarrillos de anís —se apoyó en la baranda, cuando bajé los dos primeros escalones—. Si no vuelves te echo de la banda.

—Di, ¿no querías, no querías tú? ¡Coño!

El viento no le dejaba a uno ni llorar.

A la hora de la cena se sabían entero lo de los hijos de puta de la camisa negra y, a mayor incordio, se habían chivado de que pasé toda la tarde en la calle. Riánsares estaba también enfadada, y cuando le toqué los muslos con el objeto de que regañásemos y nos pusiésemos contentos, se quedó inmóvil, como ida, y fui yo el que me tuve que largar, a buscar a la abuela, la única persona normal aquella temporada.

No me expulsó de la banda, entre otras razones, porque cada día venía menos con nosotros. Se iba con Joaquín y tipos así, como si los tíos de la calle le aburriésemos o tuviese muchos asuntos que resolver en otro sitio. Claro que seguía siendo el jefe, aunque, con frecuencia, íbamos a pelear contra otras bandas sin que él estuviese. Pero seguía siendo el jefe. Alguien le contaba siempre lo que habíamos hecho, para que dijese si estaba bien o mal; se le ocurrían buenas ideas de cuando en cuando, y su carro era el mejor de todos los carros con ruedas a bolas de aquel barrio.

Con la Concha no se podía saber nada de antemano. Ni si la cogería en la calle, en la escalera, en el dormitorio de Luisa, ni mucho menos si se dejaría tocar a mansalva o poco, si ella me tocaría o no consentiría, haciéndose la extraña.

Pasadas las fiestas de Navidad, le pedí a Tano las novelas de Julio Verne, que me había comprado el abuelo. Dijo que sí, que las había leído y que me las iba a devolver en seguida. Más tarde descubrí que no había leído ni «Los hijos del Capitán Grant», que era de las menos aburridas. Tardó una semana en devolvérmelas y eso, después que se las tuve que pedir otra vez y que se enfadó. Puede que hiciese mal en decírselo delante de la banda, una noche que tratábamos de conseguir una hoguera en un solar. Yo estaba nervioso y pensé que se le habría olvidado. Y luego, para acabar de arreglarlo, sucedió lo de Riánsares y el fascista aquel.

Pero mi más apasionada ocupación consistía en el constante acecho de la Concha. Era feliz, aunque, a veces, pensase cosas, como cuando se me ocurrió pensar si Tano sabría que yo era feliz o si me supondría desgraciado. Yo creo que sí sabía que yo era feliz. O quizá lo ignorase, igual que yo ignoraba entonces que un día las calles —sin nieve— se llenarían de gente y habría curas por las calles, que en la gloriosa mañana de la Victoria —así la llamaron— vería a Tono y a la Concha cantando, desde un camión, aquellos asquerosos himnos de la «giovinezza» —o como fuese—, que nunca sospeché que ella supiera.

Riánsares y el fascista

Un ruido
de cuevas sordas y hojarasca y viento
y cada vez más frío.

Carlos Barral

—Dicen —dijo Riánsares— que en una de las cuevas del Campillo hay un fascista escondido.

Mi padre, que tardó mucho en acercar el vaso a los labios, había preguntado a Riánsares que qué se decía por el barrio.

—¡Estate quieto en tu sitio! —me gritó el abuelo—. Y, desde hoy, se va a acabar eso de que te pases todo el santo día en la calle. Como los golfos.

—Iba a...

—¿Quieres —dijo Luisa, con aquella súbita mala leche que siempre me sorprendería— que te lleve a la cama sin que tomes postre?

Al tiempo que Riánsares colocaba el frutero en el centro de la mesa, acerqué de nuevo la silla. Las más impresionadas resultaron la propia Riánsares —a medida que lo contaba, con las manos cruzadas sobre el vientre— y la abuela. El abuelo, mi padre y Luisa, más que otra cosa, se asustaron.

—¿Y han ido ya los milicianos a detenerlo?

—No lo sé, señorita. Hace un rato, haber no había.

—Pobre hombre —suspiró la abuela.

Ellos tres se pusieron a hablar muy de prisa, como si así beneficiaran a aquella maravilla suya de fascista, por lo que la abuela, Riánsares y yo no pudimos añadir nada.

Desde la ventana de la cocina, más allá del jardín del antiguo convento de monjas, se notaba en el Campillo una concurrencia anormal, entre la que no pude distinguir a ninguno de la banda.

Me quedé dormido, a la espera de que Tano subiese a buscarme y me librase de la siesta. Cuando yo bajé a su casa, sin invitarme siquiera a pasar al recibimiento, su madre me comunicó que Tano aquella tarde estaba castigado.

—¿Castigado ha dicho usted, doña Laura?

—He dicho castigado.

Como era la primera vez que oía una cosa semejante, permanecí indeciso, aunque ella, seguramente por lo de la educación, no se atrevía a cerrar la puerta.

—¿Ha hecho algo malo?

—No, no —dijo precipitadamente—. Que no sale.

Un día corriente no hubiese insistido.

—Verá, doña Laura, es que en una de las cuevas del...

—Hoy ha dicho su padre que no; y no. Mañana os veréis.

—Mañana tengo que salir con el abuelo.

Ya desde el chaflán del antiguo convento, se percibía en los desmontes del Campillo, cerca de los cuatro guardias de asalto, a los de la banda, sentados tan ricamente frente a la entrada de una de las cuevas. Los milicianos —a los que no vi por ninguna parte— habían apoyado los fusiles en la pared de tierra.

—¿Y Tano? —preguntó Germán el Tifus.

—Tano no puede venir esta tarde.

—¿Por qué? ¿Está enfermo?

—Eso. ¿No le han encontrado aún?

—¿A quién? —dijo Manolito el Bizco.

—No.

—Pero seguro que está ahí —me explicó Paco—. Las otras cuevas ya las han registrado.

—Esa no tiene final —dijo Morrotorcido.

—Tano —intervino Manolito el Bizco— sabe que termina en las alcantarillas. El la ha recorrido entera. No es verdad que atraviesa el Paseo y va a dar al campo. Va a las alcantarillas —Manolito el Bizco giró la cabeza de uno a otro miembro de la banda—. Lo dice Tano.

—Cállate Bizco —murmuró Paco.

Generalmente, Manolito el Bizco pasaba por el más pequeño de la banda, a causa de lo deficiente que era. Ni aun en los momentos —frecuentes, por otra parte— en los que la impertinente estupidez de Manolito el Bizco más nerviosos nos ponía, nadie se atrevía con él. Al Bizco era obligación tratarle con buenas maneras, ya que le habían matado al padre en el frente de la Sierra y, encima, su madre trabajaba de cobradora en los tranvías.

—El Tano es el único hombre vivo que ha recorrido entera esa cueva.

Excepto Tano, que se reía mucho de las patochadas de Manolito el Bizco, todos deseábamos el final de la guerra para que el padre del Bizco resultara menos héroe.

—Y llega a las alcantarillas.

Se palpaba que estaba en uno de sus ataques de cerrilismo.

—Ha dicho el Paco —dijo Eugenio— que te calles la boca.

—Acordaos que este invierno nos volvimos, porque daba miedo.

Que recordase aquello del miedo, obligaba a partirle la cara o a concentrarse en el recuerdo del padre —difunto— del Bizco. En la madre del Bizco. En las prietas nalgas, que se le movían a su madre bajo el mono. Y, sobre todo, que, si por discreción nunca se comentó, nadie ignoraba que Tano jamás había alcanzado el final de la cueva.

—Bueno —dije—, como Tano no está, ¿quién hace de jefe?

Por votación, se designó a Paco. Todos le contestamos

que sí, que teníamos los tiradores. Luego, que no, que no nos rajaríamos. Volvió a preguntar lo de los tiradores, para lucir el mando. Por fin, después de escudriñar un rato el cielo, donde aquella tarde habían aparecido unas aisladas y redondas nubes, decidió:

—Por ahora, no se puede hacer nada.

En el prieto silencio de nuestras mandíbulas apretadas —como decían en una de Salgari o en una de «Bill Barnes»— quedaba claro que, necesariamente, algo había que hacer. Los guardias de asalto nos impedirían acercarnos; los milicianos no sabrían siquiera qué cuevas se comunicaban entre sí; nosotros, excepto la más larga, conocíamos todas; luego sólo la banda podía cazar al fascista. Paco acabó por pedir consejo.

—Tenemos los tiradores —dijo Manolito el Bizco.

—Y las navajas —dije— y el depósito de balas sin explotar y la bomba de mano. Pero seguimos sin...

—La bomba la tiene el Tano.

—... fusiles. ¿Os dais cuenta de la falta que hacen los fusiles? Estar en la guerra y no tener fusiles es como si nada. ¿Os dais cuenta?

Por el aire frágil de la tarde correteaban las voces de las niñas. Abajo del montículo donde nos sentábamos, la señora Rufina, la pipera, acababa de instalar su cesta.

—¿Que si os dais cuenta dice éste? —preguntó Paco a los demás.

—Bueno, ¿y qué? Nos ha jodido mayo con sus flores.

—Que si tuviésemos fusiles...

—No hay nada que hacer —dijo Paco—. A lo mejor le han enganchado ya.

—Esos no cogen ni a un gato —dijo Morrotorcido.

—Han registrado todas las cuevas. Fíjate, que ellos están tranquilos. A lo mejor, sí. Les queda sólo ésa.

—Nadie le ha visto el final a esa cueva.

—El Tano —dijo Manolito el Bizco.

—Nosotros a esperar —continuó Paco—. Si dispara y los mata a todos, vamos nosotros y le matamos.

—¿Con qué? —dijo Germán el Tifus.

—Con la bomba de mano.

—La bomba de mano la tiene el Tano —dijo Manolito el Bizco.

—¿Y por qué no está aquí? —la mirada de Paco se detuvo en mis ojos—. Lo que a mí me pinta, vamos, digo, es que en casos de esta gravedad el Tano no puede faltar.

—Ahora viene menos con nosotros.

—Si dispara... —empecé a explicarles.

—¿Quién?

—El fascista. Si dispara, nos tumbamos contra la tierra.

—Anda éste...

Las niñas, en continuo deambuleo, descubrían en la inagotable geografía del Campillo, los desniveles, los taludes, las tejas rotas, los montones de latas enmohecidas, el estercolero, la honda fosa rectangular paralela al Paseo, los restos de vallas de madera. Eugenio, Germán el Tifus, Manolito el Bizco y Morrotorcido terminaron por irse con ellas. Paco y yo nos fumamos, a medias, un cigarrillo de anís.

Conforme la tarde se hacía más tranquila y más pequeña en la luz decreciente del horizonte —por donde el cementerio— o en la blanquísima que reflejaban las nubes, las cosas seguían igual. Con los párpados entornados y las manos debajo de los sobacos, Paco parecía meditar. Germán el Tifus se acercó a pedir permiso para ir a su casa.

—¿A qué?

—A merendar.

Paco sonrió, solicitando conmiseración para aquel soplagaitas de Germán el Tifus.

—Qué chorradas tiene que oír uno...

—Bueno, ¿que si me voy o qué?

—¡Anda!, lárgate, soplapollas, y vuelve dentro de un minuto.

La señora Rufina estaba rodeada, pero nadie compraba. Debía de hallarse solitaria nuestra calle. Como en las noches de invierno o durante las siestas de agosto. Me hubiera gustado darme una vuelta, por si encontraba a la Concha o para subir a casa de Tano.

Imaginaría eso o que el fascista moriría de hambre, cuando llegaron corriendo, ahogados. Las niñas estaban quietas, algunas con la cabeza baja, disimulando.

—Están ahí —pudo articular Morrotorcido.

—A sentarse todo el mundo —ordenó Paco.

Manolito el Bizco colocó una piedra en la zapata de su tirador, entre las tensas gomas. Al fin, les vi. Precedidos por Leoncio, cruzaban la calle, directos hacia nosotros.

—Y Tano, en su casa —dijo Eugenio.

Los demás sacamos también los tiradores. Leoncio, medio doblado, acabó de coronar la pendiente y esperó a los otros. Cerca de las cuevas, cambiaron de dirección, hasta detenerse unos diez metros más allá. Sin que sonase una palabra, todos miramos a los guardias. Leoncio dio un paso y gritó, incluso demasiado:

—¡¿Han cogido al fascista?!

Paco, después de ponerse en pie lentamente, recorrió medio camino hacia Leoncio.

—No. Estamos esperando.

—No venimos de drea —dijo Leoncio.

Las niñas se acercaron y, paulatinamente, nos mezclamos los dos grupos. Hacía violento saludar a aquellos chicos, con los que llevábamos apedreándonos desde el principio de la guerra, y no saber sus nombres. La última, dos semanas antes, una noche que llegaron hasta allí mismo, a levantar parejas de lo oscuro. Les habíamos echado pronto, con una decisión rabiosa, mientras los hombres y las mujeres huían también bajo las parábolas de nuestras piedras.

—¿No está Tano? —preguntó Leoncio.

—Se ha puesto enfermo esta tarde —se precipitó a informar Manolito el Bizco.

En el barrio de ellos había menos calles y muchas sin pavimentar; los desmontes tenían hierba en la primavera y se decía que iban a plantar árboles. Las casas eran bajas, más de pobres, muy distintas a las nuestras. En sus dominios estaban las ruinas de la iglesia incendiada.

Paco nos consultó, antes de hablar, con una mirada atravesada.

—El Campillo es nuestro.

—Sí —reconoció Leoncio—. Hemos venido a ayudar.

—Se agradece —dijo Paco.

Nos quedamos callados un largo rato, hartos de los guardias, de los fusiles, de la presencia de las niñas, de nosotros mismos, avergonzados de aquella buena educación que, de repente, le había salido a Paco.

—Haría falta Tano —dijo Leoncio.

—Yo hago de jefe.

Como no se podía esperar nada —o no sabíamos qué esperar— nos sentamos en el suelo y, con pocas palabras y algún gesto, alejamos a las niñas de nuestros alrededores. Leoncio nos dio a Paco, a Eugenio y a mí un cigarrillo de anís; uno a cada uno, sacados solemnemente de su petaca de cuero, igual a la de un hombre.

—Dejar un par de chupadas a las tobas.

Ni les contestamos. A media ladera, cantaban las niñas; luego, bajaron el terraplén y se pusieron a saltar a la comba en la acera de enfrente. Al Tifus, cuando regresó mascando aún, la presencia de la banda de Leoncio le puso redondos los ojos.

—Deja de hacer muecas.

—Yo... ¿Le han encontrado?

Las cretinas no dejaban pensar, con su monserga aquella de los duples, desgañitadas de atronar el sosiego de la tarde con lo de «al cochecito, leré...» y demás lindezas del repertorio.

—Vosotros conocéis las cuevas.

—Sí —dije.

—¿Y qué?

Avancé hacia Leoncio, arrastrando la culera del pantalón por la tierra, en la forma exacta que tanto odiaba mi hermana que me moviese.

—Ninguna de las cuevas tiene salida. Sólo a ésa —la señalé— nadie le ha visto el final. Y se comunica con las otras.

—O se comunicaba. Si llueve, se derrumban y se tapan.

La verdad es que ninguno de los nuestros lo había pensado.

—Hace tiempo que no ha llovido.

—Pero como llueva esta noche —la sonrisa de Leoncio, lenta y medida, conseguía ser maligna—, el fascista se queda enterrado vivo.

—Aguarda —dije—. Aquí estamos para cazarle, si no lo encuentran esos; no para que se nos quede debajo de una tonelada de tierra, sin que le veamos nunca, como si nunca hubiera existido.

Dejó de trazar rayas en la tierra, tiró el palo astillado y levantó los ojos hasta encontrar los míos; la sonrisa de Leoncio se hizo más natural.

—De acuerdo. Os ayudaremos. Tenemos los tiradores, balas, navajas, un lazo y los planos para construir bombas con latas vacías.

—Nosotros tenemos una bomba de mano.

—¡¿Una...?! ¿Es verdad?

Ya que resultaba irremediable la criminal inconsciencia de Manolito el Bizco, asentí despreocupadamente, por si así le quitaba importancia a la cosa. Pero a la cosa no había quien le camuflase su extraordinaria gravedad. Total, que entre unos y otros, tuvimos que contarles cómo habíamos conseguido la bomba el año pasado.

—Hay que avisar al Tano —dijo Leoncio—. ¿Qué carajo hacemos, pudiendo disponer de una bomba de piña, sólo con que la traiga el Tano? Por muy enfermo que esté.

—Está muy enfermo —dijo Eugenio, realmente compungido—. Pero se puede designar un emisario.

—Ya iré yo de emisario.

—¿Cuándo?

—Ya iré —repetí.

—Irá, cuando yo mande —dijo Paco.

—O se hunde la cueva o se las pira, o le cogen los milicianos.

—Esos no cogen ni una rata —dijo Morrotorcido—.

Y mira que hay ratas en las cuevas. Para llenar un camión.

—¿Quién te lo ha dicho? Te pones y, a paladas, llenas un camión de ratas.

—Se echarían a correr.

—Muertas, boboelculo, muertas.

—¿Muertas?

—Claro que muertas.

—Y ¿qué te crees...? Las ratas de las cuevas están más vivas que...

—¡A callarse!

El grito de Leoncio creó el silencio. Morrotorcido, Manolito el Bizco y un chico de la otra banda —que debía de ser el Tuerto, porque tenía un ojo con nube— se habían puesto a jugar al peón, sin dejar de prestar atención, eso sí, a lo que se trataba; por lo cual, a nadie le extrañó que, pasados los primeros instantes después del grito de Leoncio, interrumpiesen para comentar. Pero casi nadie oyó al Bizco.

—¿Qué ha dicho ése? —pregunté.

—Tonterías —dijo Morrotorcido.

—Aquí todo el mundo tiene derecho a dar su opinión —Leoncio miró a Manolito el Bizco, con una especie de afecto, que asustó al otro.

—Aquí lo que no se puede hacer es perder el tiempo hablando de ratas, habiendo como hay un fascista escondido en las cuevas.

—Eso —dijo el Bizco, con un poco más de voz.

—Eso ¿qué?

—Que eso he dicho yo. Que, a lo mejor, ni hay fascista, ni nada, porque ni Cristo sabe quién ha lanzado la noticia.

Algunos se pusieron en pie, de tanta sorpresa que les dio la ocurrencia de Manolito el Bizco.

—¡Anda la órdiga, con lo que nos sale ahora éste...!

Pero Leoncio no continuó, ya que el guardia corría, lleno de reflejos el cuero de las polainas. Sus compañeros, colocados en la entrada de la cueva, no dejaban ver lo que pasaba. En la desbandada general llegaron primero los más pequeños, las niñas y la señora Rufina, por lo que resultó necesario dar algún capón que nos abriese paso hasta la primera fila. Allí, los guardias nos amenazaron, retrocedimos un poco y, más en silencio, con mayor circunspección, retornamos, hasta poder tocar —si nos hubiésemos atrevido— los monos o los fusiles de los milicianos.

—Me gustaría saber quién se ha inventado el bulo.

—Huele a muerto —se colgó el fusil del hombro derecho, dejando el pulgar bajo la correa—, está húmedo, lleno de ratas y hay menos fascistas que en Guadalajara.

Los guardias se rieron...

—Bueno, nosotros damos parte. ¡Fuera, chicos! Vamos ahora, redactamos el parte y vosotros os acercáis, cuando os venga bien, a ratificar el hecho.

—Y, digo yo, ¿no hay tiempo para beberse unos vinos, que nos quiten el reúma que hemos cogido dentro?

Se guardaron las linternas. Enfundaron las pistolas. Se ajustaron los correajes. Detrás de ellos se fueron los más pequeños, las niñas, la señora Rufina y Manolito el Bizco.

Parecía imposible, pero así era. El irregular arco de medio punto, las paredes con antiguas huellas de picos, la tierra lisa, el declive, que luego ascendía, doblaba, volvía a bajar, se bifurcaba en las tinieblas, estaban libres para nosotros.

Media hora más y sería de noche. La media hora se nos fue en pensar lo de las antorchas, en penetrar unos metros en la cueva, en calmarnos aquella excitación unánime.

—Mira —me puso el brazo por los hombros, para separarnos de los demás—, lo mejor es que te largues a casa del Tano ahora mismo. Nosotros nos quedamos y vamos preparando lo que pueda hacerse.

Una opresión asfixiante me entorpecía en el pecho las palabras, que, muy claras, se me aglutinaban en la cabeza.

—¡Por la noche...! Leoncio, por la noche se puede escapar.

—Tú no te preocupes. Ya se pensará algo. Tú trae la bomba, por si acaso; sin que nadie se entere. Si puedes, ayudas al Tano a escaparse.

—No os mováis de aquí.

—No nos movemos.

Ahora sí, era casi de noche. Estreché su mano, rugosa, con callos. A toda carrera bajé hacia los faroles, que no se encenderían hasta que la guerra no acabase. Ya en la calle dejé de correr, aunque continué muy de prisa, todo lo rápido que las piernas me permitían. Al entrar en el portal, tropezamos.

Mientras se reía como una loca, retrocedió a la pared. Yo no podía hablar y me puse a respirar hondo, regularmente, al estilo de los nadadores o de los pilotos militares. Estaba guapa, con aquella saliva finísima en los labios, los pechos manifiestos bajo el jersey, los brazos tan redondos, tan lustrosos... Suspiré hasta las tripas.

—Concha...

—¿Qué te pasa? Sudoroso, lleno de tierra —me pasó una mano por la nuca—, despeinado... ¿Dónde te metes, que no te he visto desde la semana pasada?

—Por ahí.

—¿Y ahora?

—Voy a casa de Tano. Es urgente.

—¿Me acompañas a la lechería?

—Hoy no puedo.

No sólo en el tono de la voz, sino también por la expresión, se me tenía que notar la duda.

—Bueno... ¿Qué se le va a hacer?

Se acercó ella. La cogí por el cuello y puse mi boca en sus labios, aunque demasiado poco, porque giró la cabeza. Luego seguí corriendo, mientras Concha se quedaba viéndome —o, al menos, suponía yo que se quedaba contemplando mi carrera en dirección del ascensor—, y, con un vigor alegre, dispuesto a todo —sin saber a qué—, empecé a subir los escalones de dos en dos.

Detrás de la criada, que había abierto la puerta, doña Laura cruzó el recibimiento, con la cafetera de plata en una mano, sonriéndome. Lo de la sonrisa me desconcertó tanto, que se me olvidó la boca de Concha.

—Verá usted, doña Laura...

Ni me oyó, ya por el pasillo sin parar de decir que Tano estaba en el despacho y, luego, que ya iba, que no se pusieran impacientes mi padre y el padre de Tano.

—En el despacho, te ha dicho la señora.

Salí de estampida, después de haberle pellizcado una nalga a la criada. Tano me miró desde la alfombra, donde construía uno de los modelos del meccano.

—Ten cuidado con las tuercas. Siempre se están perdiendo, no sé qué pasa. ¿Quieres ayudarme?

Me senté con las piernas cruzadas a lo moro, más que nada por tener su cara al mismo nivel, sin que me pusiese nervioso verle con la cabeza levantada hacia mí. Amontoné las tuercas desperdigadas.

—Sucede una cosa muy grave.

—¿Qué?

—En una de las cuevas del Campillo hay un fascista escondido.

—Ya lo sabía.

—¿Quién te lo ha dicho?

—Luisa.

—¿Mi hermana?

—Sí, tu hermana.

—¿Ha estado aquí Luisa?

—No. He subido yo a buscarte hace un rato. Y nos lo ha dicho a Concha y a mí.

—¿La Concha estaba en mi casa?

—Sí, estaba. Y deja de hacer preguntas. Ayúdame.

Por puro desconcierto, durante unos minutos le estuve pasando piezas.

—Tano, hay un fascista escondido. ¿No lo entiendes?

—Lo entiendo.

—Entonces... Leoncio ha venido con su banda.

Sólo después de habérselo contado todo, dejó el meccano y creí que me haría caso.

—Déjales a ellos que le cojan —se rió, con sorna—. A ver si pueden.

—Sí, pueden. Tenemos de todo, conocemos las cuevas, los milicianos se han ido y le vamos a enganchar, antes de que vuelvan. Nos hace falta tu bomba de mano.

—Yo soy el jefe y no saco la bomba, si no es necesario. Vas y se lo dices así.

—Pero es necesario. No se puede cazar a un fascista con los tiradores y las navajas. Tendremos que tirar la bomba de mano, para hacerle pedazos.

—Y si le haces pedazos, ¿cómo le vas a coger? —me miró, callado, un instante—. No seas infantil. La bomba hay que reservarla para un asunto importante y decisivo. Es probable que sea mentira lo del fascista ése. Y si no es mentira, se habrá escapado ya.

A veces resultaba insoportable no tirarse sobre él y golpearle, golpearle mucho y mucho tiempo; se veía claro, como a la luz de un relámpago, que no actuaba así porque supiese más que nosotros, sino por mala intención, por una grandísima mala intención, que no se podía averiguar de dónde le venía. También aguantarse las lágrimas —de rabia— resultaba muy difícil. Me levanté.

—No se ha podido escapar.

—La cueva larga tiene salida a las alcantarillas.

—A ninguna de las cuevas se le ha visto acabar en las alcantarillas.

—Vosotros no, pero yo sí. Este verano la recorrí entera y llegué hasta las alcantarillas. Por Ventas.

Si le daba un puntapié a las tuercas, nos liaríamos a golpes y me echaría de su casa y tardaríamos más de una semana en hacer las paces, y las cosas seguirían tan mal como estaban. Pero era imposible aguantarse. Desde la puerta del despacho, descontrolada la voz por una súbita ronquera, le grité:

—¡Es mentira, mentira! Nunca has llegado al final. Te quedaste escondido y luego saliste diciendo mentiras.

Le sentí correr detrás de mí. Ni siquiera cerré la puerta de la calle. Su voz me detuvo en la escalera.

—Oye, tú. Dile a Paco que siga haciendo de jefe hasta mañana —no parecía enfadado—. Y es verdad lo de la cueva.

Regresé muy despacio, para calmarme y también por si encontraba de nuevo a la Concha. No se veían nubes en el cielo oscuro.

El Campillo, bajo las tinieblas, olía fuerte. Me chistaron, antes de que yo les percibiese. Se habían apartado de la entrada de la cueva, no fuera el fascista a salir de repente; junto a la pared de tierra, les conté que Tano continuaba enfermo, constantemente acompañado de su madre, de la criada y de mi hermana —estuve a punto de añadir a la Concha en la relación—, lo que había imposibilitado la entrega de la bomba.

—Ha dicho que hagas de jefe tú hasta mañana. ¿Habéis solucionado lo de las antorchas?

Ni Leoncio, ni Paco, ni Eugenio, los únicos que no se habían ido a sus casas, contestaron. Hacía fresco allí, en pie, sin otra posibilidad que aguardar la salida del fascista. De cuando en cuando pensaba en la hora, que en casa estarían impacientes, que me castigarían; lo pensaba todo, como un sobresalto en medio del recuerdo de Concha o de Tano.

—Se morirá de frío —dijo Eugenio.

No había manera de olvidar la tranquilidad de Tano, que le hacía a uno dudar, ni la impasibilidad de Concha sabiendo que un fascista se escondía en las cuevas. Puede que le hubiese disgustado mi negativa a acompañarla; las chicas disimulan muy bien. Eugenio era el más inquieto. Pero se estaba durmiendo, cuando Leoncio propuso lo de los mayores.

—Nosotros no tenemos mayores en el barrio.

—Pues si yo se lo digo a mi hermano, coge a sus amigos y se vienen aquí a hacer guardia —la casa de Leoncio quedaba lejos—. Ellos se pueden pasar la noche fuera.

Al fin y al cabo, los mayores no eran de ninguna banda, pertenecían a la misma especie que los milicianos; gente vieja, en resumidas cuentas. Sin embargo, siendo cuatro y no habiendo dado aún las diez, se podría resistir —hacer la guardia, según Leoncio— un rato más. Merecía la pena. Yo me lanzaría a sus piernas, como un jugador de rugby, lo sujetaríamos entre todos y, con los cinturones, le ataríamos los tobillos y las muñecas. La gente saldría a las ventanas y a los balcones y a los portales, a pesar de la hora, en cuanto se corriese la noticia de que la banda —y Leoncio— le habíamos hecho prisionero. Nos verían pasar hacia el cuartelillo de Torrijos —o hacia la comisaría de la plaza de Salamanca— con el fascista atado a conciencia, llorando y gimiendo. La abuela un día había dicho que no todos eran gordos, que existían muchas clases de fascistas. Para la abuela las cosas resultaban fáciles, porque era listísima y sabía comprender a las personas. Aunque no le gustaban nada las bombas de mano, era buena. Distinta al abuelo, a mi padre y a Luisa, empeñados en que ganasen la guerra los nacionales, como para quitarle razón a ella —que no se metía con nadie, todo lo contrario— y restregarle por las narices las imágenes, los curas y las misas. Si fueran las diez, la abuela comprendería y no les dejaría castigarme. «Sobre todo, abuela, ¿quién va a coger al fascista, si no somos los de la banda? Y Leoncio.» También se asomaría la Concha, puede que incluso con su bata guateada, que se le abría sobre la enagua corta y los muslos tensos.

Los pasos se oyeron perfectamente; un crujido de la arena y, en seguida, las suelas arrastradas por la tierra, además de aquel desgarramiento del aire. Los otros seguían igual. Me agaché, pero no se veía nada.

—¿No oís?

Leoncio fue el primero en darse cuenta. Las sombras avanzaban a buen paso, muy cerca de la entrada. Salimos corriendo. Por milagro no nos caímos ninguno, pues lo natural hubiera sido tropezar en las piedras o tomar una claridad por un desnivel.

—¡Deja, que son unos chicos!

En la tapia del antiguo convento, mientras comprendía que nos habían apuntado con los fusiles, nos reagrupamos. El susto nos impidió comprender al instante que los guardias —o los milicianos— continuaban la búsqueda del fascista. Eugenio dijo que ellos, bien pensado, tenían no sólo balas, sino también mosquetones y linternas. Leoncio se despidió hasta la mañana siguiente. Paco, Eugenio y yo regresamos a nuestra calle, cada vez más tranquilos. Había mujeres sentadas en sillas frente a las tiendas y los portales. Manolito el Bizco nos comunicó que no eran más de las nueve y cuarto, pero a nadie le apeteció jugar a dola. Manolito el Bizco había cenado ya.

—Hasta mañana —dijo Paco.

—Es que mi madre se tiene que levantar a las cinco, porque le toca el primer turno.

—¿Ha venido tu tío Ramón?

—Sí.

—Bueno, hasta mañana —dijo Eugenio.

—Salud.

Manolito el Bizco era un tipo de suerte. Cuando venía aquel tío suyo, su madre le mandaba a la calle hasta las doce y encima le daban medio chusco y dos duros para el cine del domingo.

—Quédate un rato conmigo.

—No, Bizco, me subo. Hay que madrugar para ver qué se hace con el fascista.

En la puerta de su carbonería me detuvo el señor Pedro.

—¿Qué, se le ha cogido a ese emboscado?

—No tiene escapatoria. Se han quedado los milicianos de guardia.

—Y tú ¿qué has inventado?

Al señor Pedro, aunque era bueno y ayudaba a construir los carros con ruedas a bolas, tampoco se le podían contar las intimidades de la banda, ni mucho menos lo de la bomba.

—Estamos preparando un lazo.

—Eso está bien —dijo el señor Pedro.

No sé por qué, mientras ya me iba, añadí:

—Y luego le quemaremos vivo.

El señor Pedro se retrepó en la silla, me llamó y me cogió de los hombros. A mí se me había ocurrido de pronto lo de abrasar al fascista. Ni lo tenía planeado, ni nunca creí que al señor Pedro le diese tan fuerte la impresión. Ahora, ya dicho, había que mantenerlo.

—Hijo, ¿cómo podéis pensar esas cosas?

—Es un fascista.

—Pero es también un hombre, ¿no lo entiendes? El mayor bien... —se corrigió a sí mismo, al tiempo que casi me sentaba en una de sus rodillas—. El mayor, no. Sólo el solo bien de un hombre es seguir siéndolo. Quiero decir, la vida.

El señor Pedro era sindicalista y, como decía Tano, los sindicalistas siempre largaban un discurso.

—Mire, señor Pedro, es la guerra y hay que matarlos. Si no se mata a los fascistas, los fascistas matarán al pueblo. Y, para acabar de jorobarla, vendrán los moros y rajarán por medio a las mujeres.

—Aquí no es el frente y vosotros sois unos chicos. Los chicos no matan.

—A los fascistas, sí, señor Pedro.

—¿Quién te ha enseñado eso? —esperó un poco, a ver si yo le sabía responder—. ¿Tu abuela?

—No, mi abuela no.

—¿La Riánsares?

—Lo sé yo porque lo sé.

Cerró los ojos, escurrió las yemas de los dedos por la nariz, abrió los ojos y sonrió. Al señor Pedro las cosas no le parecían fáciles; se le notaba en lo que le costaba encontrar las palabras, que luego empleaba mal.

—Coño...

—En la guerra hay que matar, ¿no?

—Carajo, qué guerra de mierda... Pero no los críos, ¿me oyes? Los críos tenéis que ir a la escuela, a aprender la manera de que se acaben la injusticia y la opresión.

—¿Usted ha ido al colegio?

Se le cambió el tono de la voz. No era raro, puesto que el señor Pedro unos días se encontraba muy contento y todo lo veía de color de rosa y otros días —e incluso dentro del mismo día— cambiaba, sin que se supiese por qué, y se ponía pesimista.

—No, yo he ido poco. Por eso tienes que ir tú, para que ya nadie asista poco a la escuela.

—Bueno, y si usted va y coge al fascista, ¿qué haría usted con él?

—Entregárselo a las autoridades competentes.

—¿Y si las autoridades le dan el paseo?

Se quedó muy serio. En las fachadas de enfrente algunas ventanas estaban iluminadas. Manolito el Bizco acababa de acercarse, harto de soledad, a un grupo de niñas que en la penumbra seguían saltando a la comba. Pasó lentamente, con los faros apagados, un automóvil, pero en dirección contraria al Campillo. Las manos del señor Pedro habían dejado de sujetarme.

—No sé, hijo. Pero lo que sí te digo es que vale más un cristiano vivo que un marxista muerto.

El señor Pedro, con frecuencia, no comprendía bien, lo equivocaba todo.

—Pero es un fascista, no un marxista, al que vamos a quemar, señor Pedro.

Permaneció como alelado y me fui, con el remordimiento de que, quizá, debía haber sido más fino y quedarme un rato más. Claro que yo ignoraba entonces que una mañana, cinco meses después, al levantar el cierre de la carbonería Tano y yo, le veríamos ahorcado de una de las vigas, amarilla y rugosa la calva.

Se olvidaron y me senté a la mesa sin lavarme las manos. Cenamos antes de que el abuelo y mi padre subiesen de casa de Tano. Aunque Luisa no quería, le conté a la abuela lo que habíamos hecho por la tarde. Riánsares estaba enfadada porque Luisa la había regañado, y no se quedaba en el cuarto de estar mientras nosotros comíamos. Después, fui a orinar y me acosté. Me encontraba cansadísimo y se me mezclaban las ideas. Me puse a leer «Cuchifritín y Paquito». Casi no se hablaba de Celia, la hermana de Cuchifritín, pero se me fue el santo al cielo —como decía el abuelo— imaginando su cara, el color de su piel, sus piernas —sólo hasta las rodillas—, la entonación de su voz si pronunciara mi nombre. La abuela me dio un beso y me remetió las mantas, cuando vino a apagar la luz. En las trincheras, seguí de charla con Celia, que, como también era roja, se alegraba mucho de que, al fin, hubiéramos hecho prisionero al fascista.

La puerta se abrió. Desde el pasillo, Riánsares me preguntó si estaba dormido.

—Un poco —le dije—. Entra.

—No, duérmete.

Me asustó la hora a la que me despertó la abuela, así que no pude ir al Campillo antes de la clase y tuve que lavarme únicamente la cara y las manos, porque doña Berthe esperaba ya en la sala, aunque tomándose su buen tazón de malta con leche condensada.

—Buenos días, doña Berthe. *Comment allez-vous?*

—Bon jour, mon petit.

Aquella mañana doña Berthe estaba más cegata y más torpe y, por tanto, más lenta que de costumbre. A punto de percatarse de que no había estudiado el modelo de la tercera conjugación, le dije que creía no recordar el verbo *avoir*. Se lo creyó, pero lo malo fue que, al llegar al futuro imperfecto del subjuntivo, era verdad que lo había olvidado. Me echó una bronca, hasta que logré desviar la conversación hacia un profesor de francés que ella conoció en Segovia y al que quería mucho. Dejé que me hablase del profesor aquél, que parece que era también poeta, mientras proyectaba escaparme inmediatamente después de la clase.

Si no me hubiera descuidado reforzando de alambre la horquilla del tirador, el abuelo no me habría pillado.

—Pero, abuelo, tú dijiste que iríamos por la tarde.

—Yo dije que hoy saldríamos, sin especificar hora. ¿Es que no quieres acompañar de paseo a tu abuelo?

El era así, como para hacer tal clase de preguntas.

Me tuve que poner la ropa nueva. En la calle no vi a nadie de la banda. Por pura manía, el abuelo se negó a que bajásemos a Alcalá por Sagasti, o sea, que me quedé sin ver las lomas del Campillo.

El abuelo hablaba poco, me dejaba el bastón algunos trechos, me lo quitaba si hacía con él algo que no le gustaba, no exigía que le diese la mano para cruzar y, en resumen, permitía pensar en los propios asuntos. Lo que sucede es que no pensé. Igual que el futuro imperfecto de subjuntivo, se me olvidaron el fascista, la Concha, Tano y las preocupaciones. Las calles estaban muy bonitas, con mucha gente, hasta el punto de que parecía otra ciudad. En el ensanche de Hermosilla, donde tomamos el tranvía para Ventas, una multitud intercambiaba, en las aceras y en la calzada, artículos de comida, incluso por vestidos y por muebles. Mi hermana, que alguna vez iba allí con Riánsares, volvía siempre llorando. A mí tanta animación me daba alegría, como en aquella verbena a la que mi madre me llevó una tarde hacía ya mucho tiempo.

En las Ventas, el abuelo se sentó en unos bloques de granito a la sombra de la plaza de toros y me autorizó a que cogiese los topes de los tranvías, en el final del trayecto. Daba gloria subirse sin esfuerzo, al principio de la amplia elipse que recorrían vacíos y a marcha de tortuga hasta la primera parada, en el comienzo de la cuesta de Alcalá. Alguna cobradora de mala uva nos tiraba puñados de tierra a los chicos, con la indudable intención de que nos alcanzase en los ojos. Claro que nunca acertaban. No me hallaba yo, sin embargo, para muchos regocijos, porque empezaba a recobrar la memoria.

No valió de nada decirle que estaba fatigado, ni que llegaríamos tarde a comer. Regresamos andando y, en Torrijos, esquina a Alcalá, nos pusimos a mirar los libros usados, en los tenderetes. Como siempre, el abuelo, después de un rato, me preguntó que cuál quería. Yo quería uno de «Guillermo», de los tres que me faltaban para completar la serie, pero el abuelo opinó que el volumen se encontraba en un estado nauseabundo y tuve que elegir «Emocionantes aventuras de la Misión Barsac», que era lo que él deseaba. Mientras continuaba hojeando libros, con el bastón colgado de un bolsillo de su abrigo, me acerqué al puesto del señor Rufo, que me dio con una mano en la cabeza y saludó al abuelo quitándose la gorra. Busqué «Corazón», que no se podía leer porque su autor era de la masonería; la última vez me había quedado en lo del pequeño tambor sardo, pero el libro no aparecía por ninguna parte. Naturalmente, no me atreví a preguntar al señor Rufo. Leí un poco de aquí y de allá, hasta que de pronto, en un libro de poesías que no se entendían nada —y existían poesías bonitas, como las de Campoamor o los romances que Riánsares se sabía de memoria—, comprendí unos versos y me asusté mucho. Los releí varias veces.

—«... porque algunas veces
hacemos yo y ella
las bellaquerías
detrás de la puerta.»

Con las mejillas coloradas, tuve la certidumbre de que lo habían escrito por la Concha y por mí. Cerca de casa, sin poder quitarme de la cabeza lo de los magreos, le pregunté al abuelo si aquel poeta sería también amigo de doña Berthe. El abuelo dijo que no, que aquél había vivido en los siglos XVI y XVII de una forma edificante, a diferencia del otro.

—¿Por qué era bueno?

—Porque era sacerdote.

—¿Y el amigo de doña Berthe?

—Es un rojo.

—¿De verdad?

No me quiso decir si eran versos que se entendían o no; por otra parte, acabábamos de entrar en nuestra calle y Eugenio me llamó a gritos. Prometí al abuelo que no tardaría mucho en subir a comer y le pedí, por favor, que se llevase los cuatro tomos de «Emocionantes aventuras de la Misión Barsac».

Junto a la calzada, sentados en rueda, no faltaba ni uno. En un árbol, Tano había apoyado su carro.

—¿Dónde te has metido? —dijo Tano.

—Hay Consejo —me avisó en voz baja Manolito el Bizco.

—¿Han cogido al fascista los guardias?

—Este dice —dijo Germán el Tifus— que lo del fascista es mentira.

—Cállate, Tifus.

—Tú lo has dicho, y, como éste no estaba, pues voy yo y le digo lo que tú has dicho. Que es un cuento y que a ver quién se ha inventado lo de que hay un fascista escondido en las cuevas.

—¿Y quién se lo ha inventado? —pregunté estúpidamente.

—De eso se trata —Tano escupió en las manos y se las frotó—. Paco se lo ha oído a su madre, la madre de Paco a una vecina, a la vecina se lo contaron en la cola de la panadería... y así. Vamos, que no hay quien haya visto al fascista. ¿No os acordáis de cuando dijeron que iban a poner barracones en el campo del Parral? Y no los pusieron. O lo de los cañones.

—¿Qué cañones? —preguntó Morrotorcido.

—Que llenarían de cañones el Paseo. ¿Hay alguno? No, señor. Lo que pasa es que en la guerra circulan muchos bulos.

—Sí, eso es verdad —dijo Paco—. La quinta columna está siempre lanzando bulos.

—Pero —dije— la quinta columna no se va a chivar que hay un fascista escondido en las cuevas.

—No seas terco. Todo el mundo inventa bulos.

—Sobre todo, la quinta columna, ¿eh? —precisó Germán el Tifus, que tenía echada solicitud de ingreso en los pioneros.

—Bueno, no discuto más. Pero ¿quién ha visto al fascista?

Todos nos callamos. Porque no había otro remedio. Porque era de esas ocasiones en que estaba de jefe y parecía el más listo y resultaba imposible explicar las cosas con la claridad que, por dentro, se veían.

—O sea, que era mentira lo del fascista —dijo Manolito.

—Eso, Bizco.

—Entonces —empezó a hablar muy despacio Paco, con un miedo visible, pero evidentemente decidido a no callar más— ¿qué hacen ahora en el Campillo los de la banda de Leoncio?

Como si le pesase en los párpados nuestra tontería, abrió y cerró los ojos con muchos visajes.

—Paco, tú sabes que Leoncio es memo —cambió de voz—. Si queréis ir, largaros. Nadie os prohíbe que os paséis toda vuestra puñetera vida en el Campillo, esperando que salga un fascista que no está dentro. Allá vosotros... —hizo como si se levantara.

—La bomba —murmuró Paco.

—¿Qué bomba?

—La bomba de mano, que tienes guardada en tu casa.

—La bomba es mía.

—¡No! —grité—, no es tuya.

—¿Quién la tiene?

—Tú.

—Pues es mía.

—Es de la banda.

—Yo soy el jefe.

—Pero la bomba es de toda la banda.

—Tú te callas —sus ojos se acercaron, brillantes, a los míos—, porque no tienes nada que ver en el asunto de la bomba.

—¡¿Que no?! Yo os avisé que los de Diego de León tenían la bomba, yo lo descubrí.

—Pero no hiciste más. Tú no estabas, cuando cogimos prisionero...

—Porque me castigaron aquella tarde a no salir.

—... al chico de Diego de León, ni le diste tortura, ni hablaste con los de su banda para el rescate, ni les sacaste la...

—Pero yo dije que ellos tenían una bomba de piña, porque le dieron una patada al bastón y se lo tiraron y yo defendí al abuelo y me pegué con ellos y vi que tenían la...

—¡Si no te callas, te parto los morros!

Me callé. Como todos ellos, que en los últimos momentos habían llevado el silencio en sus miradas de

Tano a mí. Me callé, hasta que la furia se desató un poco en mi garganta y pude hablar de nuevo.

—La bomba es de todos nosotros.

Sus manos me cogieron del jersey, bajo la barbilla. Le hubiera podido golpear, yo que tenía las manos libres durante todo aquel tiempo en el que sentía su aliento.

—Te voy a expulsar de la banda.

—No, Tano, eso no —intervino Paco—. Una cosa es una cosa y otra, que eches a éste de la banda. Este lo ha dicho con buena intención, para tener algún arma, porque con los tiradores, las hondas y las navajas, el fascista se nos puede escapar.

Me balanceó, antes de soltarme; las palmas de mis manos impidieron que cayese de espaldas al suelo; reseca, la saliva me quemaba en el paladar.

—Está bien —parecía que era buenísimo, que nosotros éramos los malvados—, está bien, chicos. Yo reservaba la bomba por si un día ocurría algo importante, pero...

—Que decida la banda —le interrumpió Morrotorcido.

Todos, menos Manolito el Bizco, que dijo que él no quería saber nada de nada, que luego todo eran líos, votamos que Tano entregase la bomba.

—¿A quién se la doy?

—A mí.

—De acuerdo —se levantó—. Vete esta tarde por mi casa.

—¿A qué hora?

Cogió su carro con malos modos y se metió en el portal sin contestarme. El malestar, una angustia inconcreta por las piernas, a veces en el pecho, era muy parecido al que me dejaban las riñas de mi padre o de Luisa, que en cuatro o cinco horas no se me pasaba el disgusto.

—Iré después de comer —dije.

—Bueno —dijo Paco.

—¿Se habrá enfadado? —preguntó Manolito el Bizco.

—El es así.

—¿Quién va a hacer de jefe?

Que me hubiesen designado a mí, me hizo un poco más soportable la comida. A favor de la conversación que tenían, me escapé a la cocina a acompañar a Riánsares, mientras fregaba los platos y los cacharros.

—Si quieres, te ayudo a secarlos.

—No, que los dejas medio mojados. ¿Qué te pasa? —sonrió, al sentarme yo en el mármol de la mesa—. ¿Te has enfadado con Tano?

A uno se le olvidaba que Riánsares —al igual que la abuela— era listísima.

—No quiere venir a cazar al fascista.

—¿No le habéis cogido aún?

Yo creo que se olvidaba, porque, a veces, Riánsares hacía preguntas de boba.

—Esta tarde le cogeremos.

—¿Cómo?

—Ya se verá.

—¿Es viejo o joven?

—Debe de ser viejo.

A través de la ventana de la cocina, el Campillo estaba desierto bajo el sol. Riánsares iba de los armarios al fregadero y del fregadero a los armarios. Por el escote se le veían un poco los pechos.

—¿Te ha comprado novelas el abuelo?

—Sí.

—¿Muchas?

—Cuatro.

—¡Ahí va...! Si son bonitas, me las dejarás leer, ¿verdad? —afirmé con la cabeza—. Luego dices que no te quiere.

—Me las compra porque piensa que el dinero no va a valer.

—Pues a tu hermana le he oído que los billetes que tengan no sé qué números sí van a valer.

—Es una tontería. Los nacionales no ganarán la guerra...

—Claro —dijo Riánsares.

Salió, volvió a la cocina, llenó el cubo y yo seguía allí, sentado en la mesa, columpiando las piernas, sin abandonar la vigilancia de la tierra seca del Campillo.

—¿Hace mucho que no ves a la Concha?

Lo que vi, cuando miré, asombrado de que me hablase de la Concha, fueron los muslos de Riánsares, que, arrodillada, extendía la bayeta hacia delante.

—Hace poco.

—Ayer vino con Tano. También...

—Ya lo sé.

—Hijo, estás más soso hoy... ¿Sigues pensando en el fascista ése?

Me bajé de un salto; contra los avisos de Riánsares de que no pisase las zonas recién fregadas, llegué hasta ella y conseguí llevar la mano lo suficientemente dentro. Como si hubiera sido yo el desprevenido, su carne dura me transmitió un escalofrío. Desde el pasillo, le hice prometer que, cuando Luisa preguntase por mí, diría que había bajado a casa de Tano.

En casa de Tano, la criada me comunicó que todos dormían la siesta, manteniendo la puerta tan entornada, que daba la impresión que yo intentaba tocarle el culo.

—Ya volveré.

—Hasta las seis y media no se va a levantar.

—Tú dile que yo voy a volver y que tenga preparado eso.

—¿Qué?

—Eso. El ya sabe lo que es. De mi parte, que lo tenga preparado.

El señor Pedro, don Agustín, la portera, el lechero y Manolito el Bizco —Manolito de mirón— comentaban en el portal un bombardeo de los aviones fascistas por Atocha, la noche anterior. Manolito el Bizco se me unió, camino del Campillo. Además de los nuestros, estaban Leoncio y los de su banda.

—¡No acercaros, no acercaros! —gritó Eugenio.

Nos paramos. Leoncio y Paco nos hicieron señas de esperar. Justo frente a la entrada de la cueva larga, en cuclillas, trabajaban en algo invisible. Después de un rato, chillaron que ya podíamos. Estaban muy sonrientes.

—¿No notáis nada?

El muro de tierra, las latas mohosas, el gran hoyo rectangular, el sol, algunas nubes, el estercolero, las niñas saltando a la comba en la acera de Sagasti, unos pequeñajos del barrio saltando a dola en el andén central del Paseo, todo era normal. Pero Morrotorcido rugió, al dar Manolito el Bizco unos pasos y varias manos le asieron.

Desde la mañana habían cavado. Ahora la trampa tendría un metro o metro y medio de profundidad por dos de ancho; acababan de colocar el cartón, pringoso de cola y arena, sobre aquel agujero a la salida de la cueva. El poco disgusto, que aún me roía en el vientre, se disipó de golpe.

Nos reímos mucho, añadimos otro trozo de cartón, camuflamos más la débil cubierta, que cedería bajo el peso del fascista, y el tiempo se iba sin sentir. En una ocasión, Eugenio levantó la cabeza y nos mandó callar. Pero nadie había oído pasos —o aquella respiración—, que Eugenio aseguraba habían sonado en la cueva. Leoncio me recordó que ya serían las seis y media.

La criada de Tano dijo que eran las siete y que Tano estaba en mi casa. Subí los escalones corriendo. Por desgracia, embestí al abuelo en la penumbra del pasillo. Se puso furioso, principalmente por mi ausencia desde prima tarde, como dijo. La prohibición de salir hasta el día siguiente le tranquilizó algo. Y luego, antes de que pudiera llegar al cuarto de Luisa, la abuela se empeñó en darme pan y chocolate. El chocolate sabía a tierra y a harina de almortas, pero la abuela me partió dos onzas y tuve que prometerle que no las tiraría por la taza del retrete.

—Y lávate las manos.

—Sí.

—¿Por qué estaba enfadado tu abuelo?

—Porque he chocado con él.

—Si vas a volver a bajar a la calle…

—Sí, abuela.

—… ponte también el jersey de lana gruesa.

—Sí, abuela.

Me sequé las manos, aún jabonosas.

—¿Por qué suspiras? —preguntó.

—Abuela, no sé qué pasa, pero siempre que se entra

en esta casa uno tiene que hacer cuarenta cosas antes de poder hacer lo que a uno le interesa.

En el dormitorio de Luisa, ésta y Concha estaban sentadas al borde de la cama, y Tano, tumbado de costado, sin zapatos, lógicamente. Concha tiraba los dados sobre el vidrio del tablero del parchís.

—Hombre, ¿tú por aquí?

Tano fumaba uno de los cigarrillos de Luisa y en el cenicero había varias puntas, que, si podía, robaría antes de marcharme de aquel aire, que olía y sabía dulzón.

—Siéntate —Concha movió la alfombrilla con un pie— y te damos las azules.

—No voy a jugar.

—Dejadle —dijo Luisa—. Lleva un día inaguantable.

—Quiero hablar contigo.

Sorprendentemente, preguntó:

—¿De qué?

Me gustó que ellas se asustasen de mi movimiento hacia la cama. Tano escurrió el cuerpo y se levantó.

—Vamos.

A Concha, el borde de la falda le quedaba más arriba de sus rodillas juntas, a partir de las cuales las piernas, también unidas, tenían una inclinación respecto al suelo quizá demasiado atrayente para no ser premeditada. Sus ojos no se apartaban de mí y sonreía, con una cierta burla, con una rara superioridad.

—¿Te has dormido o qué? —Concha alzó la voz—. Tano, oye, no nos dejes colgadas.

Sólo nos separamos unos pasos de la puerta del dormitorio de Luisa. Sobre el murmullo de las voces de ellas, Tano empezó a hablar muy de prisa, poniéndome una mano en un hombro, en aquel tono de verdadera amistad y mucho secreto, que únicamente utilizaba en nuestras conversaciones importantes.

—Mira, quédate, no seas burro. Dentro de un rato, pasarán Joaquín y su hermana Rosita. Decimos que jugamos al escondite y nos llevamos a Concha al cuarto trastero. Los dos juntos. Allí...

La casa tenía los pequeños ruidos de la primera hora

de la noche, los olores conocidos y algunos excitantes, aquel casi sabor de las largas tardes con Concha por las habitaciones oscuras, de las carreras con el aliento contenido y los breves abrazos de risas nerviosas. Todo en la voz de Tano, en la presión de sus dedos sobre mi hombro. Los otros quedaban desagradables y empequeñecidos, en el Campillo, con la trampa que hacía sudar, con las discusiones interminables y los rostros inexpresivos o los gestos embrutecedores. Tano me decía que Luisa tenía muchos cigarrillos, que los mayores se bajarían a su casa, que quizá Riánsares podría jugar con nosotros. Y yo pensaba que afuera se estaría haciendo de noche, con esa tristeza que daban las voces a aquella hora, ampliando el espacio, agrandando el aburrimiento, o el desánimo, o lo que fuese.

—La bomba —dije.

No tardó en contestarme.

—No la tengo, ¿sabes? Te lo juro, que no la guardo en casa. Me daba miedo que la descubriesen o que un día explotase y...

—No puede explotar, mientras no se desenrosque el anillo de la espoleta.

—Lo sé, pero me dio miedo y la escondí.

—¿Dónde?

—Ahora no puedo ir a buscarla. Mañana te la doy. De verdad. Tampoco esta noche vais a necesitarla. ¿Me crees? Te doy mi palabra.

—¿Tu palabra o tu palabra de honor?

Me cogió una mano y me obligó a estrechar la suya.

Ya en la escalera olía mal, a serrín o a meados o a verdura cocida, o todo junto. Regresé lentamente, recordando que no me había puesto el jersey de lana gruesa, ni había robado el cenicero de Luisa. Les diría que no encontré a Tano. O que me había entregado la bomba y la había escondido yo. Les diría cualquier cosa, pero ignoraba qué resultaba peor, si ocultar o no aquella cobardía de sacar fuera de su casa la bomba, porque así, tapándole y sabiendo él que le encubría, se haría cada vez más de sus padres, de Luisa, de... Pero no. Corrí un trecho, hasta la primera pendiente. No, Tano nunca sería de los nacionales. Resultaba imposible, siendo el jefe y sabiendo tantas cosas como sabía.

En parte por las linternas y en parte porque sólo me esperaban a mí para entrar en la cueva, me hicieron pocas preguntas, conformándose con mis evasivas respuestas. Lo menos se pasó un cuarto de hora en la discusión de quién llevaría las dos linternas, decidiéndose que serían sus dueños, o sea, Leoncio —a quien se la habían prestado en su barrio— y Eugenio —que se la había robado a su padre—. De tantas pruebas que hicimos, me dio miedo que se agotasen las pilas. Era de noche. cuando, divididos en dos grupos y en fila india detrás de los haces de luz, penetramos en la cueva. Muy despacio, sin hablar, con el aire apretado en los pulmones y expelido cuidadosamente por las narices.

Las paredes estaban algo húmedas. Yo caminaba detrás de Eugenio, a la altura de Leoncio, que se retrasaba pegado a la pared frontera. Volví la cabeza. Al fondo no había claridad, sino una única sombra plana.

El suelo de la cueva descendía en un ángulo, menos pronunciado que el techo. Al llegar a la primera plazoleta, de las muchas en que la cueva se abría, era preciso inclinar la cabeza. Seguro que los milicianos no habían pasado de allí y, muy probablemente, ni siquiera habrían inspeccionado el corto túnel lateral, que la luz de la linterna de Leoncio recorrió con una lentitud propia para provocar un ataque de nervios.

—Adelante —susurró, por fin.

A medida que la cueva volvía a estrecharse, el techo se separaba más del suelo, sobre todo desde la primera curva. Era aquél un mal trozo, debido a los casi constantes cambios de dirección, que los recodos imponían, y de los que se derivaba una inevitable pérdida del sentido de la marcha. Hacía frío y a los malos olores de la entrada había sustituido una vaharada de aire estancado.

En el centro del túnel, Eugenio descubrió un calcetín negro, sucio, pero no roto, y una caja de fósforos, con una sola cerilla. Después de un poco y sin saber qué pensar de aquellos hallazgos, proseguimos camino.

Leoncio ordenó la detención de las dos filas. Olía a humo.

—¿Está fumando alguien?

Como nadie contestaba, mientras Eugenio mantenía su linterna al frente, hacia las tinieblas apenas rotas, Leoncio iluminó primero la fila inmóvil de nuestra banda, para continuar con los suyos.

—Este estaba fumando.

—¿Quién?

—No hacer ruido, que nos va a oír el fascista —dijo Paco.

—Este.

Leoncio llegó al final de los de su banda; sólo veíamos las piernas, los calcetines y los zapatos, o las alpargatas. Pero Leoncio subió la linterna y en seguida pensamos que, a poco que el otro se mantuviera, acabarían pegándose, porque era ya mayor, lo menos de trece a catorce años.

—¿Por qué fumabas?

El otro contestó en un murmullo.

—Claro —dijo una voz—, no se ha prohibido.

La linterna de Leoncio cayó al suelo, antes de que se agarrasen por la cintura y se derribasen ambos. En el primer instante, durante aquel breve y total silencio, oímos los golpes de los puños y de los puntapiés. Las filas se deshicieron.

—Ilumina, ilumina —ordenó Morrotorcido a Eugenio—. No pueden estar a oscuras mientras se pegan.

Tardaron mucho en quedarse quietos, aunque tendidos, porque nadie de los suyos se decidió a separarlos, y nosotros, tratándose de una pelea entre dos de una banda ajena, no estaba bien que interviniéramos. Leoncio se levantó con las manos en los riñones y sangre en las narices. Al otro le temblaba la mandíbula inferior. Se limpiaron con los pañuelos y se comprobó que la bombilla de la linterna de Leoncio se había fundido.

El olor aumentó unos metros adelante. Leoncio, Paco,

Eugenio y yo, que nos habíamos destacado a explorar, nos paramos. Paco opinó que se trataba de humo de papel quemado.

—Pero no se ve nada —la luz descubrió las paredes de tierra, el techo, ahora abovedado, el aire invisible.

—¿Notáis humo en la garganta?

—Vamos a seguir. A lo mejor se nota más si...

—Un momento —dijo Paco—, se nos ha olvidado la cuerda.

—¿Qué cuerda?

—No se puede entrar en una cueva como ésta sin una cuerda. ¿Cómo vamos a salir, si no?

—Anda, pues es verdad. ¡Qué tío!

El único que no estuvo de acuerdo, ya que la pelea le había dejado revuelta la bilis, fue Leoncio. Mal que bien, le convencimos de que, si seguíamos, nos perderíamos por aquellas galerías, cuyo final nadie había alcanzado jamás.

—Tano —dijo Manolito el Bizco— ha recorrido entera la cueva y dice que va a las alcantarillas.

Que Manolito el Bizco se hubiera separado de los otros y, tal que una aparición, se pusiera a hablar —y a hablar como un mentecato— a nuestro lado, nos dio un susto considerable. Paco le tiró una bofetada, que sólo alcanzó la espalda de Leoncio.

—¿Qué haces aquí, imbécil?

—Los demás se están marchando. Yo no he querido salir sin vosotros.

El camino de vuelta se me hizo asombrosamente corto. Quizá no habíamos alcanzado la parte desconocida de la cueva. Fuese como fuese, traía paz respirar el aire libre de la noche, no se podía negar. Incluso Leoncio se puso de mejor humor, lo que permitió, sentados en círculo junto al hoyo camuflado, organizar el asunto de las cuerdas.

—No tienen que ser iguales, ni muy gordas tampoco —explicó Paco—. Todas valen. Las unimos con nudos y hacemos una cuerda larga, larga. Como de aquí a Somosierra.

—¿A dónde?

—Cuando ya tengamos la cuerda larga, se clava un extremo en la entrada y nos cogemos a ella y vamos entrando y entrando y entrando. Para salir..., pues lo mismo.

Se perdió mucho tiempo en explicárselo a los que no lo comprendían. Leoncio puso un poco de orden, cuando se empezó a cagar en la madre de quien él sabía, dando gritos y mandando que todo el mundo, entendiese o no para qué, trajera todas las cuerdas que encontrase. Y cuanto más largas, mejor.

—¿Cuándo? —dijo Germán el Tifus.

—Ahora mismo.

—¿Ahora? Es ya de noche.

Evidentêmente había que aplazarlo y sobre eso se quedaron deliberando, al largarme yo, con el proyecto recién imaginado y, en el bolsillo trasero del pantalón, la navaja que Morrotorcido me acababa de prestar.

El reloj de la panadería, que adelantaba cinco minutos, marcaba las nueve menos cuarto.

Subí muy despacio, para que no se oyese el ascensor. Me faltaba un tramo, cuando me inmovilizó el ruido de la puerta de casa. Entre sus voces ininteligibles, sonaban muchas risas. Duró poco. La puerta se volvió a cerrar, al tiempo que oía unos pasos —los suyos— hacia los escalones. No pude resistir y me acerqué a la barandilla. Debió de notar mi presencia, porque levantó la cabeza tan de prisa que no me dio tiempo a echarme atrás.

—¿Qué haces ahí?

—Chisstt... —aun a aquella distancia, percibí algo deshecho su peinado—. Te esperaba.

Subió en vez de bajar, con una risa que yo no sabía a qué venía, echándola en las manos que mantenía junto a la boca. Nos sentamos en el último escalón, las espaldas apoyadas en la puerta de madera de la azotea.

—¿No habrá nadie en la terraza?

Empujé con los hombros y la cabeza.

—No. La puerta está cerrada con llave.

—¿De verdad me estabas esperando?

—Sí.

—Iba a mi casa a buscar el palé. Tano es una monada. Lo pasamos de maravilla. ¿Qué has hecho tú?

—Por ahí...

Coloqué un brazo detrás de su nuca, para darle el primer beso, en el pelo.

—No empieces. ¿Seguís con eso del Campillo?

—A ratos —traté de poner la mano, que había dejado resbalar por su omoplato, en el lateral del pecho—. Anda, déjame.

—¡Que te estés quieto! ¿Me has oído? Oye, si te hubieses quedado, lo habrías pasado chanchi. Tano se ha disfrazado con el abrigo y unos zapatos de Luisa. Si no te estás quieto, me voy. Además, me tengo que ir. He salido a buscar el palé.

—No te vayas, Concha.

Luchamos un poco, me rechazó, me estuve quieto y empezó a contarme las gracias de mi hermana, las gracias de Tano, sus propias gracias, hasta que no sólo comprendió lo que me aburría, sino que ella misma tuvo que aburrirse. Apretó los muslos aparatosamente y rió por lo bajo. La besé con mucha fuerza —y mal, lo reconozco—, de forma que me extrañó que cambiara de postura, para mayor comodidad mientras nos besábamos abrazados. Al rato, me pidió que la tocase. Luego, quiso que le tocase las piernas. Su saliva me dejaba ya un sabor amargo y buenísimo.

—Un poco, ¿quieres? Yo también te lo hago —Concha se subió la falda, antes de que mis dedos, temblones como hojas de árbol al viento, se quedasen engarfiados en su piel lisa—. ¿No quieres que te lo haga yo?

Por vergüenza, no me cubrí las mejillas, para enfriármelas, ni me palpé aquella vena del cuello, donde la sangre me daba latigazos.

—No me toques —dije.

—¿Qué?

Su aliento en la oreja me enervó más, al tiempo que me turbaba.

—Que no.

—Pero ¿por qué no me dejas? —toda su risa ronca—. No vas a decirme que nunca lo haces.

—¡No! —grité con cólera, especialmente contra mí mismo, que sí lo había hecho dos veces, quizá cinco.

Entonces, ella transformó en aquella dulzura, que ya le conocía, su ímpetu, la superioridad de sus decisiones, y nos besamos muy fuerte y muy lento, sin temor y sin fastidio, con la certidumbre de que su voz sería distinta y la evidencia de mi cariño por su cuerpo, por su olor, por su nombre, que me repetía interiormente.

—No seas crío —su voz, acariciante como las yemas de sus dedos, sonaba diferente—, todo el mundo lo hace.

—¿También tú?

Concha tuvo una risa nerviosa, excitada, muy parecida a un golpe de tos.

—¿Quieres que te diga un secreto? —me apretó muy tenso—. Casi siempre, ni me acabo el postre para ir antes a dormir la siesta.

Era difícil distinguir los rasgos de su cara, tan próxima a la mía, pero aquella expresión glotona de sus labios húmedos, desde entonces, se me hizo nítida en muchas ocasiones, fundamentalmente las noches en que me costaba retener el sueño y la precisión del recuerdo me justificaba y me alentaba.

—Pero tú, ¿cómo? —dije.

No movió los labios y, decididamente, me cogió la mano izquierda; comprendí que me había hablado de ello, sólo para enseñarme a hacérselo.

Al principio, con los ojos cerrados, me acordé de Celia, que era buena, muy guapa, delgada y algo triste, pero no había manera de sustraerse —ni, de pronto, quise sustraerme— a la Concha, que también era muy guapa y, además, de carne y hueso, no un personaje de libro.

Ella quedó fatigada; yo, contento, y los dos, sudorosos. Nos limpiamos con mi pañuelo y ya casi no habló, aunque sí nos besamos más, hasta que dijo que se iba, que no podía quedarse, y se fue.

A solas, sentado en el último escalón, con la rabia de no haberme atrevido a decirle que la quería mucho, sentía cierto que la amaba casi tanto como a Celia, que era educada, inteligente, que nunca soltaba palabrotas como ella, como yo, o los chicos de la... Me puse en pie de un salto, asustado también por que la navaja de Morrotorcido no estaba en el bolsillo trasero de mi pantalón. La encontré en el suelo, junto a una jamba de la puerta.

Había empujado tantas veces, con Tano, la falleba de aquella cerradura, que no resultó difícil correrla del todo, aunque tardé más de lo habitual por miedo a que saltase la hoja de la navaja. Probablemente, a causa de las estrellas, blanquísimas, el cielo brillaba muy alto.

Por fortuna, no había ropa tendida. Tardaría menos de cinco minutos en cortar y arrollar las cuerdas, que cruzaban la azotea en varias direcciones. Con ellas debajo del jersey y el malestar difuso que siempre me producía dejar abierta la puerta de la terraza, entré sin parar hasta el cuarto de baño. En el espacio entre el bidet y la pared escondí las cuerdas. Incluida la de Concha, las voces, en el otro extremo de la casa, se alzaban a veces todas juntas, confusas.

Nada más llegar a la cocina, Riánsares, que preparaba el puré, se apartó del fogón para transmitirme la noticia.

—¿Y también lo ha oído la abuela?

—Estábamos las dos juntas cuando la radio lo ha dicho. Unión Radio. ¡Ah!, y que llevaba una mochila.

—¿Una mochila? ¿Para qué llevará una mochila?

—Digo yo —dijo Riánsares— que será para los víveres.

—A lo mejor... —di vueltas de la puerta al fregadero—. Pero ¿joven como quién?

—¿Quién?

—El fascista.

—Pues... será como tu hermana o como... ¿Yo qué sé? Han dicho joven y delgado.

La abuela subió de casa de Tano, cuando todos se habían ido ya y yo me hallaba con mi primer sueño, en busca del fascista por un río amarillo, la mano de Celia —pegajosa— en el hueco de mi mano.

A media mañana, desde el baño, oí los preparativos.

Efectivamente, sucedió que —aquel día había de ser— era domingo.

La vida estaba llena de semejantes acontecimientos inesperados, previsibles sin embargo, si no fuese por la fatiga o la atención que otros hechos ocupaban. Le tocaba leer a mi padre. Reunida en el cuarto de estar toda la familia, con excepción de la abuela e incluida Riánsares, me busqué el rincón más cercano al ventanal; a través de los visillos y por la abertura de las contraventanas entornadas, la luz de la calle, hecha sólo de sol, me recordaba aún más, y por si necesitase signos, el rollo de cuerdas detrás del bidet, mientras mi padre, con una parsimonia indudablemente deliberada, no terminaba nunca la Epístola, en voz demasiado baja. Había olvidado que leía el Evangelio en latín, lo repetía en castellano y, por fin, ya que no había quien predicase, nos invitaba a meditar unos minutos. Según él. En realidad, meditábamos horas, siglos enteros. Antes de la Consagración, la abuela, recién lavada y con una energía insoslayable, abrió la puerta. Después de explicar que, aun en el supuesto de que resultase conveniente la ceremonia, yo era demasiado pequeño para asistir a ella, soportó pacientemente los chillidos del abuelo y logró sacarme de la habitación. La pobre Riánsares, cubierta la cabeza con un velo de Luisa, me miró y sonrió a medias.

La abuela dijo que bueno, que me fuese a la calle, pero no antes de cortarme las uñas. Así es que, colocado frente a ella, que se había sentado en el mirador de la sala, extendí los dedos de la mano derecha.

—¿Es verdad, abuela, que ayer dijo Unión Radio que había un fascista joven, delgado y con mochila por estas calles?

—Sí, es verdad. Exactamente, que se hablaba de una persona sospechosa, vista... —rió, al interrumpirse—. Oye, pero muchas veces se equivocan, ¿eh?

—Nosotros tenemos razón, ¿a que sí, abuela? Nosotros, los rojos.

—Sí, hijo. Aunque no sólo basta con la razón.

—Hay que ganar.

—Hay que tener paciencia.

—¿Paciencia?

—Muchos días y muchos años. Dame la otra mano. Es necesaria para convencer a los que piensan de otra manera, ¿comprendes? Los que piensan de otra manera no se convencen por lo que les decimos, ni por lo que les hacemos, sino por lo que nosotros mismos somos.

—¿Por el ejemplo?

—Algo así. ¿Cuánto tiempo hacía que no te cortabas las uñas?

—No lo sé. Oye, abuela, ¿tú crees que el abuelo se va a convencer? ¿Y mi padre y Luisa?

—Hijo, sería suficiente que dentro de unos años no te convenzan a ti.

—Abuela, ¿tú eres feliz con el abuelo?

—Sí —dijo—, porque de ese asunto de la felicidad siempre me he encargado yo. ¡Ya están! Puedes irte.

Me quedé un rato, queriendo decir algo que no sabía. Le di un beso, le pedí que entrase en el cuarto de estar a liberar a Riánsares, cogí las cuerdas y casi caigo en una parecida, porque en casa de Tano también leían la misa, en el comedor. Por la calle, me quité el jersey.

Era muy extraño, pero en el Campillo, afanadísimos con los nudos de la gran cuerda, únicamente estaban Leoncio, Paco y Manolito el Bizco.

—Se han ido al campo del Parral a jugar un partido.

—¿Hacen falta más? —tiré las cuerdas de tender la ropa—. La radio dijo que el fascista lleva una mochila.

—Este lo vio anoche —Leoncio, en cuclillas, sin dejar el trabajo, ni tan siquiera alteró el tono de la voz.

—¿Tú?

—Anoche —confirmó Manolito el Bizco.

—¿También vino anoche tu tío Ramón?

—También. Como no podía estar en casa, cogí y me puse a perseguir a un gato. El gato se vino para acá. Hacía viento y estaba muy oscuro y había truenos.

—¿Truenos? —dijo Paco—. Antes no has contado que anoche hubiera truenos.

—Truenos y relámpagos muy grandes. Pero a mí se

me había metido en la mollera cazar el gato y, además, no tenía nada que hacer, porque había venido el tío Ramón. Ahí, en la esquina de Sagasti, le solté un cantazo en la cabeza y pegó un chillido.

—¿Le arreaste una pedrada al fascista?

—Al gato.

—Los gatos no chillan —dijo Paco.

—Pues éste chilló —Manolito el Bizco siempre se ratificaba en sus apreciaciones, tozudo hasta el punto de que era mejor creerle—. Yo entonces fui y le perseguí. Ni me acordaba del fascista ni nada. Yo quería cazar al gato, porque como no podía estar en casa y ya no había nadie en la calle, pues eso.

—¿Y le cazaste? —dijo Paco.

—Pero ¿viste al fascista, sí o no?

—¡Claro que lo vi! Estaba buscando piedras para machacarle los sesos al gato y va y, de pronto, una sombra, así como agachada, pero sin correr. Miro mejor y veo que era un hombre. Bajó el terraplén y se las piró por el Paseo.

—¿Era delgado? ¿Llevaba mochila?

—No me fijé. Me dio un susto de órdago.

—Si te llega a coger, te mata —dijo Leoncio—. Bueno, esto ya está.

—Maldita sea, hay que encontrar la bomba. Sin la bomba no lo agarraremos nunca.

Tano se había ido a comer a casa de sus tíos. El partido lo empataron, así que quedaron citados a las cuatro y media para el desempate. La abuela tenía jaqueca. Concha y Luisa se encerraron en el dormitorio, pero no se les entendía nada a través de la puerta y, por el ojo de la cerradura, únicamente se veían los pies, uno sin zapato, de Concha. Riánsares se arregló velozmente para irse con sus amigas. Cogí la navaja de Morrotorcido y la estuve afilando, hasta las cinco, en el borde de la mesa de mármol de la cocina.

A las cinco nos encontramos Leoncio, Paco y yo. Manolito el Bizco estaba castigado. Y menos mal que Eugenio, que jugaba de medio centro, no había olvidado dejarnos la linterna.

—¿Vamos? —dijo Paco.

Nos miramos en silencio y decidimos fumar un cigarrillo. La tarde estaba muy bonita, sin gente, el sol también solo en medio del cielo, los tejados, los desmontes de la fuente del Berro, los árboles quietos del Paseo. A Leoncio se le notaban los pensamientos en las arrugas de la frente, en lo contraída que ponía la cara, como si hiciese mayores con esfuerzo. Un extremo de la soga estaba sujeto a la tierra. No había nada más que preparar, por lo que, después de sujetarnos los cinturones, entramos en la cueva.

La claridad duró mucho más que la tarde anterior, se perdió poco a poco, cambiando de color y los diversos colores haciendo la cueva distinta. Paco y Leoncio llevaban el montón de cuerdas anudadas, que se iba desenrollando; yo me adelanté a ellos y encendí la linterna. A veces se hubiera creído ver en la oscuridad. Las pendientes, los estrechamientos, el techo que se perdía encima de nuestras cabezas, las cuevas laterales, las bifurcaciones, aquellos charcos de agua o de fango, las ratas que huían hasta trepando por las paredes, hacían muy lejano el mundo exterior, obligaban a pensar que nunca más regresaríamos. Nos sentamos unos instantes, cansados de caminar, algo inquietos por la cuerda que se acababa. Se le ocurrió a Leoncio colocar señales, tales como montoncitos de tierra o de piedras, lo que retardó la marcha. Paco calculó, porque había ido contando de sesenta en sesenta, que lo menos llevábamos una hora de camino. Daba ahogo imaginar que nos encontrábamos debajo de la plaza de toros, de los tranvías. Un poco más y estaríamos bajo el Cementerio del Este; quizá el suelo de algunas tumbas se habría derrumbado y los cadáveres habrían caído a la cueva; cadáveres de mujeres, de niñas, trozos de ataúdes.

—¡Apaga! —pidió anhelosamente Paco.

Yo la había visto al mismo tiempo que él. Leoncio y Paco respiraban con ruido; puede que nos cogiésemos de la mano, hipnotizados por la luz que, desde la oscuridad, brillaba mucho al principio y, poco a poco, se descubría que era la llama de una vela.

Los últimos metros nos arrastramos, pegados a las paredes. La vela, colocada sobre una lata, iluminaba al hombre vestido de paisano, que apoyaba la cabeza en las manos y las manos sobre las rodillas. Fue el otro, el de la chaqueta de cuero y los pantalones de pana, quien se despertó y, de un salto, quedó sentado. Nos tenía que haber oído. El que estaba cerca de la vela levantó la cabeza, al tiempo que estiraba las piernas.

—¿Quién anda ahí?

La luz de su linterna chocó con la de la mía. Durante unos momentos, nos cegamos todos y, luego, vimos en pie al del chaquetón de cuero, apuntándonos con la pistola. El otro apoyó la espalda en el muro de tierra.

—Son unos chicos.

—Hola —se guardó muy de prisa el arma—. Qué, ¿estáis jugando?

—No, señor —dijo Paco.

—Baja esa luz, muchacho, que me vas a dejar ciego —avanzó un paso, pero yo mantuve la linterna enfocada a su rostro sonriente, muy moreno—. ¿Sois vosotros los que anoche cavásteis un agujero a la salida de la cueva?

—Sí, señor —dijo Paco—, para coger...

—Cállate, Paco.

—... al fascista.

Movió la luz de su linterna hasta donde el otro continuaba sentado y dijo:

—El fascista es éste.

Dentro de aquel silencio oí el roce de la piedra en la zapata del tirador de Leoncio.

—Y usted ¿quién es?

—Déjale que hable él, Leoncio —el tipo sonrió, lo que me dio mucha rabia—. Tenemos una bomba de mano, ¿sabe? Si se mueven, les tiro la bomba y les mato.

Tardó en hablar, aunque se le notaba que iba a hacerlo. Quieto, siempre con la sonrisa de persona decente, que a mí nunca me engañó, metió la mano en su chaquetón de cuero y arrojó algo al suelo. Después iluminó y pudimos ver, muy negro sobre la tierra removida, un nueve largo.

—Cógelo.

—¿Es usted rojo?

—Sí, Paco.

—¿Cómo sabe mi nombre?

—¿Por qué no nos sentamos a tratar el asunto con tranquilidad? —se sentó, casi en el mismo sitio donde había estado durmiendo—. Si no lo contáis, os explico todo.

Paco y Leoncio se sentaron frente a los dos hombres; yo me quedé, la espalda contra una de las paredes, iluminando sus cuerpos un poco encorvados, la cara seria del fascista de paisano.

—¿De verdad es usted de los leales?

—Yo soy el jefe del contraespionaje.

—¡Ahí va, su madre! —dijo Leoncio.

—¿Sabéis lo que es el contraespionaje? Bueno, pues yo soy el jefe y tengo que coger a los emboscados, que se pasan por la Ciudad Universitaria para hablar en Madrid con los de la quinta columna. Este es uno de ellos —le empujó por el hombro, con tanta fuerza que el otro se quedó tendido unos momentos—, un traidor.

—¿Y qué hace usted con él, aquí?

Aunque no podía verme porque era mi linterna la que estaba encendida, miró hacia donde yo me encontraba. Llevaba un pequeño bigote, parecido a una fila de hormigas.

—Tú no quieres ser mi amigo, ¿eh?

—Lo que quiero es coger al fascista.

—Le he cogido yo.

—¿Y por qué no le ha llevado a la cárcel o le ha pegado un tiro?

—Si no me dejas que te explique... Me da lo mismo que seas mi amigo o no, pero déjame que explique el asunto —estaba sinceramente enfadado—. Y guárdate tu granada de mano, que no nos hace falta ahora.

En el eje de todos mis pensamientos, que giraban, se

cruzaban, se disolvían unos a otros, cambiaban de sentido, adiviné sin duda alguna que Tano escondía la bomba en la tienda del señor Pedro. Tenía que haber estado meditando en ello sin parar, aunque no me hubiese percatado, para que en aquel segundo, sólo por la entonación del tipo al mencionarla, hubiera adivinado que la bomba se hallaba debajo de un montón de leña en la carbonería. Me sentí más seguro.

—Si intenta escaparse, tiro la bomba.

—Déjanos en paz con tu dichosa bomba.

—Sí —dijo Leoncio—, deja que nos lo cuente.

—Pues nada, que éste es un fascista y se pasó por las alcantarillas a salvar a otro fascista, que estaba escondido. Pero yo le apresé y ahora he de esperar ayuda. Se le ha roto una pierna.

—¿Tiene una pierna cascada?

—Sí —dijo el fascista de paisano—. Me duele mucho.

—Mejor —dijo Leoncio—. ¿Quiere usted que llamemos a los milicianos? Ayer andaban por ahí.

—No, hijo. Si avisas a los milicianos, se enterarán también los de la quinta columna. El enemigo escucha en todas partes.

—Sí, senor, cualquier —dijo Paco— oreja puede ser una oreja enemiga.

—Naturalmente. ¿Vosotros queréis ayudarme?

Volvieron los rostros a mí, guiñando los ojos.

—¿Qué hacemos? —dijo Paco.

—Un momento —me senté en la tierra—. Si es usted rojo, diga una blasfemia.

La dijo.

—Está bien. Diga otra.

Dijo otra. Y añadió una nueva blasfemia, sin que nadie se lo pidiese.

—¿Crees ahora que soy de los leales?

—Le ayudaremos, pero luego tiene que decir que le hemos ayudado.

—Seguro que nos dan una medalla —dijo Leoncio.

—Seguro —con un pie, acercó la pistola hasta su mano, que la introdujo bajo la chaqueta de cuero—. Diré que lo hemos cogido entre todos. Y ahora, marcharos. Mañana venís temprano, traéis cuerdas y le sacamos, cuando no haya nadie, para que no se escape.

—Vuelvo en seguida —Leoncio cogió la linterna del jefe, antes de levantarse.

—¿Tiene usted una mochila?

En los ojos del fascista, que continuaba callado, se transparentó la duda. Pero él no, él contestó imperturbable. Es más, adelantó un brazo hacia la oscuridad y arrastró hasta la luz una mochila vieja, de soldado, con algunas correas rotas. Abrió la mochila del fascista, mientras yo le contaba lo que Riánsares y la abuela habían oído por Unión Radio, para darnos una tableta de chocolate —que partimos en tres trozos—, tan rico como el de antes de la guerra.

Leoncio trajo una cuerda lo suficientemente larga para maniatar al fascista; él nos ayudó, muy contento, sin dejar de contar historias, ya que antes de ser jefe del contraespionaje, había estado en el frente; conocía a Miaja, a Durruti, a Lister; dijo que eran más listos que nadie y que la República tenía prácticamente ganada la guerra; sólo restaba aniquilar a aquellos cerdos de la quinta columna —el fascista gimió, al apretar Leoncio con fuerza la cuerda— y habríamos vencido.

—Después de la guerra —preguntó Paco—, ¿los pioneros tendrán que ir al colegio?

El no lo sabía, pero se iba a informar para decírnoslo. De lo que sí estaba seguro es que habría mucho pan blanco, chocolate bueno, garbanzos, pollos —Leoncio preguntó que si los pollos se comían—, en fin, que lo pasaríamos de rechupete. Por todo lo cual, era preciso que volviésemos a la cueva temprano.

—Yo, antes de las diez, no puedo escaparme de casa.

—A las diez estará bien, hijo. Pero, por favor, si decís a alguien que hemos cogido a este fascista, ya no nos darán las medallas. ¿Entendido?

Resultó sorprendente la frialdad de su mano. Dijo que nos acompañaba, iluminó también con su linterna, dejó que Paco llevase un rato la pistola y, cuando afirmó que regresaba a vigilar al fascista, me hizo prometer que al día siguiente no olvidaría la bomba de mano.

—¿Véis cómo la bomba de mano es importantísima?

—Mañana la traemos —dijo Leoncio—. Hay que traerla como sea.

—No te preocupes, que sé dónde está.

—¿Es que no la tiene Tano? —dijo Paco.

—Sí que la tiene. ¿Se lo vamos a decir?

—Hemos dado palabra de honor de no...

—Bueno, yo lo decía porque, al fin y al cabo, Tano es el jefe. ¡Qué tío!, ¿verdad? Al principio a mí no me daba buena espina, pero...

—Yo sabía que era de los nuestros —dijo Leoncio—. ¿No había un fascista escondido en las cuevas? Pues si había dos, el otro tenía que ser uno de los nuestros.

—Claro, tiene razón éste.

Ni siquiera habíamos percibido que ya no nos encontrábamos entre los muros de tierra, que era de noche, pero con una penumbra azul de mucha profundidad. Continuamos aún hablando, hasta que Leoncio se marchó a su barrio y a Paco le entró miedo de que fuera tarde. Me quedé solo en el Campillo, pensando cosas. Entregaríamos al fascista y el jefe vendría a casa —así les gustase o no al abuelo y a mi padre— para conocer a la abuela, Paco y yo se lo presentaríamos a todo el mundo y todo el mundo sabría que era amigo nuestro. Puede que él nos presentase a su novia. La verdad es que no había hablado de ella, lo cual no significaba que no la tuviese, sino que, dado el tantísimo trabajo que le daba lo del contraespionaje, la vería poco. Ella sería guapa y dulce como Celia, como la Concha aquella noche que estaba cansada y cariñosa, y a la mañana siguiente resultó que es que había pescado la gripe.

Riánsares me llamó desde el Paseo, donde en corro con otras criadas del barrio apuraban lo poquísimo que les quedaba de la tarde del domingo. A medida que me hartaban tanto perfume y tanta charla que no se entendía, porque hablaban a la vez y de cosas distintas, comprendí que debía decírselo. Ella me confiaba sus secretos.

se había preocupado por lo del fascista —aunque en aquel momento no pareciese inquieta por nada—, me ayudaba en mis asuntos y, también de esa forma, yo eludía un encuentro con Tano y la tentación de descubrirle que en la cueva teníamos prisionero al fascista. Me costó separarla de sus amigas y, luego, creyó que la quería llevar al Campillo para meterla mano. Tuve que contárselo desde el principio, con todo detalle, como a ella le gustaba enterarse de las historias. Allí, en la esquina, mientras la sentía escucharme con una atención y un asombro crecientes, se me ocurrió la idea. La maldita idea, que ojalá nunca se me hubiera ocurrido.

—¿Quieres verlos?

—¡Uy!, no...

—No seas tímida, ni te dé miedo. Al fascista le tenemos atado y el jefe es muy simpático.

—¿Es guapo?

—No me he fijado. Anda, ven. Mira, tengo la linterna y voy yo contigo. No puede pasar nada.

A la entrada de la cueva se hizo otra vez la remolona, pero como me vio decidido y hasta le estallaba la curiosidad por el temblor, tuve que tirar poco de ella. Encendí la linterna para enseñarle la cuerda, que nos había servido de guía. Deseaba tanto encontrarle y que Riánsares le conociese, que corrimos y todo. También di unos gritos, para que supiera que era yo y no se sobresaltase. Me sorprendió algo hallarles más cerca de la salida, pero me tranquilizó que el fascista continuase con las manos amarradas a la espalda.

Cuando Riánsares comprobó que lo que yo le había dicho no era una trola, puso una cara cómica. El jefe nos recibió muy bien y estrechó la mano a Riánsares, en lo que también se notaba que era republicano, porque los señoritos nunca dan la mano a las criadas. Riánsares dijo que aquello le parecía una cosa de sueño.

—Tócale, tócale, si quieres —me acerqué al palomino atontado del fascista, que retrocedió un poco, moviendo el culo a saltos—. Mañana vamos a entregarle.

—¿Y Paco y Leoncio?

—Se han ido a sus casas, creyendo que era tarde, ¿sabe usted? Hemos quedado a las diez.

—Me alegro.

Yo, a la primera ojeada, percibí que Riánsares y el jefe se habían mirado mucho y habían simpatizado. Por eso, no me extrañó que él, muy serio, muy educado, le dijese que necesitaba hablar con ella. Animé a Riánsares y, con el tirador a punto, me senté a vigilar al fascista. Ellos dos se alejaron por una galería lateral.

Ensanchaba el corazón tener al fascista atado, a mucha menos distancia del alcance de una piedra. Bien observado, ni parecía fascista, ni nada, tan delgados como tenía el pecho y los hombros. Pero, en los labios sobre todo, se le notaba que no era de fiar.

El jefe y Riánsares no volvían. Yo no cesaba de imaginar la sorpresa que se llevarían la Concha, Tano y el señor Pedro. De pronto, el fascista me hizo una pregunta; me pilló desprevenido, más que nada por su voz normal, de buena persona.

—No, yo no creo.

—¿Por qué, muchacho?

—Porque Dios está con los nacionales.

—No, Dios...

—¡Cállese!

Se calló en seguida, de puro susto. Con los prisioneros no se debían tener complacencias. Los prisioneros siempre piensan en escaparse. Empiezan a hablar, a hablar, para que uno tenga un descuido. Yo estaba decidido a no permitirme un segundo de distracción. Como aquella película, en la que el americano se dormía, junto a la hoguera, y el indio aprovechaba...

Me levanté de un salto. La linterna me temblaba tanto en la mano, que no conseguía fijar la luz. El fascista me miró, algo extrañado, pero debió de suponer que yo jugaba.

—¡Riánsares!

La cueva tenía un eco muy débil. Corrí por donde el otro fascista se había llevado a Riánsares, sin parar de gritar. Ella me respondió desde lo oscuro y muy cerca

Mantuve la linterna contra el techo, porque la voz venía del suelo.

—¿Te pasa algo?

—No, nada —conseguí decir—. Era para saber si estás bien.

Riánsares y el fascista se rieron.

—Ahora voy, tonto, no te preocupes.

Entre excitada y ronca, su voz me inquietó. Pero, en el rayo de luz que fingí descuidar, estaban separados por la distancia del brazo de él —cuya mano quedaba oculta bajo el cuello de Riánsares— y, desde luego, aunque tumbados, completamente vestidos.

—No, si no me preocupo. Termina pronto.

—Cotilla —dijo, como si me diese un azote—. No hay nada que terminar.

La bomba de piña. Nunca más dirigiría la palabra a aquel cobarde de Tano, incapaz de guardar una bomba en su casa. Debajo de la leña. Domingo. Tampoco podía dejar sola a Riánsares. Había que avisarle que no era el jefe del contraespionaje, sino un fascista, tal como había supuesto al verles por vez primera, él, dormido, y el delgado, con la cabeza apoyada en las manos y las manos sobre las rodillas, sin intentar escapar.

—¿Estás nervioso?

Le metí el rayo de luz en los ojos —tuvo que agachar la cara— y recordé la pistola.

—Te voy a matar, te voy a matar. Levanta la jeta —la barbilla se le clavaba en el pecho—, puerco, marrano, mentiroso.

Cogí una piedra grande y estuve mucho tiempo con ella en la mano derecha, hasta que oí a Riánsares. Despeinada, sonriente, con una expresión así, ansiosa, resultaba extraño que el fascista la abrazase por la cintura.

—Ya nos vamos —dijo.

Al cambiar de dirección la luz, descubrí, tirada, la cuerda que había traído Leoncio. Entonces comprendí que se largarían de la cueva inmediatamente detrás de nosotros, que no quedaría tiempo ni de encontrar a los milicianos. Eché el antebrazo por encima de mi hombro, igual que si arrojase la piedra, y el tipo no pudo resistir el miedo. Instintivamente, retiró las manos de la espalda y se tapó el rostro.

—Canalla —dijo el otro.

Se levantó como una centella y sujetó a Riánsares por los brazos. Porque Riánsares no había comprendido aún, pero estaba aterrorizada.

—Rápido.

—La mochila.

—Estaba ahí —el delgado soltó a Riánsares, al mismo tiempo que, con un golpe tajante de las rodillas en las corvas, la derribó de boca contra la tierra—. Los papeles los llevo yo. Ahora, rápido.

Salté contra él, le mordí en el pecho, le pateé un tobillo y, cuando ni podía acordarme de su existencia, el ex jefe me asió por el jersey y, con el dorso de la mano, me abofeteó. Desde el suelo, con aquel dolor intolerable en las mandíbulas y el sabor de la sangre, continuaba escuchando los gritos de Riánsares, sus gemidos largos como una enfermedad. Les oí correr y, al instante, las manos de ella me levantaron.

A la luz de la linterna, Riánsares me miró el paladar. Me callé que sentía suelto un diente. Me abrazaba y yo olía su vestido de seda, polvoriento y embarrado.

—Vamos a casa —dijo.

No me dejó mirar si se habían llevado la mochila. Salimos casi corriendo, con las manos cogidas apretadamente. El aire fresco de la noche nos hizo detenernos. Fuera, todo estaba igual. Algunas personas andaban por el Paseo, el ruido de los tranvías llegaba desde la plaza de Manuel Becerra.

—No digas nada a ellos.

Las lágrimas, apelotonadas en los ojos, me impedían decirle que estuviese tranquila, que jamás se lo contaría a nadie. Pero ella comprendió.

Nos abrió Luisa, que ni saludó. Me fui a la cocina, y Riánsares a su habitación. La noche estaba tranquila, clara, muy bonita. Había luces en casa de Tano, en casa de la Concha y en otras muchas ventanas; olores, ruidos. Una voz de mujer gritaba.

—¡Grabiel, Grabiel!

Bebí a morro del grifo del fregadero, después de enjuagarme, hasta que sentí encharcado el estómago.

—¿Qué, madre?

—Que te pongas a limpiar las lentejas.

—¿Tiro las que tengan bicho?

—¡¿Estás agilipollao, muchacho?! ¡Quita las piedras sólo!

La Luna daba blancura a la tierra ocre del Campillo, tan igual, a esa hora, al planeta Marte en las novelas de Edgar Rice Burroughs. El hoyo cubierto de cartón no había servido. Al encenderse la bombilla, me di cuenta de que había estado a oscuras.

—¿Te han regañado?

—No, abuela. ¿Es tarde?

—Dentro de poco se cenará.

—Yo no quiero cenar. De verdad, abuela, que no tengo hambre.

Riánsares entró, con el vestido de todos los días, ajustándose a la espalda, allí donde el fascista había sujetado sus manos, los tirantes del delantal.

—¿Has peleado con algún chico?

—No, abuela.

—Estará cansado —dijo Riánsares.

La abuela sabía que algo me pasaba, pero no me preguntó más; me acompañó a mi cuarto, les dijo a los demás que yo no cenaría y me trajo un tazón de leche caliente y dos rebanadas frías de pan frito.

Cuando puse la cabeza en la almohada, presentí que no me dormiría en toda la noche. Para no pensar en la bomba, intenté planear lo que al día siguiente diría a Leoncio y a Paco, qué actitud adoptaría delante de Tano, al contarle ellos que habíamos hablado con el fascista y con el jefe del contraespionaje. Tano se reiría de nosotros. Pero seguro que él no había hecho nunca aquello con la Concha. O, a lo mejor, sí y yo no lo sabía, de igual forma que no había sabido coger a los fascistas.

Mejor no darle vueltas y pensar en Celia, que era buena y guapa. No como los demás, que podían ser listos —y dolía mucho que los fascistas fueran más listos—, pero también cobardes, sucios, hipócritas. Todos. Incluida la Concha, Tano, Luisa y el abuelo, y mi padre, y... Sí, también yo, que, a pesar de ser rojo, había hecho aquello a solas, lo que nunca haría Celia. Sin embargo, yo quería ser rojo. ¿Cómo podían entenderse las dos cosas a la vez? Una tarde, Morrotorcido había dicho que, de mayores, se cambia siempre; yo no le creí, pero nunca se sabe. De un golpe de las piernas, tiré las mantas y la sábana al suelo.

Busqué a Riánsares en la cocina para que ella, que era buena, me lo explicase. Pero en la cocina no había nadie y los cacharros ya estaban recogidos.

—¿Qué haces levantado a estas horas? —dijo mi padre.

—He ido a beber agua.

—Vuelve a la cama. Y no andes descalzo por toda la casa.

—¿Vosotros no os acostáis?

Se veía por la rendija que hacía la puerta del cuarto de estar que no, que seguirían allí con las orejas atentas a las porquerías de noticias de su radio.

Apagué la luz del pasillo, esperé que mi padre entrase y fui a la habitación de Riánsares. El vestido permanecía encima de una silla, en la que también, hechas unos gurruños, estaban sus medias y sus ligas, negras y redondas.

En el dormitorio de los abuelos, entre las dos camas, Riánsares arreglaba los embozos. Me senté a los pies de la cama de la abuela y le dije que estaban oyendo la radio. Me sonrió un poco. Desplegó el camisón de la abuela, que era grandísimo, y lo extendió sobre la colcha. Después, se puso en cuclillas delante de mí, quizá para darme un beso, pero se estuvo quieta.

—¿Estás triste, Riánsares?

—Sí, guapo mío; mucho.

Nunca me había llamado de esa forma y, ahora sí, pareció que me abrazaría.

—No te hizo nada en la cueva, ¿verdad?

Se le llenaron de lágrimas los ojos.

—Casi nada —logró decir.

—Sólo te tocó un poco y te besó.

Con un temblor empezó a sollozar.

La lamparilla de aceite de la Virgen del abuelo chisporroteaba. De rodillas ambos en la alfombra que había entre las camas, escuchando sus sollozos, besando sus mejillas, poniéndole las manos en las mejillas húmedas, aquella gran pena no me dejaba hablar, ni me distraía el ánimo el recuerdo de la Concha, de Germán el Tifus, de las enrevesadas cosas que sucedían por el mundo.

—La guerra es mala, mala... —decía alguna vez, con la cabeza apoyada en mi hombro.

Pero una mezcla de rabia y tristeza, como un ahogo, me hacía desear que el tiempo pasase pronto, para que pronto llegase aquello que en el barrio se llamaba ser hombre y, entonces, ante todo, coger a los fascistas —que no se me escaparían— y después hacerle a Riánsares lo que el fascista no le había hecho y que ella dejase de llorar.

Sábado, comida

1

Julita, que aquella mañana había dudado entre las medias negras —lo que era cómodo— o las de nylón —lo que resultaba elegante—, se pasó la mano corvas arriba para poner rectas las costuras. Después, se levantó la falda y se ajustó el slip, verde, de franja indesmallable. Colocó la toalla en la barra de vidrio, antes de salir al pasillo. Elvira esperaba junto a la puerta de los lavabos de hombres.

—Anda, hija —dijo Elvira—, que ya has tardado lo tuyo. Son las dos menos diez.

—Bueno, ¿y qué? No haberme esperado ahí.

—Ya sabes que no me gusta quedarme a solas con el señor Ramírez. Me mira a las piernas.

—No seas tonta —Julita la empujó por un hombro—. ¡Mira que tienes unas manías con el pobre señor Ramírez!...

Al final del parquet, recubierto por una franja central de moqueta gris, la puerta de cristal esmerilado daba a otro pasillo de suelo de baldosines.

—No son manías. Es cierto que me mira y que...

—Que bueno, que sí. Pues vaya una mañana que tienes. ¿Es que te ha venido el período?

—¡Ay, hija, qué cosas dices! —Elvira abrió la puerta del despacho. Ya estamos aquí, señor Ramírez.

Ramírez miraba, por la ventana, las ramas secas de los árboles y mordisqueaba el bolígrafo, que dejó sobre los justificantes de horas extraordinarias, al tiempo que sonreía a las muchachas.

—No ha venido aún nadie —dijo Ramírez—. ¿Están preparadas ustedes?

—Pues quedaron que vendrían entre dos menos cuarto y dos —dijo Elvira.

—Todavía no son las dos —Julita se sentó frente a la ventana y colocó las manos sobre las rodillas—. Y ahora, a ver quién habla con don Antonio.

—Fausto dijo que...

Elvira se interrumpió, al entrar Paquita. A Paquita el traje sastre, color salmón, le hacía más grandes los pechos.

—Buenos días, señor Ramírez. Hola, chicas.

—Hola —dijo Elvira.

—Está usted muy guapa, Paquita —Ramírez carraspeó—. Con permiso de su novio.

—¿Ha llegado ya? —Paquita volvió la cabeza hacia una y otra pared—. ¡Uy, qué boba soy, creí que había venido Lorenzo!

Julita sentía bajo las manos la suavidad de las medias, conteniendo sus prietas rodillas. Al otro lado del bulevar, unos cuantos hombres en mangas de camisa descargaban muebles de un capitoné. Oyó unos cuchicheos de Elvira y de Paquita, sentadas junto a una de las mesas de las máquinas de escribir, y el ruido de los cajones de la mesa del señor Ramírez. Desde el cuarto piso caía, floja y gruesa, una soga. Dejó de acariciarse las rodillas.

—Hace buen día —dijo Julita.

Ramírez guardaba la llave del último cajón que cerraba en el siguiente. Julita levantó la vista de sus uñas rojas, cuando el señor Ramírez enganchaba la última llave en el llavero.

—Terminada la faena —dijo Ramírez—. Sí, hemos tenido suerte. Hace un tiempo muy hermoso.

—Ni que fuésemos de campo —dijo Paquita.

—Tengo ganas de que llegue el verano, para salir de excursión a la sierra. ¿Verdad, señor Ramírez?

—Sí, Elvira, sí.

—En el verano es mejor —Paquita se puso en pie—. A Lorenzo le gusta más el invierno, porque en verano suda mucho.

—¿Qué hora es? —preguntó Julita.

—Las dos y cinco —Ramírez se recostó en el sillón basculante—. Cuando sea viejo, preferirá el verano.

—Eso mismo le digo yo a Lorenzo. Pero ya sabe usted cómo es; si se le mete una idea en la cabeza, no hay quien se la quite. El dice que el invierno es mejor y tiene que ser mejor. ¿Saben ustedes que vamos a comer mariscos?

—¿Quién te lo ha dicho?

—Yo creo que nos debíamos bajar al bar —propuso Julita.

—Hija, hemos quedado en reunirnos aquí. Lo ha dicho Fausto —Elvira metió la mano derecha por el escote y se subió el tirante izquierdo del sostén—. Lo que sí podíamos hacer es llamarle, porque se dijo que entre dos menos cuarto y dos. ¿Qué le parece a usted, señor Ramírez?

—A mí me parece bien, Elvira.

—¿Ya ha telefoneado usted a su casa?

—Sí —Ramírez dejó de mirar a Elvira y miró a Paquita—. Le he avisado ya a mi mujer, que hoy me voy de juerga.

—¡Uy, de juerga! ¡Qué cosas tiene usted! ¡Tiene usted unos golpes, señor Ramírez!...

—Pedro decía esta mañana en el bar, cuando he bajado a desayunar, que nos iríamos de juerga. Lleva —Elvira enrojeció— una corbata muy bonita. Nueva.

—Valiente golfo está hecho Pedro.

Julita abandonó la observación de los hombres en mangas de camisa, que descargaban muebles del capitoné.

—¿Llamo yo o llamas tú, Elvira?

—Hija, Julita, llama tú. A mí me toman el pelo los de Valores.

Julita descolgó el teléfono, marcó dos cifras y esperó, con la mano libre apoyada en la cadera y un incesante parpadeo.

—¿Valores?... ¿Está el señor González?... ¡Ah, bueno!... Nada, nada, de aquí, de Nóminas... Adiós y gracias, ¿eh? —Julita colgó el teléfono—. Que acaba de salir y que sube para aquí.

—Yo voy un momentito al water —dijo Ramírez.

Julita se sentó de nuevo junto a la ventana y cruzó las piernas. Elvira se miraba en el espejo un grano, que desde la noche anterior le crecía, colorado y patente, en pleno pómulo izquierdo.

—¿Siempre que sale al lavabo lo anuncia en voz alta?

—Siempre —dijo Elvira—. Es una vergüenza. Y ahora, menos mal que dice que va al water, porque lo que es antes, decía siempre que iba al retrete. ¿Verdad, Julita?

—Sí, verdad.

—Parece que estás de malhumor. ¿Qué te pasa?

—No me pasa nada. Que me fastidia la informalidad. Se ha dicho a una hora, pues se está puntual y asunto acabado. Pero no esto de tenernos aquí de plantón.

—Tendrán que recoger el trabajo.

—El trabajo, el trabajo... Pero si, además, es sábado. Yo me bajo al bar.

—¿Te bajas? —Elvira siguió con la vista a Julita, que atravesó el despacho rápidamente sobre sus altos tacones—. Luego tardaremos más hasta que nos reunamos todos —Julita cerró la puerta—. ¿Has notado qué tacones se ha puesto?

—Ya, hija, ya. Parece que quiere dejarnos a todas enanas. Y el jersey granate, que le hace un pecho indecente. Fíjate, voy yo con el traje sastre, que no me hace ni la mitad que a ella, y estoy volada.

—No te preocupes —Elvira le puso una mano sobre el hombro a Paquita— que no se te nota casi nada.

—¿Qué tal te llevas últimamente con Julita?

—¿Con Julita? —Elvira cerró los ojos y se mordió el labio inferior—. Mal, para no variar. Yo creo que nos tiene envidia.

—¿Tú crees?

—A mí, porque tengo veinte años, y a ti, porque tienes novio y veintidós años. Le está entrando el miedo de quedarse solterona.

—Pues pronto le entra —dijo Paquita.

—Tiene ya veinticinco años. Y que no le cuaja ningún chico, que yo no sé qué tiene que, siendo mona como es, porque, eso sí, mona es, las cosas como son, sin embargo, no hay muchacho que la aguante más de dos meses. Es lo que yo te digo, envidia.

—¿Has visto a Mari Luz? Se ha puesto el vestido de punto.

—¿El vestido de punto?

—Sí, date cuenta. La muy zorra va y se pone el vestido de punto, el azul, que...

—Sí, sí, ya sé, el azul.

—... la silban los hombres de lo descarada que la hace. Yo, la verdad, no sé por qué tiene que venir Mari Luz.

—Como está con Nieves... —dijo Elvira.

—¿Y por qué tiene que venir Nieves? Dijimos que los de Nóminas, los de Valores y nosotros los de Cuentas Corrientes.

—¿Quién viene de Cuentas Corrientes?

—Yo.

—¡Ah!

Ramírez entró con Lorenzo. Cuando Ramírez y Lorenzo encendieron los cigarrillos, Elvira y Paquita se pusieron a cuchichear.

—Yo, mire usted, no debía fumar en ayunas. Antes de comer, quiero decir. Noto en el estómago la nicotina como un ácido corrosivo.

—El tabaco no es tan malo como dicen. El otro día leí —Lorenzo se sentó a la mesa, limpia de papeles, unos segundos después de que Ramírez ocupase el sillón basculante— que el tabaco cura el cáncer.

—¿Cómo?

—Sí, señor Ramírez. Lo traía una revista. Lo que sucede es que fumamos mal tabaco, que el tabaco español es infame.

—Ay, hijo mío, si usted supiese lo que he fumado yo en esta vida... En la guerra fumaba unas hierbas que vendían en paquetes de medio kilo y que, por aquel entonces, costaban a ocho pesetas el paquete. Eran hierbas medicinales, para quitarle a uno el vicio de fumar. Y cuando se acabaron las hierbas, porque hasta las hierbas se acabaron, fumaba cáscaras de patata.

—Pero ahora no estamos en guerra —dijo Lorenzo.

—Lorenzo —dijo Paquita—, ya te podías haber puesto una camisa blanca.

—¿Qué le pasa a mi camisa?

—No le hagas caso —dijo Elvira—, que bien bonita que es. A mí me encantan las camisas a rayas —Elvira se levantó, cogió una de las puntas del cuello de la camisa de Lorenzo y se percató, demasiado tarde, que el pómulo que había acercado era el izquierdo—. Muy elegante, di que sí.

—Luego, después de la guerra, la cosa no se puso mejor.

—Claro —dijo Paquita—, si estaba usted en la cárcel, ¿cómo se le iba a poner la cosa?

—¿Cuánto tiempo estuvo usted en chirona, señor Ramírez?

—Hasta el cuarenta y cinco, hijo mío.

—Pero usted, señor Ramírez —Elvira clavó una nalga en el pico de la mesa de Ramírez—, ¿era rojo?

—Yo, Elvira, nunca me metí en nada.

—¿Y por qué le encerraron?

—Por mi hermano, que era de Izquierda Republicana.

—¿Engancharon también a su hermano?

—No, Lorenzo, no. Mi hermano afortunadamente se fue a Méjico. Y allí ha muerto hace tres años, que en paz descanse. Pero dejemos los malos recuerdos, que hoy es sábado y hemos cobrado la extraordinaria y hay que celebrarlo. Ya le digo, Lorenzo, hierbas y cáscaras de...

Fausto abrió la puerta, al tiempo que golpeaba en la madera con los nudillos.

—¿Se puede? Venga, que llegamos tarde.

—Ahora con prisas —Elvira cogió el bolso—. Llevamos esperando media hora. ¿Y los otros?

—En el bar.

—¿No habíamos quedado aquí? —dijo Paquita.

—Opino que habrá que pedir permiso a don Antonio —dijo Ramírez—. Son sólo las dos y veinte.

—¿Las dos y veinte ya?

—Señor Ramírez, a usted le corresponde —Fausto le palmeó la espalda—. Por edad y por jefatura.

—Mire, Fausto, yo no tengo inconveniente en entrar a hablar con don Antonio. Ya sabe usted que don Antonio me aprecia y que él y un servidor nunca hemos tenido ni la más mínima diferencia. Pero yo creo que está usted más indicado, por tratarse de lo que se trata.

—Esperamos en el bar —dijo Paquita—. Elvira y yo les esperamos en el bar.

—Como usted quiera, señor Ramírez. Yo pasar, paso. A mí me importa un pimiento don Antonio, pero que no le veo la justificación.

—Tratándose de lo que se trata —dijo Ramírez—, usted, que es más joven, resultará mejor. Lorenzo puede acompañarle.

—¿Yo?

—Venga, tú —Fausto cogió a Lorenzo por un brazo y le arrastró unos pasos, en dirección al despacho de don Antonio—. Así te vas acostumbrando a lidiar toros de peso.

La antesala estaba vacía. Lorenzo observó a Fausto, mientras asomaba la cabeza por el hueco de la puerta del despacho del jefe de Personal.

—¿Da usted su permiso, don Antonio? —Fausto cuadró los hombros—. Buenos días, don Antonio.

—Pasen.

—Buenos días, don Antonio —dijo Lorenzo.

Encarnita, que tenía el bloc encima de la mesa, sonrió a Fausto. Lorenzo siguió a Fausto y se quedó detrás de él, cuando Fausto se detuvo a medio metro de la mesa de don Antonio. Las mejillas de don Antonio brillaban, lisas y hundidas. Fausto tosió, antes de hablar.

—A molestarle un momentito.

—Diga.

—Pues la cosa es que habíamos pensado en celebrar la extraordinaria, la paga extraordinaria, que se ha cobrado hoy. Con una comida. Como, sinceramente, no se esperaba y ha venido así, de milagro, hemos decidido ir a celebrarlo, si usted no tiene inconveniente. Y, de paso, aprovechar la ocasión, para agradecerle a usted lo que ha hecho en lo de la paga.

—Muchas gracias, aunque yo no he hecho nada.

—Sí, don Antonio, y disculpe que le contradiga. Que toda la oficina sabe que usted habló al señor director.

—Vayan ustedes. ¡Ah!, y...

—Perdone, don Antonio. Además de Lorenzo y de un servidor, vienen también el señor Ramírez, jefe de Nóminas, y las señoritas Julita y Elvira. De Acciones y Bonos, las señoritas Nieves y Mari Luz. De Valores, Pedro y nosotros dos; y de Cuentas Corrientes, la señorita Paquita —Fausto emitió una corta risa, que le alteró el tono de la voz—. Creo que me ha salido completa la lista.

—Digan a sus jefes respectivos que yo les he autorizado a salir. Y ya que está usted aquí, Fausto, no olvide pasarse el lunes, a las once, a charlar conmigo. Le adelanto que el Negociado de Valores ha bajado de rendimiento, lo que se atribuye a que...

—Don Antonio, yo...

—No me interrumpa. A que se habla de fútbol más de lo debido. Ya sabe, el lunes a las once.

—Sí, señor.

—Y que se diviertan ustedes en la comida.

—Muchas gracias, don Antonio. Buenos días, don Antonio.

—Buenos días, don Antonio.

Encarnita tenía la mirada en el bloc y el lapicero metido en el pelo. Lorenzo retrocedió unos pasos, para no tropezar con Fausto, que salía del despacho precipitadamente. Hasta la escalera, anduvo sin hablar.

—¿Qué querrá el lunes?

—El hijo de puta... Maldita sea la madre que le parió. Y delante de esa idiota, que lo chismorrea por toda la oficina. Si uno no tuviese hijos, era como para partirle la boca.

—Algún chivatazo —dijo Lorenzo.

—Tenemos que hablar con Pedro. Pero tú, él y yo solos. No digas nada delante de los demás. Luego, hacemos un aparte.

Las cinco mujeres, Ramírez y Pedro esperaban en el vestíbulo. Mari Luz, apoyada en una de las paredes de mármol rosa, se limpiaba el carmín de las comisuras con la punta del pañuelo. Julita reía de algo que Pedro le murmuraba al oído.

—¿Qué? —dijo Ramírez—. ¿Ha dado el permiso don Antonio?

—Hola, Nieves —dijo Fausto—. Arreando, que huele mal esta cuadra.

—Hola.

—Encima con prisas —Mari Luz guardó el pañuelo y el espejo en el bolsillo.

Salieron a la calle, llena de sol.

—Son las dos y media.

—Las tres menos veinte, si no te importa, Elvira.

—Mari Luz, estás de campeonato.

—Y a las demás que nos parta un rayo.

—Gracias, Pedro. Se va a tomar unas cañas, ¿no?

—Habíamos pensado en tomar unas cañas antes de comer. Cogemos unos taxis, y a las tres estamos en el restaurante.

—Fausto, ¿has encargado la comida?

—¿Qué te sucede, Fausto? Parece que estás de mala uva.

—Tú, Nieves, que tú también estás fenómeno hoy —Pedro se adelantó por la acera y cogió del brazo a

Nieves, cantando en falsete—. Esta noche me emborracho bien, me mamo bien mamao, pa no pensar.

—¿Has cobrado la paga?

—Te diré, tanagra.

—He encargado sopa de mariscos, tortilla paisana, entrecot de ternera y tarta helada. Al que no le guste el menú...

—Nos gusta, Fausto.

—... puede pedir otra cosa. Si nos ponemos ahora de cañas, llegaremos tarde.

—Las chicas querían tomar cerveza antes.

—Que la tomen en el restaurante.

—¿Lo veis? Si se hubiera salido a la hora que se quedó...

Los obreros subían un bargueño, a lo largo de la fachada. El aire olía a gasolina, a asfalto, a tierra mojada. A Nieves los olores de la calle le mantenían tensas las aletas de la nariz.

Fausto, que había mandado detener dos taxis, daba órdenes, distribuyendo a unos y a otros. Nieves subió dificultosamente, a causa de la falda demasiado ceñida. A su lado se sentaba Ramírez; Julita y Mari Luz ocuparon los trasportines. Fausto se colocó junto al chófer, a quien dio la dirección del restaurante.

—¡Qué bonito está Madrid! —dijo Mari Luz—. En esta época, Madrid se pone precioso.

—Hija —dijo Julita—, ni que salieses de un campo de concentración.

—Lo vamos a pasar en grande —Nieves abrió los ojos—. Mira, nos hemos juntado los viejos.

—Oye, guapa, que yo... —comenzó Julita.

—Ya, que ya sabemos que tienes veinticinco, Julita, y que Mari Luz tiene veintiséis. Pero fíjate en nosotros. El señor Ramírez, con cincuenta y tantos...

—Cincuenta y siete, Nieves, cincuenta y siete.

—Y yo, con treinta y tres declarados, y Fausto, cerca de los cincuenta.

—Y con tres hijas, mujer y abuela, que es peor.

—¡Ay, Fausto!, no empieces, ¿eh? Que luego me pongo mala de tanto reír.

—Julita, que la vida es nuestra.

Nieves dejó de mirar por la ventanilla.

—Tienes razón, Mari Luz. Hace un tiempo maravilloso.

—Es que este año —dijo Ramírez— apenas ha llovido.

2

Ramírez se puso en pie, a la cabecera de la mesa, y subió la copa de vino tinto a la altura del chaleco. Los demás dejaron de aplaudir. La pareja, que ocupaba la mesa del ventanal, continuaba hablando.

—Señoras y señores —las muchachas rieron—. Yo no soy orador.

—¡Duro, Ramírez! —gritó Pedro.

—No obstante, es para mí un triste privilegio el de cerrar este acto tan simpático y tan..., bueno, y tan emocionante de la comida que hoy hemos celebrado para festejar la paga extraordinaria.

—¡Viva la paga! —dijo Elvira.

—Y digo que es un triste privilegio, porque es el privilegio de la edad —Fausto, con los codos apoyados en la mesa, le miraba fijamente—. La edad es una cosa muy mala. La mucha edad, quiero decir. Porque, en cambio —Julita se inclinaba sobre la corbata de Pedro—, la poca edad es una ventura del cielo. Todos formamos una familia en la oficina, más que familia, ya que con la familia pasamos menos horas al día que con los compañeros. Y así, como en toda familia numerosa —Elvira, con una mano por dentro del escote, se subía un tirante del sostén—, unos se prefieren a otros; así, nosotros, en la numerosa familia de la oficina, nos hemos preferido. Vaya usted a saber por qué. Lo emocionante, lo verdaderamente emocionante y... emocionante, para mí, es que ustedes, que están, por la gracia del Cielo, en la bella edad, me admitan —Lorenzo y Paquita, con las manos cogidas sobre el mantel, fruncían los entrecejos— entre ustedes, entre la dorada juventud, entre la juventud divino tesoro, como dijo el poeta.

—Muy bien —susurró Julita.

—Que, también como dijo el poeta, se va para no volver por nunca jamás. Yo... yo... —Ramírez titubeó, antes de beber un sorbo de vino— les deseo que sean muy felices con esta paga extraordinaria, no muy cuantiosa, pero sí bien recibida, y que se la gasten en... en ser felices, porque la juventud se va y no vuelve, como ya he dicho que dijo el poeta. Por ello... —Mari Luz retiró el brazo que Pedro acababa de pasar por el respaldo de su silla—. Bueno, me he perdido —todos rieron—. Quiero terminar deseándoles eso, que sean jóvenes y felices y que nos reunamos en otro acto tan simpático como éste muy pronto —al sentarse, mientras le aplaudían, Ramírez, secándose el sudor de la frente, recordó el final del discurso, que había preparado la noche anterior—. ¡Uf!, creo que he bebido más de la cuenta.

Cuando cesaron los aplausos, Pedro se puso en pie.

—Propongo —dijo Pedro— un aplauso para el señor Ramírez, que es un tipo estupendo —los aplausos resonaron otra vez—. Y ahora propongo...

—Venga, tú, no seas tubo —dijo Mari Luz.

—... que hable una representante del bello sexo.

—¡Uy! —chilló Elvira.

—Nieves. Que hable Nieves.

—Sí, sí —dijo Ramírez—, también el bello sexo. Que nos acaricie los oídos el bello sexo.

—Oiga usted, señor Ramírez —dijo Julita—, que aquí no hemos venido a hacerles caricias.

Fausto se levantó, rodeó la mesa y, empujándola por un codo, obligó a Nieves a ponerse en pie.

—Yo —dijo Nieves, después de haberse estirado la chaqueta de punto—, ¿qué quieren ustedes que les diga? Pues, eso. Que estamos muy contentas y que aprovecho la ocasión para decirles..., pues eso. ¡Ah!, yo qué sé. Que, como ha dicho el señor Ramírez, todos somos una familia bien avenida. Y que un aplauso para Fausto, que tan estupendamente lo ha organizado todo.

A favor del bullicio, Ramírez se dirigió a uno de los camareros, que montaban las sillas puestas al revés sobre las mesas vacías, para que le indicase la situación del water. El ruido lejano de sus conversaciones, los complejos olores, la fría humedad de las paredes, le provocaron una náusea. Luego se quedó quieto con las manos sobre el rostro, sentado en la taza.

La pareja del fondo se había marchado ya, cuando Ramírez regresó. Ellos hablaban y reían a la vez. Sobre el mantel manchado de vino, entre los platos del postre con restos de helado derretido y ceniza, entre las migas, las cucharillas, los vasos y las botellas, Ramírez vio los largos brazos pecosos de Nieves.

—Lo estamos pasando muy bien, ¿verdad?

—Sí, muy bien —Nieves retiró los brazos de la mesa, colocó su chaqueta de punto en una silla y encendió un cigarrillo—. La otra vez también lo pasamos muy bien.

—¿La otra vez?

—¿No se acuerda usted, señor Ramírez? En Navidad, cuando las chicas se empeñaron en que hiciese usted juegos de manos. Como es usted budista.

—Yo, Nieves, lo que sucede es que he leído lo mío, de religiones orientales sobre todo. Pero budista, lo que se dice budista, la verdad, no. ¿Usted ha leído...?

—¿Yo? —Nieves rió ruidosamente—. ¡Ay, señor Ramírez!, pero si yo no tengo tiempo de leer. Alguna noche que otra, me agarro una novela. Pero más que nada, para quedarme dormida. Y leer me gusta, me gusta mucho. Claro que también me gusta el cine, y el baile, y otras cosas, para las que no tengo tiempo.

—Usted, Nieves, si me lo permite...

—Diga, diga, señor Ramírez.

—Sencillamente, que debería usted casarse.

—Pero, oiga, y tanto que debería. ¿Qué cree usted que estoy intentando desde hace trece años?

—Señor Ramírez —dijo Julita—, ha echado usted un

discurso como para llorar. Se me saltaban las lágrimas con eso de la juventud, que usted ha dicho.

—Entonces —Pedro alzó la voz— yo le dije: Eso no se lo consiento a usted. Usted es mi jefe aquí y, si tiene alguna queja del servicio, me lo dice y yo me corrijo. Pero sólo aquí. Y va el tío y me suelta que yo a él no le hablo en ese tono. Y yo voy y le digo, con respeto, pero serio, vamos, cabreado quiero decir: Lo dicho, que no le consiento eso, por muy jefe que usted sea.

—¿Y qué te contestó? —preguntó Lorenzo.

—¿Qué me va a contestar? Si hay que tratarles así, hombre. Yo, ya te digo, respetuoso, pero en mi sitio.

—Es un venado —dijo Fausto.

—¿Nos vamos a tomar café a otro sitio? —propuso Mari Luz.

—¿Dónde está Paquita?

—Claro que sí. Llevamos aquí más de dos horas.

—Elvira y Paquita han ido al lavabo.

—El vino estaba riquísimo, ¿verdad, señor Ramírez? Se ha soplado de firme, ¿eh? —Pedro le rodeó momentáneamente los hombros con un brazo—. Oiga, y a usted, que se dedica a esas religiones de los indios y de los chinos, ¿no le está prohibido el tintorro?

—Hijo, yo exclusivamente...

—¡Camarero! —Fausto tocó palmas, con las manos sobre la cabeza—. La dolorosa.

—Oye —dijo Mari Luz—, que tenemos que hacer cuentas. De esto y de los taxis.

—Pues yo —dijo Lorenzo—, una vez, que nos cogió a Paquita y a mí charlando en el pasillo, también estuve a punto de pararle los pies. Es un grosero.

—Es un cabrito.

—Tú, rica, no te preocupes —Fausto tomó la nota, que el camarero había dejado en un plato frente a él— que yo abono y el lunes os paso el cargo.

Mari Luz, inclinada sobre Fausto, le observó sacar los billetes del sobre de la paga. De pronto, Fausto movió la cabeza y le rozó un hombro.

—¿Es caro?

—Por comer a tu lado, no hay nada caro.
—No seas tonto.
—Si tú y yo estuviésemos solos...
—¿Qué? —murmuró Mari Luz.
—Que te quitaba ese vestido, con todo lo que me gusta.
—Fausto, no seas burro.
—¡Eh, vosotros, dejaros de secretos, que nos vamos!
—¡Ay, hija, Julia, estábamos viendo la factura!
—Pedro dice que a una cafetería de aquí cerca, en la misma calle Mayor.
—A una terraza, mejor.
En la acera, formando grupo a la puerta del restaurante, dejaron de hablar por unos momentos. El cielo se había cubierto de unas nubes bajas que reflejaban una hiriente luminosidad metálica.
—Yo —anunció Ramírez— les voy a dejar a ustedes.
—¿Pero qué le ocurre? Tiene usted que tomar café.
—Con mucho gusto, pero es que... mi esposa, comprendan.
Mari Luz se colgó del brazo de Nieves, después de haber estrechado la mano de Ramírez. Delante, caminaban Paquita y Elvira, con Lorenzo en medio, que llevaba una mano en la nuca de su novia. A los pocos segundos oyeron a los chicos que les seguían. Hacia la Puerta del Sol, las nubes se confundían con los tejados. Mari Luz se detuvo a anudarse un pañuelo de gasa bajo la barbilla.
—Vivan tus caderas en movimiento —dijo Pedro a su espalda.
—¿Y Julita?
—Es cierto. ¿Dónde está Julita?
—Mari Luz, chata, hoy te encuentro con más buenez que en todos los restos de tu vida.
—Calla, Pedro.
—¿Se ha marchado Julita?
—No seas bobo, Fausto. ¿Cómo se va a haber marchado? Ni que fuese el señor Ramírez, que tiene a la parienta esperándole con una escoba.
—Es que se ha emborrachado.

—Pobre hombre, como nunca bebe...

—¿Qué te decía antes el señor Ramírez, Nieves?

Julita esperaba ante el escaparate de una zapatería. Las muchachas se unieron y los tres hombres continuaron despacio por la acera.

La cafetería estaba casi llena. Las mujeres se acomodaron en unos taburetes de la barra y ellos quedaron en pie, con las manos en los bolsillos de los pantalones. Después de encargar café —y coñac, para los hombres y Nieves— permanecieron en silencio. El sudor les brillaba tenuemente en las frentes, en las mejillas congestionadas, les humedecía las manos, que movían las copas o deshacían la envoltura de los terrones de azúcar o caían inertes.

—Lo estamos pasando muy bien, ¿verdad? —dijo Paquita.

—Y nos hemos quedado todos mudos.

Paquita y Elvira cuchicheaban con los rostros muy cercanos. A Mari Luz se le veía el comienzo de los muslos. Fausto se inclinó hacia Pedro para decirle algo, que les hizo reír estruendosamente. Mari Luz estiró la falda, sin descruzar las piernas.

—He oído —dijo Nieves— que en el Sindicato han discutido una subida de sueldos.

—Tonterías —dijo Mari Luz.

—Lo he oído. Aunque te moleste.

—¿A mí? ¿Por qué me iba a molestar a mí?

—Aunque te moleste que hable del Sindicato.

—¿Qué pasa con el Sindicato? —preguntó Fausto.

—Nada —dijo Nieves.

Pidieron otras copas de coñac. Fausto y Pedro examinaban concienzudamente la lista de los discos en el automático, colocado a la entrada. Cuando encendieron los tubos fluorescentes del local, la luz tormentosa de la tarde hizo más opresivo el aire, como más cerrado el corto horizonte de la puerta.

—Parece que es invierno.

—Yo mañana —dijo Nieves— me voy a tirar todo el día en la cama.

—¿Estás cansada?

—¿Quién tiene una moneda de peseta? —preguntó Pedro.

—Cansada de morirme. Me duelen los pies y no sé por qué será. Yo tengo suelto, Pedro. ¿Qué vais a poner?

—Yo me iré al cine, seguramente —dijo Lorenzo—. Paquita, después de misa, mañana tenemos que ir a la Gran Vía a buscar localidades para la tarde.

—No poned un rollo.

Paquita y Elvira se bajaron de los taburetes. La cafetería se colmó de una repentina oleada de música. Junto al juke-box, Fausto y Pedro llevaban el ritmo, como si dirigiesen una orquesta.

—Mira a ésos, qué gansos. Me voy a levantar a la hora de la comida y luego me echo la siesta.

—Pero, Nieves, ¿por qué dices que te duelen los pies? Escucha qué bonito es. Me encantan las canciones italianas...

—Ya es hora de que hables, Julita.

—... más que nada. La hiedra. ¿No os entusiasman las canciones italianas? A mí me pierden, tan románticas, tan así...

—Voy a llamar por teléfono —dijo Mari Luz.

—¿A quién?

—Nieves, siempre quieres enterarte de todo —Mari Luz rió, al tiempo que le acariciaba el cogote a Nieves—. Voy a decirle dónde estamos, para que venga a recogerme.

—Pero, tú, ¿es que tienes novio?

Mari Luz miró a Julita antes de continuar hacia la escalera del fondo.

—No tiene novio —dijo Nieves—. Sale con ese chico del coche, pero lo que se dice novios, no son.

—¿Qué chico?

Nieves se cambió al taburete vecino al de Julita. Junto a Fausto, Pedro y Lorenzo hablaban con una camarera.

—Ese, el rico.

—No sé quién dices —Julita bebió el resto del coñac

que quedaba en la copa de Fausto—. ¡Uf, qué fuerte y qué bueno está!

—Julita, pareces tonta. Le has visto miles de veces, cuando ha ido a esperarla a la salida de la oficina.

—¿Con el que la cogieron los de la Brigada de la Moralidad?

—¡Ese! ¿Ves cómo le conoces? Mari Luz piensa que... Oye, ¿quién te ha contado a ti que tuvieron un percance con los de la Moralidad?

—Lo sabe toda la oficina. Que estaban en una carretera de las afueras, con los faros apagados y metiéndose el lote.

—Tanto como eso... Se estaban besando.

—Sí, sí, besándose. Y ella, con la enagua por la cintura y el sostén en el asiento de atrás.

Fausto y Pedro acudieron, al oír las carcajadas de Nieves, que se doblaba sobre la barra.

—¿De qué te ríes?

—Nada, no hacerla caso —Julita se ruborizó—. Es que la he contado un chiste.

—¡Ay, Fausto, déjame que me coja a ti! ¡Ay, madre, qué risa más grande!

—Venga, guapa, ya estás contando eso.

—Pero si es una estupidez. Que le ha dado a ésta por ahí. Yo lo que pienso es que si nos vamos a pasar la tarde aquí o qué.

—Tienes razón —Fausto, cuidando de no separarse de Nieves, que continuaba estremecida de risa, se apoyó en un taburete e hizo un gesto a la muchacha que servía detrás de la barra—. Oiga, joven, la dolorosa.

—¿Y qué hacemos?

—Podríamos ir al cine —dijo Julita.

—No me mates —Pedro ofreció tabaco—. Para cines estamos.

—No veo por qué no se puede ir al cine.

Mari Luz regresó lentamente, con una voluntaria solemnidad en sus pasos y en los movimientos de su mano derecha sobre el pelo.

—¿Os vais?

—Sí.

—Yo he quedado aquí con Manuel. Va a venir a recogerme aquí, porque le he dicho que aún estaríamos un cuarto de hora.

—Nos vamos al cine —dijo Julita.

—Señorita —Fausto acabó de recoger las monedas—, ponga otra ronda. Coñac para todos, ¿no?

—Esa se ha emborrachado.

—¿Quién? —dijo Lorenzo.

—No ha sido tu novia, hombre, no te asustes —Mari Luz, de espaldas a Julita, sonrió a Pedro y a Lorenzo—. Están en el lavabo, y cuando les he preguntado a través de la puerta que si necesitaban algo, Paquita me ha contestado que no, pero con una voz que se veía claro que Elvira se ha emborrachado.

—Oye, tú —Julita, con las manos sobre los muslos, separó los pies, sin girar en el taburete—, ¿cómo puedes saber por la voz de Paquita que Elvira se ha emborrachado?

Mari Luz volvió la cabeza, para responder sobre su hombro.

—Porque tengo experiencia.

—¿De estar borracha?

Bruscamente, con un revoleo de su falda de punto, enfrentó a Julita. Julita le mantuvo la mirada unos segundos, mientras Nieves dejaba de sonreír y Pedro se frotaba las manos.

—No reñid, ¿eh? —dijo Fausto.

—¡¿Yo?! ¿Reñir yo con ésta?

Julita subió una comisura de la boca y separó una mano de la falda.

—Tú, preciosa, riñes conmigo si a mí me da la gana, porque has de saber que yo...

Fausto se interpuso entre ellas, con dos copas de coñac.

—A beber, se ha dicho —modificó el tono de la voz—. Mirad quién viene: la enferma y su enfermera.

A Paquita y a Elvira las dejaron en el centro del grupo. Elvira, pálida y sonriente, dejó de apoyarse en Paquita para recostarse contra el mostrador. Sus sienes húmedas contrastaban con el negro mate del resto de su pelo.

—¿Qué te sucede?

—Ya estoy bien.

Paquita hablaba con Lorenzo y Fausto, cuando Pedro encargó otras dos copas de coñac.

—Verás como te encuentras en la gloria, en bebiéndote un chupito.

—No, no quiero. Que me he puesto así, un poco mareada, porque he bebido mucho en la comida y, además, hacía calor.

—Elvira, a tu casa —Fausto le rodeó los hombros con un brazo—. Te tomas un vaso de bicarbonato y te metes en la cama.

—No quiero irme a casa.

Mari Luz miró el reloj. Elvira discutía con Fausto, que le obligaba a caminar. Paquita y Lorenzo salieron a buscar un taxi.

—¿Volveréis?

—Sí, hombre —Fausto le palmeó la espalda a Pedro—. Tú quédate con las chicas, que dejamos a ésta y nos volvemos.

—No, Fausto, no hace falta.

Elvira, antes de abandonar la cafetería, estrechó la mano a Nieves, a Julita y a Mari Luz.

—Esa chica es tonta —dijo Mari Luz.

Pedro cruzó los brazos sobre la barra. La luz fluorescente arrancaba reflejos al coñac. Sonando en el ruido del escape de vapor de la cafetera, se diluían las palabras de Nieves y Julita.

—¿Te vas a ir con ése? —dijo Pedro.

—Sí, claro —Mari Luz sonrió.

—¿Por qué no te vienes con nosotros?

—Ya he quedado con él.

—¿Es tu novio?

—No.

Nieves extendió el brazo para coger una caja de cerillas, que estaba junto a la copa de Pedro.

—Yo —decía Julita— me voy a lavar la cabeza por

la mañana. Por la tarde me gustaría ir al cine. Pero, sí, también me echaré la siesta.

Mari Luz miró a Pedro, que levantó el rostro. Antes de beber la copa de coñac de un trago, chasqueó los labios, sin sonreír, casi como un actor.

—Tienes que venirte con nosotros —dijo Pedro.

Erguida en el taburete, Mari Luz se pasaba una mano por el vientre, por la sosegadora superficie de su vestido de punto, que —pensó— era un imán de los ojos de Pedro.

—... y ella, entonces, se puso a oír el serial, de tantas ganas de llorar que tenía.

—Hija, Nieves, qué cosas ocurren.

3

Julita se hartó de mirar los cuadros que llenaban las paredes de la taberna, de observar a los ocupantes de las otras mesas, de escuchar las conversaciones ajenas y las voces de ellos tres. Se comió el último calamar frito y dijo:

—Yo creo que ya está bien de hablar de la oficina.

—Anda ésta —Fausto se movió en la silla—, ¿qué mosca te ha picado?

—Tiene razón —dijo Pedro.

—¿Y de qué se va a hablar?

—Hijos, es que lleváis Nieves, Pedro y tú media hora dale que te dale, que ya está bien de chismorreo.

— ¡Camarero! —Pedro levantó una mano—. Dos medias de tinto.

—Estás bebiendo mucho.

—¿Yo sólo, Nieves? —Pedro volvió a levantar el brazo—. ¡Oiga, y otra de calamares!

—De patatas, mejor, hombre. Una ración de patatas a la brava. ¿No estáis hartas vosotras de calamares?

—Estaba pensando lo farolera que es Mari Luz.

Nieves se inclinó sobre la mesa, para asir una mano de Julita.

—Me extrañaba que no le dieses rienda suelta a la mala intención que esta tarde le tienes a Mari Luz.

—La verdad es que Julita está cargada de razón hasta los topes.

—Gracias, Pedro.

—Eso de llamar a su tipo y citarle donde estamos todos, lo ha hecho para deslumbrarnos. Vamos, que se cree ella que nos deslumbra.

—Tú, Pedro, que el coche es para quitarle el hipo a cualquiera.

—Un Porsche. ¿Y qué?

—No enfadaros —dijo Nieves—, que lo estamos pasando muy bien.

—¿Tienes tú un Porsche?

—No. ¿Y tú? —dijo Pedro.

—¡Pues entonces!

—Tiene razón Pedro. De verdad, Fausto, que tiene razón.

—Mira, Julita, y tú, Pedro, la gente es como es. Los hay que presumen de Lambretta y los hay que presumen de Porsche. Quiero decir, que ella no es más tonta que cualquier otra.

—Hombre, muy galante —dijo Nieves, riendo.

—Tú me entiendes.

—Qué bueno está el vino —Pedro tocó palmas, al tiempo que silbaba en sordina una copla flamenca—. La vida, jefe.

—Sí, Fausto, te entiendo —Nieves retiró la silla, que crujió sobre las baldosas enceradas, y cruzó las piernas—. Pero estos dos también tienen su parte de razón. Y yo a Mari Luz la quiero. La conozco desde hace muchos años, desde que entró en la oficina siendo casi una cría. Ahora, que no dejo de reconocer que le gusta presumir de familia, de dinero, de chicos, de que ella lleva los mejores trajes y los perfumes más caros.

—Y está trabajando igual que todas. ¡Igualito que todas! ¡¿Qué tiene ella de más que nosotras?!

—Julita, no chilles.

—Es que me indigna, hombre. Pues si en su casa

están tan bien de dinero, que se quede en ella, en vez de ir a la oficina. Mira tú, si yo pudiera...

—Mujer, dice que se aburre todo el día en su casa.

—¿Aburrirse? ¿Cómo se va a aburrir alguien, pudiendo coser y guisar, y hacer punto, y oír la radio?

—Julita, si es cierto que sabes hacer todas esas cosas, me caso contigo.

—¡Uy, Fausto, escucha a éstos que dicen que se casan!

—Antes me ahorco —sonrió Julita.

—Contigo al altar, te lo juro delante de Nieves y de Fausto. Si es cierto que sabes coser y guisar y hacer jerseys.

—Pedro, no seas loco, que el buey suelto bien se lame. Y te lo dice un casado.

—Parece mentira, Fausto —dijo Nieves—, que hables así, teniendo la mujer que tienes. Y la hermosura de hijas que Dios te ha dado. ¿Es que estás arrepentido de tu matrimonio?

—Venga, Fausto, contesta, no seas maula.

—Hombre, en serio, en serio... Pues la verdad, disgustado no estoy. El matrimonio es bueno, porque un hombre se tiene que recoger alguna vez, porque hay que tener hijos y todas esas cosas. A mí me ha salido bien. A otros les sale mal. No sé... Yo arrepentido no estoy.

—No sigas, que a estas dos se les ponen los dientes largos.

—Pedro, vete a la mierda.

—Julita, hija... —Nieves se acariciaba sus largos brazos desnudos— Fausto, no tienes perdón, si te quejas. Aún me acuerdo de cuando estabas soltero. Siempre por ahí, de mala manera, de pensión en pensión. La mayoría de las mañanas llegabas a la oficina sin afeitar y con la camisa sucia.

—Es verdad, Nieves. Pero, a veces, uno piensa que si no se hubiera echado tantas cargas encima...

—Podrías tener —le interrumpió Pedro— un Porsche.

—Quizá eso no. Tampoco he aspirado nunca a lujos. Pero algo más de desahogo, sí —quedaron en silencio, las miradas bajas, con unas huellas de sonrisas en los labios; cuando Nieves echó hacia atrás la cabeza y volvió a acariciarse los brazos, Fausto habló de nuevo—. También yo me acuerdo de ti, Nieves, cuando entraste a trabajar en la oficina.

—La prehistoria —rió Nieves.

—En aquella época nos conocíamos poco, ¿eh? Ya ha llovido desde entonces. Pero sigues teniendo los brazos muy bonitos. No me explico cómo no te has casado.

—Porque ninguno ha querido.

—Nieves, no digas esas cosas.

—Pero Julita, si es la pura verdad. Quitando a Fausto, yo creo que en los últimos trece años he recibido proposiciones de todos los chicos de la oficina. Proposiciones para salir, nada más. Bueno, tampoco soy vieja. Aún puede que pesque a algún hombre.

—Yo he oído —dijo Pedro— que Fausto y tú fuisteis novios.

—No, no —Nieves adelantó una mano sobre la mesa, hasta el antebrazo de Fausto—. Ni siquiera me miraba. Yo a él sí, ¿sabes?

—Fausto, no te pongas colorado.

—No hacedla caso.

—Yo tenía veinte años y Fausto tendría unos... De esto hace trece años.

—Yo tenía treinta y cinco.

—Fijaos, él, treinta y cinco, y yo, veinte. Como en las películas. Y, además, que entonces Fausto era más guapo, que tenía más pelo y no estaba tan gordo. Por la oficina, tenía fama de mujeriego y de bebedor y de simpático. Nos cruzábamos en un pasillo y me daba un escalofrío. Había una chica en mi Negociado, Matilde Herrera se llamaba. ¿Te acuerdas, Fausto? Sí, Matilde Herrera, que luego se casó. Ella me contaba historias de Fausto, de cuando había estado en la División Azul y de...

—Fíjate, Julita, en la División y le llevaron arrastras.

—Oye, tú, Pedro, que yo a Rusia fui voluntario.

—¿Voluntario? No seas cara, ni te pongas a presumir, que tú mismo me has contado que...

—No discutid —dijo Julita—. Escucha, Nieves, tú estabas enamorada de éste.

Fausto abrió los brazos y estrechó a las dos muchachas por los hombros. Ellas dejaron caer las cabezas sobre su pecho, riendo, apoyándose en la mesa para conservar el equilibrio.

—No la hagas caso, Julita. Si es mentira todo. Era yo quien temblaba cuando nos cruzábamos en el pasillo. ¡Menudo guayabo! Y ahora estás mejor, Nieves, mucho mejor. Te lo digo yo que entiendo de mujeres. Con esos brazos...

—Propongo —dijo Pedro— que nos vayamos a otra tasca.

Julita se puso en pie de un salto.

—¡Estupendo! La noche es nuestra. Vamos hacia Echegaray.

En las aceras se agolpaban las gentes. Acababan de cerrar las tiendas y las luces de neón delimitaban las fachadas. Nieves se cogió de un brazo de Pedro y de otro de Julita. Fausto caminaba detrás, encendiendo un cigarrillo.

A partir del Manzanares, hacia el horizonte, subía la ladera en una pendiente de puntos brillantes y, a veces, móviles. A la derecha de los Carabancheles lucían dos luces rojas. «Una vez yo, Chuang-Chou, soñé que era una mariposa, revoloteando aquí y allá...» Ramírez se apoyó en la baranda del Viaducto, con los ojos muy abiertos a la oscuridad punteada. «... una mariposa perfecta en todo sentido.» A Ramírez le ardía la tráquea, le pesaba el estómago, se le aceleraba el ritmo de las ideas. «Sólo tenía conciencia de mi felicidad como mariposa...» Ramírez dejó de oír, mediante un ejercicio de gimnasia mental, los ruidos de los motores. «... sin saber que era Chou.» En el silencio, aquella opresora e invisible presencia de los cuerpos desnudos se diluyó. «Pronto desperté y fui nuevamente...» Ramírez, al eructar, recobró su cotidiana soledad. Decidió separarse de la hipnótica contemplación de las riberas del Manzanares y, en un bar tranquilo, tomar un café con leche y una ensaimada. «... yo mismo, sin duda alguna.» O unas aceitunas y un vasito de vino.

Nada más sentarse, cuando aún la luz de la linterna del acomodador permanecía sobre el suelo, Lorenzo pasó un brazo por los hombros de Paquita. En la pantalla, la música sonaba sobre una calle de pueblo, solitaria. Lorenzo aproximó la boca y Paquita, casi sin moverse, puso a su alcance la mejilla izquierda, durante un tiempo prudencial. Después se arrellanaron en las butacas y se cogieron las manos.

—Estamos gastando una locura esta tarde. ¿Es la del Oeste? Ya verás el lunes por la mañana, cuando tengas que pagarle a Fausto nuestra parte. Y encima, butaca de patio. Lo menos, lo menos, entre tu paga y la mía, se nos han ido cuatrocientas pesetas. ¡Ay, madre mía, con la cantidad de cosas que...

—Un día es un día.

—... se pueden comprar con cuatrocientas pesetas! Una sábana, paños de cocina, un plazo de la radio, una...

—Paquita, hay que vivir también, de cuando en cuando.

—... docena de platos irrompibles. ¿Qué quieres decir con eso de vivir?

Lorenzo liberó su mano izquierda de las de Paquita y le apretó un pecho.

Con el convencimiento de que las gambas estaban frescas, Fausto acabó de inspeccionar las fuentes de barro, que llenaban el mostrador.

—Si ahora comemos gambas —dijo Julita— luego no vamos a cenar. Tú, Nieves, ¿tienes ganas de gambas? —Nieves, que, con un palillo movía el vino de su vaso, pareció no oír—. ¿Y tú, Pedro?

—Estoy otra vez con el coñac. Lo más bueno de esta vida es el coñac. Yo me pasaría la vida bebiendo coñac.

—Ponga unas gambas a la plancha —ordenó Fausto al tabernero—. Y otra ronda de chatos.

—En el bar de la oficina, si no fuese por el qué dirán.

en vez de café con leche yo tomaría coñac. Para lo único que es malo, según dicen, es para tener hijos. Por ejemplo, encargas un hijo estando borracho y el hijo te sale tonto. Pero el coñac es muy bueno. Quita las penas.

—¿Tienes tú penas, Pedro? —dijo Julita, sonriendo.

—Como todo el mundo —apoyó un brazo en la barra y se acercó a Julita—. Verás, me pasa una cosa rarísima. A veces, parece que no entiendo nada.

Al tiempo que Fausto encendía un cigarrillo, Nieves alzó la cabeza, tiró el palillo al suelo, por encima del hombro, y bebió el vino de un solo trago.

—Yo también pienso así, en serio. Los domingos, sobre todo —Julita disminuyó el tono de la voz—. Si me quedo en casa, sin salir en toda la tarde, empiezo a darle vueltas a esas complicaciones de la vida. Pero lo que yo no sabía es que a los hombres también os ocurrían cosas semejantes.

—Sí, también —dijo Pedro.

—Y creo que —como el ruido había aumentado en la taberna, Julita subió el volumen de la voz— no hay tanta diferencia, como se dice, entre un hombre y una mujer.

—Te diré —dijo Pedro—. Las mujeres sois más románticas, más dadas a los sueños. Pero puestas a ser prácticas, resultáis un rato prácticas. Las mujeres lo que queréis siempre es casaros.

—¿Y después?

—No te entiendo, Julita.

—Que, después del matrimonio, ¿qué queremos las mujeres?

—Ah, pues... eso, casaros. Y tener hijos y una cocina llena de cacharros y una nevera. También que no salga el marido.

—Vosotros, comed gambas, que están muy ricas.

—Déjales, Fausto, que así tocamos a más.

—¡Oye, tú, no! —Julita se abalanzó, por la espalda, a Nieves.

—Póngame otro coñac —dijo Pedro.

Ellas dos reían y comían gambas. Por los cristales de

la puerta de la taberna entraba la luz eléctrica de la calle, la de los bares fronteros, la de los faros de los automóviles que avanzaban de uno en uno por la estrecha calzada, a marcha lenta. Fausto se pasó una mano por el rostro y dejó de mirar el jersey granate de Julita.

—Son las nueve —anunció Fausto.

—Me bebo el coñac en un segundo y en marcha para otro sitio, ¿de acuerdo, guapas? ¡La noche es joven!

—Ole, los hombres valientes —dijo Julita.

Cuando la puerta se abrió sigilosamente, Elvira apretó los ojos. Oyó a su madre que les decía a los demás que ella —Elvira— continuaba dormida, a lo que su padre supuso que era señal de que se encontraba bien.

Elvira dio media vuelta y quedó tendida sobre la espalda, cara a la oscuridad del dormitorio. Debían de ser cerca de las nueve —o nueve y media—, a juzgar por los ruidos de la casa y del patio. Se estiró el camisón, que se le había arrollado a la cintura, antes de rememorar su reciente sueño. Al pensar en ello, reconoció el salón de baile como el de la película «La guerra y la paz». Ramírez, que siempre andaba leyendo librotes, decía que la película no valía nada en comparación con la novela, pero Elvira no quiso recordar a Ramírez, sino el dorado y rojo salón de su sueño —y de la película—, donde se bailaba, mientras ella —Elvira— trataba inútilmente de hacerse notar. Fausto, vestido de general, le había sonreído, y entonces ella se percató de que Fausto era un príncipe. Como el recuerdo del sueño la entristecía, Elvira decidió cambiar de postura, proyectar qué haría al día siguiente, domingo. Probablemente, aunque ello no hubiera pasado del todo, disminuiría, así como el grano del pómulo. Por la tarde, nada más comer, iría a casa de Paquita, para que le contase lo sucedido, después que ella se había emborrachado tan tontamente, tan sin darse cuenta.

Elvira se abrazó a la almohada, llorando por su fisiología de mujer, por la voz de la abuela sobre el ruido del pescado friéndose en la sartén, por el hecho innegable de que Fausto no fuese un príncipe y, sobre todo, por no saber qué hacer de toda la inevitable tarde de domingo, una vez que Paquita se marchase con Lorenzo.

Fausto le pagó a la mujer de los lavabos, se incrustó en el entrante de la pared e introdujo la ficha en el teléfono. Mientras esperaba respuesta, veía el bar lleno de gentes bien vestidas y, en uno de los recodos de la barra, a Nieves, que se separaba de cuando en cuando con los brazos estirados. Al establecerse la comunicación, se sorprendió, ignorando durante unos instantes a quién llamaba.

—Soy yo, Fausto.

—¿Quién?

—¡Yo!

—¡Ah, Fausto! —dijo su mujer—. Grita un poco más, que no se te oye.

—Es que estoy aquí, en una tasca, y hay mucho barullo.

—¿Cuándo vas a venir a recogernos?

—Para eso te llamaba. Hemos estado...

—¿Qué dices? No se oye.

Fausto se volvió de espaldas y se cerró el oído fuertemente con la yema del dedo índice.

—Que hemos estado en la comida de la oficina y ahora estoy con unos compañeros, tomando unos chatos.

—Las niñas y yo seguimos esperándote.

—Para eso te llamo. Que tardaré aún un poco, porque estamos aquí unos compañeros y...

—Fausto —le interrumpió—, llevo toda la tarde en casa de tus padres y ya está bien.

—Luisa, no te permito que...

—Y ya está bien, digo yo. De comidas y de juergas. Que llevas sin aparecer desde esta mañana temprano. Y las niñas se caen de sueño.

—Luisa, iré cuando me dé la gana. ¡Cuando me dé la real gana! Y tú me esperas ahí, ¿entendido? —Fausto creyó oír algo diferente al ruido del bar y al zumbido del teléfono—. ¿Que si has entendido?

—Que sí, Fausto —dijo su mujer muy de prisa, antes de cortar la comunicación.

La vieja de los lavabos, apoyada en la pared de baldosines azules, miraba a un punto indeterminado del local. Fausto se detuvo a encender un cigarrillo, con las manos temblonas.

—¿Has llamado ya? —dijo Nieves.

—Sí. Oiga, ponga otra ronda.

—Decía ésta —la barbilla de Nieves señalaba a Julita, de charla con Pedro— de irnos a cenar por ahí, a cualquier taberna barata.

A Nieves la piel de la frente se le apretaba en unos finos haces de arrugas. Fausto le miró despacio los ojos, un poco humosos, su sonrisa, sus largos brazos pecosos, de una carne como tibia y floja.

—Gustarme, me gustaría ir con vosotros, pero mi mujer... Tengo que ir a recogerla a casa de mis padres.

—Qué remedio, claro —Nieves se recostó en la barra—. Hombre, ¿por qué no te traes a tu mujer?

—Por las niñas. Nunca podemos salir de noche por las niñas. Yo me quedaría, Nieves, porque lo estamos pasando tan ricamente, ¿verdad? —Nieves asentía, con unos mínimos y graves movimientos de cabeza—. Pero no he ido a comer y ella lleva toda la tarde con los viejos y con las crías, que, además, a estas horas se ponen inaguantables. ¿Lo ves —Fausto moduló una breve sonrisa artificial y ronca— cómo es mejor la soltería? Si yo ahora estuviese soltero...

Mientras caminaban por las estrechas calles, hacia la Gran Vía, Nieves oía a Fausto, salvo en los momentos en que se retrasaba o se adelantaba, movida por la muchedumbre. Pedro y Julita la cogieron del brazo durante un trecho. Fausto no cesaba de hablar y, a veces, reía. Fausto llevaba una chaqueta de cheviot, de tonos marrones, y en el ojal de la solapa, la insignia del Atlético de Madrid. En la rotonda del metro de la Red de San Luis se detuvieron.

—Yo —anunció Fausto— voy a coger un taxi. Vosotras os quedáis con Pedro, ¿no? Bueno, que lo hemos pasado muy bien.

—Ya nos dirás el lunes —dijo Nieves— lo que te debemos cada uno.

—Sí, mujer, no te preocupes.

—Oye —dijo, de repente, Julita—, ¿vas hacia Cuatro Caminos?

—¿No te irás a largar ahora?

—Sí, Pedro. Es la hora de la cena.

Nieves retrocedió unos pasos. En el bordillo de la acera, Fausto acechaba la aparición de un taxi libre.

—Llama por teléfono.

—No, la verdad, Pedro. Estoy muy cansada, me duelen los pies y a mi madre tampoco le gusta que vuelva tarde. Ahora aprovecho y Fausto me deja en Cuatro Caminos.

Nieves percibió la fuerza nerviosa de los anuncios de neón y de las otras luces de la calle. Con el aire seco, creyó aspirar el bochorno coloreado de la noche.

4

La portezuela del taxi se cerró con un chasquido. Desde el otro lado del vidrio de la ventanilla, Julita movió una mano abierta.

—Hasta el lunes —dijo Pedro.

Nieves se abrochaba cuidadosamente los botones de su chaqueta de punto. Pedro esperó a que ella hubiera terminado.

—Te acompaño un poco, Nieves.

Comenzaron a bajar la Gran Vía. Pedro, en silencio, con las manos en los bolsillos del pantalón y la cabeza baja, tropezaba de cuando en cuando con el hombro de Nieves, que caminaba muy derecha.

—Oye, Pedro —susurró Nieves.

Al llegar a Cibeles, Pedro se detuvo a contemplar la estatua, rodeada de surtidores. Nieves le puso una mano en un brazo.

—Es bonito Madrid, ¿verdad?

—Pareces un paleto. ¿No has visto nunca la Cibeles? Pasas por esta plaza cuatro veces al día, como mínimo. Cuatro asquerosas veces. Al ir, por la mañana, dan ganas de meterse en el estanque y quedarse allí helada para siempre. ¿Jamás has sentido deseos de meterte a morir en el pilón de la Cibeles?

Pedro continuó andando, sin que ella retirase la mano de su brazo, hasta la larga fila de personas en espera de un autobús.

—Bueno —dijo Pedro.

—Yo...

—Se ha pasado muy bien.

—Sí, se ha pasado muy bien. Oye, yo no quiero irme a casa.

—Yo tampoco —dijo Pedro rápidamente.

—No quiero encerrarme ahora entre cuatro paredes y ponerme a pensar que es sábado por la noche y que mañana no hay que madrugar, y que están las calles repletas de gente, y de luces, y de coches, y de... No puedo irme a mi casa.

—Yo tampoco, Nieves.

—Es una porquería la vida, si se tiene una que encerrar entre...

—... cuatro paredes —terminó Pedro—. ¿Qué podemos hacer?

—Se puede cenar algo por ahí, en una cafetería. ¿Te apetece? —Pedro, sin parpadear, osciló la cabeza—. A mí también me encanta. Y después, a bailar. Yo, no te preocupes, pago lo que sea.

—Nieves.

—Quiero decir que te convido. Anda, vamos —tiró de él y, cuando empezaron a subir Alcalá en dirección a la Puerta del Sol, Nieves se aproximó más a Pedro—. Tú puede que ya tuvieses hecho plan para esta noche.

Pedro sintió el pelo de Nieves.

—¿Yo? Sólo pensaba que te ibas a casa.

—Pero tú ¿qué ibas a hacer? —Nieves le apretó más contra ella—. Ya lo sé. Seguir bebiendo hasta las dos o las tres y, cuando las zorras hubieran bajado de precio, buscarte una.

Pedro reía, al desprenderse de ella, para pasarle un brazo por la cintura. Nieves llegó dócilmente contra su pecho.

—¿Cómo sabes que a las dos o las tres bajan de precio?

—Hijo, llevo trece años oyendo contar todos los lunes la misma historia en la oficina.

—Pero los sábados, no. Los sábados no piden menos hasta las cuatro o las cinco, si es que encuentras alguna libre a esas horas. Que suele ser vieja y fea.

Nieves se separó de él.

—Tú, que si nos ven, parecemos novios —dio unos pasos rápidos, como si necesitase saltar o comenzase a correr—. Una buena cafetería, ¿eh, Pedro? Y una buena sala de fiestas.

Sus largas piernas, sus huesudos tobillos, sus parabólicas caderas, delante de él, y huía aquella angustiosa ingravidez de la última media hora.

—Sí —dijo.

Ramírez, inmóvil en la oscuridad del portal, decidía paulatinamente volver a la calle. «Pues bien; no sé si en esa ocasión era yo un hombre que soñaba que era una mariposa o si soy ahora...» A Ramírez una repentina lucidez le zarandeó la mente y comprendió que o se lee taoísmo o se bebe vino. «... una mariposa que sueña es un hombre.» Con los ojos cerrados, imaginaba su ascensión hasta el segundo izquierda por los escalones de madera. Antes de que ella le abriese la puerta, oiría su respiración renqueante y, durante la cena —judías verdes con tomate, pescadilla frita, naranja—, tendría que contarle qué había comido, quiénes habían asistido, cómo le había salido el discurso e inventarse una historia para justificar su regreso a aquella hora. Ramírez abrió los ojos y metió la llave en la cerradura. Después de la cena, podía leer o escuchar la radio. Si acababa de abrir la puerta y, definitivamente, salía a la calle otra vez, sería posible pasear y beber más vasos de vino. Ramírez contabilizó, en abstracto, las infinitas posibilidades de una noche en una ciudad de dos millones de habitantes. «Entre un hombre y una mariposa existe necesariamente una distinción. La transición es llamada...» Ramírez giró la llave en la cerradura. «... transformación de las cosas materiales.» A Ramírez se le patentizó el olor a repollo cocido, que llenaba la escalera, como la causa inmediata que le catapultaba a los desconocidos placeres de las tinieblas.

El camarero les condujo entre las pequeñas mesas hasta una, al borde de la pista de baile. Nieves, al sentarse, se cruzó la chaqueta de punto sobre el pecho. El camarero se retiró y, a los pocos momentos, llegó otro más joven.

—Buenas noches. ¿Qué van a tomar los señores?

—¿Qué quieres, Nieves?

La voz de Pedro le hizo volver la cabeza.

—¿Yo? No sé. ¿Tú qué vas a pedir?

—Tampoco sé. Quizá, café. No, claro, café no. ¡Ah!, un vermut.

El camarero permaneció impasible.

—¿Un vermut después de la cena?

—No, no —rió Pedro—. Quiero decir un cuba-libre.

—A mí lo mismo —dijo Nieves.

El camarero inclinó levemente la cabeza. La sala, medio vacía, tenía una forma semicircular; unas luces rojas, simétricamente distribuidas, dejaban en penumbra las mesas, el bar, el estrado de la orquesta.

—Tocan bien, ¿verdad?

Pedro asintió en silencio. Cuando les sirvieron, ambos bebieron un sorbo y, después sólo, recordaron brindar. Nieves, con los codos apoyados en la mesa, observaba a las parejas que bailaban y al saxo, que, adelantado al primer término, marcaba una melodía lenta y sutil.

—Me encuentro en la gloria —dijo Pedro—. A lo mejor esto del cuba-libre me hace mezcla con el coñac. Pero mañana es domingo. Me alegro de haber venido aquí. Estás guapa, Nieves. Qué buena es la vida, ¿eh?

La orquesta pasó bruscamente a un cha-cha-chá.

—¿Bailamos, Pedro?

Pedro esperó en pie a que se quitase la chaqueta de punto.

—Nieves, si bailas fenómeno...

—Oye, guapo, ¿qué te habías creído?

Cuando de nuevo el saxo se adelantó a modular un blue, estaban sudorosos. Pedro estrechó más fuerte a Nieves y, bajo su mano derecha, sintió la tira del sostén incrustada en la carne de su espalda. Descansó su sien en la de Nieves y así bailaron hasta que ella se retiró, de repente.

—Pedro, Pedro...

—¿Qué?

—Que no estoy borracha. Se baila mejor separados.

—Vamos, Nieves, con lo guapa que estás hoy...

Ella le sonreía, misteriosamente sin arrugas en el rostro, con una continuidad en la piel suavísima, igual a la de una muchacha joven.

—¿Nos sentamos? Pedro, ahora no me vas a hacer el amor.

Encendieron unos cigarrillos y Nieves colocó su chaqueta de punto en el respaldo de la silla.

—¿Por qué no? ¿Es que tú y yo no podemos ser novios?

—Tiene gracia la cosa —Nieves le cogió una mano—. Piensa en lo que dirían en la oficina. Lo estoy viendo; la solterona ha pescado al bebé. Tendría gracia, leñe, que tú y yo fuésemos novios.

—¿Sabes qué te digo? —Pedro le rozó con los labios el lóbulo de la oreja—. Que a la mierda la oficina.

—De acuerdo.

—Tú no eres una solterona.

—Pero tú sí eres un bebé.

—Tengo veintiocho años.

—Y yo, treinta y tres.

—Siempre estás a vueltas con lo de la edad.

—Una vez, un novio que yo tuve me dijo que a esta edad me empezarían a gustar los chavales. Que me gustaríais, sin que yo me diese cuenta. Ya ves, ahora me he acordado. Además, que a ti te trae loco Julita.

—¿A mí Julita? No seas psicóloga, que fallas. Julita no está mal, pero...

—Pues poco que querías que se marchase a su casa. Bueno, bueno, no lo niegues. Si me da lo mismo, tonto. Esta noche me da lo mismo todo. Tú no tienes veintiocho años, ni yo... los que sean. ¡Lo estamos pasando en grande! Lo único que me joroba es que no vengo vestida para un sitio como éste.

—Estás muy bien, Nieves.

—¿Qué es lo que más te gusta de mí, Pedro?

—Tu carácter, tu manera de ser, así, simpática y un poco desgarrada.

—¿Y mis piernas, Pedro?

—También.

—¿Y mis brazos?

—Sí, mucho. Tienes unos brazos muy bonitos. Como un poco tristes.

—¿Tristes? Pedro, qué cosas más raras dices. Escucha, escucha esto —Nieves adelantó el cuerpo sobre la mesa y permaneció un largo tiempo en silencio—. Me encanta la música, Pedro.

—La música es estupenda.

—Te llena de algo, de un suspiro o no sé de qué. De algo de mucha felicidad. Me gustaría tener dinero, para oír música en sitios como éste todas las noches, con un vestido distinto cada vez. Y viajar. ¿Te gustaría viajar, Pedro?

—No se puede hacer nada.

—Hoy, un país, y mañana, otro. También me compraría un automóvil. Que estoy calculada para vivir bien. La que lo entiende es Mari Luz. Esa sí que sabe lo que es la vida. Sabe que tiene un cuerpo que os vuelve tarumbas, sabe encontrar un tipo con un descapotable, sabe... No sé, a veces todo eso lo cambiaría por nada, por algo así como estar bien siempre.

—No te comprendo.

—¿Crees que comprendes a las mujeres?

—¿Y Fausto? ¿Os comprende Fausto?

—Pobre Fausto. Cualquier día tienen un nuevo hijo.

—Nieves, ¿no te gustaría tener un hijo?

—Vete a la mierda tú también, Pedro. Tú y la oficina. Seríamos como Paquita y Lorenzo, que se buscan por los pasillos para cogerse las manos. Los domingos por la tarde saldríamos a pasear y al cine. Con las pagas extraordinarias, iríamos comprando el ajuar y, cuando te dijesen que tu novia era cinco años mayor que tú...

—Nieves, no bebas tan de prisa.

—... les podrías responder: ¿Y qué? Tonterías eso de los años; yo la quiero porque tiene los brazos tristes. No te preocupes, que yo convido. Y luego pedimos otra copa.

—Anda, vamos a bailar.

En la penumbra rojiza parecía flotar una neblina. La pista estaba más llena y una muchacha, con un traje de noche verde brillante, cantaba al micrófono en italiano. Pedro cerró los ojos, con el perfume de Nieves y el aroma de su cuerpo solidificados en la garganta.

—Pedro, di algo, no estés tan callado. No me gusta que me aprieten en silencio, como si una fuese sólo un pedazo de carne.

Fausto se lavó los dientes, se abotonó la chaqueta del pijama y se dirigió, por la oscuridad del pasillo, al dormitorio. Tendido junto a Luisa, escuchó los pequeños ruidos del colchón de muelles, de la respiración de ella, de una radio lejana que transmitía música. Se concedió la libre visión de los brazos de Nieves, para no pensar en Mari Luz. Al día siguiente no tendría que madrugar y le llevarían el desayuno a la cama, junto con el periódico. Al rato, el cuerpo de Mari Luz, ceñido por el vestido de punto, los brazos de Nieves y las piernas de Julita, se le agolparon en los ojos, como las paletadas de tierra helada que los prisioneros lanzaban a ambas cunetas de la carretera, para dejar paso a los vehículos de la División Acorazada, que llegaban a relevarlos. Ni estaba dormido, ni se dormiría en toda la noche. Por lo que avanzó una mano, despertó a Luisa y se tendió sobre ella.

—Pero, Fausto, ¿qué te pasa?

Luisa, al principio, siempre hacía como que no se enteraba.

Pedro se chapuzó la cara con agua fría y, después, se peinó con el pequeño peine que llevaba en el bolsillo superior de la americana.

En la mesa había dos nuevos cuba-libres.

—No creas que te voy a dejar pagar.

—¿Por qué no? —dijo Nieves—. No seas anticuado. En el extranjero, las chicas pagan. O se reparten el gasto por mitad.

—También en el extranjero las chicas se acuestan con uno.

—No seas bestia, Pedro. ¡Qué bonito es el espectáculo! Estoy muy bien contigo.

—Y yo contigo, Nieves —le acarició un brazo y dejó la mano sobre el codo—. De verdad, que me gustas mucho. Si tú quisieses, nos hacíamos novios. Y no me importa tu vida anterior.

—Oye, rico, pero ¿qué te has creído que he hecho yo en mi vida?

—Has tenido novio.

—Hombre, naturalmente que he tenido novio. Y más de uno. ¿Lo ves cómo no puede ser? A ti te conviene una chica como Julita o esa que bailaba flamenco hace un rato.

—¿Cuál?

—No me digas que no te has fijado. Si cada vez que daba una revolera y se le subían las faldas, se te iban los ojos detrás de sus muslos.

—Y detrás de los tuyos, si me los enseñas.

—Pedro, quita la mano de ahí. Pero ¿por qué os gusta tanto a los hombres el sobeo? —Nieves rió fuerte, mientras le pinzaba una mejilla a Pedro—. Estoy muy contenta, porque todo ha salido bien. La comida, el discurso de Ramírez, lo que nos hemos reído luego los cuatro juntos... En fin, que ojalá nos largasen una paga extraordinaria todas las semanas. ¿Qué le decías a Julita en la taberna ésa de Echegaray, donde hemos comido gambas?

—¿A Julita? No me acuerdo.

—Sí, hombre, en serio. Algo de que, a veces, te parece que no entiendes nada.

—¡Ah, sí! Eso, que hay veces que no entiendo nada. De la vida.

—Cuéntamelo.

—Pero si no es más que eso. Que no entiendo ni pum.

Bebieron lentamente y fumaron otro cigarrillo, antes de volver a la pista de baile. Nieves canturreaba la canción, se dejaba llevar, apoyaba la cabeza en el hombro de Pedro. La muchacha del micrófono —ahora con un traje de cóctel malva— persistía en las canciones italianas.

—Sí, a mí también me pasa —dijo de pronto Nieves—. No entiendo nada de nada, ¿verdad? Digo yo que así será volverse loco o ciego. Pero, sin embargo, yo creo que hay gente que sabe el secreto.

—¿Qué secreto?

—El secreto para entender la vida. Gente importante, como duquesas o artistas de cine o millonarios o reyes. ¿No crees que a los reyes les informan de cómo es la vida? Estoy segura. Y hasta lo tendrán escrito. Me gusta pensar eso, que está escrito en un folio, a máquina, a dos espacios y con un margen semicomercial, como dice mi jefe.

—Nieves... —avanzó los labios hacia la boca de ella— Nieves...

—¿Sabes qué hora es? —para ver el reloj, puso el antebrazo en la nuca de Pedro—. Las tres y cuarto.

—Nieves, déjame que te bese.

Nieves le rozó la barbilla con sus labios secos y calientes, antes de volver a la mesa. Sin sentarse, bebió el resto del cuba-libre y se puso la chaqueta de punto. Cuando Pedro levantó la mano, le detuvo.

—Ya está pagado. Tú estabas en el lavabo. Quedamos en que convidaba yo.

—No quedamos en nada.

—¿No has pagado tú la cena en la cafetería?

—Pero este sitio es muy caro.

En la calle, el aire libre provocaba escalofríos.

—Andamos un poco, ¿quieres? A estas horas hay muchos taxis.

Pedro, apoyado en el brazo de Nieves, caminaba absorto en el sonido regular de los tacones de ella sobre el pavimento. Inconscientemente, llamó un taxi.

—A Peña Prieta. En Vallecas.

—Sí, ya —dijo el taxista.

—Le avisaremos —Nieves se dejó caer contra el respaldo, se incorporó al instante, se sacó los zapatos y volvió a dejarse caer, enlazando un brazo a Pedro y cogiéndole las manos—. ¡Qué cansancio más bueno, Dios!

—No me gusta que hayas pagado. No me gusta que las mujeres me paguen.

Nieves reía, las calles pasaban vertiginosamente, en líneas paralelas —o convergentes— de luces, el asfalto hacía chirriar los neumáticos.

—¿Por qué te ríes?

—No te enfades, bobón. Me río porque te has puesto a hablar como un borracho.

Como agua, la risa de Nieves caía paulatinamente más silenciosa, más sorda. Pedro le besó en el cuello y sintió los dedos de ella en el rostro. Cerró los ojos a la velocidad y se recostó en un pecho de Nieves.

—¿Qué vas a hacer mañana?

—¿Qué?

—Mañana, ¿qué vas a hacer por la tarde?

—¿Pero es que quieres que salgamos? —Pedro movió la cabeza—. Espera a despertarte y las cosas te parecerán distintas. Siempre sucede así —calló durante unos instantes y, cuando volvió a hablar, la entonación de su voz se había normalizado—. Me lo he pasado muy bien, Pedro. Sobre todo, al final, bailando contigo.

Las calles, menos anchas, estaban peor pavimentadas. Al terminar una de ellas, comenzaba el campo, unos altos desmontes de tierra desnuda, los cimientos de un edificio y más allá, las débiles bombillas de un nuevo bloque de viviendas.

—Aquí —dijo Nieves.

Pedro se buscó torpemente el dinero en uno y otro bolsillo del pantalón. Cerró la portezuela. Nieves le esperaba en la penumbra. Allí le vio nuevamente las arrugas del rostro.

—¿Por qué has despedido el taxi? Ya verás para volver...

—Voy a vomitar.

Pedro se detuvo, como si hubiera tropezado. La mano de Nieves sobre su frente le serenaba. En la lejanía, las luces brillaban duramente, incrustadas en la negrura del cielo, bajo y nuboso.

—¿Te encuentras mejor?

—No puedo, no puedo arrojar. Sí, mejor. Perdóname.

—No seas tonto. Hemos bebido mucho. Y tú has mezclado, que es lo peor. ¿Quieres fumar?

Pedro se dejaba conducir por Nieves. Detenidos frente al portal, al amparo de la fachada oscura, acabaron los cigarrillos. Ella sacó el llavín del monedero. Con la mano derecha tendida, le sonreía. Pedro colocó sus manos en las caderas de Nieves.

—Es muy tarde.

—Nieves —susurró.

—No seas pesado, Pedro. Lo hemos pasado muy bien.

—Déjame que te bese, Nieves.

—Que no seas chiquillo, te digo. Es muy tarde. No lo estropees ahora a última hora.

—Nieves, déjame.

Las manos subieron por sus flancos, se enredaron en la chaqueta, le alcanzaron los pechos, precipitadas y temorosas. Nieves le sujetó la boca con sus labios, le rechazó la lengua con los dientes, trató de separarse del cuerpo de Pedro.

—Que no.

—Tienes que dejarme, Nieves. ¿No lo comprendes?

—Anda, otro día.

Estaba detrás de los barrotes de la puerta, apoyada en

ellos, y él se dejaba mantener la mano contra la mejilla de ella.

—Que duermas bien. A lo mejor encuentras taxi antes del Puente.

El chasquido del conmutador de la luz resonó en el silencio. Las piernas de ella subían los escalones del portal.

Comenzó a andar, tambaleante. Dio un traspiés y se subió a la acera. Tenía la frente húmeda de sudor. Al día siguiente podría dormir sin límites. Ilimitadamente, como los desmontes, las callejas, el silencio.

—Ya es hoy domingo —murmuró.

Antes de doblar la esquina, esperó inútilmente que en la fachada se encendiese una luz. Luego, en los cimientos de la casa en construcción, orinó. Mientras caminaba y para olvidar que el lunes, a las once, Fausto tendría que enfrentarse con don Antonio, se entretuvo en calcular cuánto dinero de la paga extraordinaria había gastado desde el mediodía.

La noche anterior a la felicidad

Ce qui est vrai est que ce chagrin change bientôt de nature.

Paul de Gondi, Cardinal de Retz

1

—Acabo de tener una sensación rara —dijo Alberto.

Al otro lado de la cortina de plástico, sobre el ruido del agua, la voz de Carmen sonó ininteligible.

—Que acabo de tener una sensación rara. Luego te lo diré.

—¿Cómo?

El vaho enturbiaba los dos espejos, los grifos, las barras de vidrio de los toalleros.

—¿Qué?

—¿Que qué?

—¿Que qué me explicarás luego?

—Una sensación —la cortina volvió a moverse— que acabo de tener. Mientras me afeitaba.

Carmen abrió también el grifo del agua fría y el ruido creció. Alberto empujó cansinamente la puerta de cristal esmerilado.

—Hijo, no te oigo nada. Si no gritas más...

En el cuarto de los armarios se desprendió de la toalla, que llevaba anudada a un costado, cogió unos calzoncillos, se los puso en el dormitorio y se sentó en el borde de la cama de Carmen. A través de las cortinas blancas, vio reflejada la lámpara en los cristales de la terraza.

—¿Sabes que hemos quedado a las diez y media? —preguntó Carmen, desde el cuarto de los armarios.

—¿Por qué a las diez y media? —a su espalda, ella entraba en el dormitorio—. Antes se quedaba a las diez.

—¿Antes? —repitió la voz de Carmen, más cercana—. Pues no sé. ¿Quieres decir antes del verano? Yo creo que Merche me dijo que a las diez y media. Ahora la llamaré otra vez. O a Leo.

—Déjalo. Será a las diez y media.

—Buenísima, el agua caliente. Qué desordenado está todo. Lo que más me gusta es que la piel se me queda como con temblores —Carmen encendió la luz en el cuarto de los armarios—. Estoy deseando verles. Merche dice que Ramiro ha pasado un verano muy bueno, que está contento. Pobre Merche; la verdad es que no ha tenido suerte —Carmen cruzó ante Alberto, descalza y vestida con una enagua violeta—. Pero se diría que tiene mejor humor.

—Tratemos de acostarnos antes de las cinco, ¿eh?

—Te prometo, cariño, que no beberé nada. Sé que me pongo muy impertinente, en cuanto me tomo una copa —se había sentado en el poof para ponerse las medias y ladeó el rostro—. Se me sube a la cabeza y me pone como loca. Te prometo que no beberé nada, que hablaré poco y que no diré tonterías.

—Tratemos de no volver a las tantas de la madrugada.

—Claro que no. Me encantan los sábados por la noche. Aunque esté ya vieja —se levantó del poof—, el sábado por la noche siento que todo es divertido. ¿Qué hora es? La lástima será que dentro de quince días...

—Son las diez menos cuarto.

—... se me habrá ido el bronceado —Carmen alzó los brazos, frente al espejo—. Da rabia que se acabe el verano. ¿Las diez menos cuarto dices? Pienso que me voy a entregar a una de esas cremas que mantienen el bronceado. ¿No suena el teléfono?

—No.

Se volvió, con las manos cruzadas detrás de la nuca. Cuando sonaron los nudillos contra la puerta, Alberto dejó de mirar las axilas depiladas de Carmen.

—Señora, la señorita Leo al teléfono.

—Dígale que voy en seguida, Remedios —dejó caer los brazos a lo largo del cuerpo—. ¿Ves como sí llamaban?

Al salir Carmen, Alberto cerró los ojos por unos instantes. El dormitorio olía a perfume y a sudor. Se levantó trabajosamente, fue al cuarto de baño, que estaba lleno de vaho, y se miró en uno de los espejos. Después abrió la ventana. Por la puerta abierta del dormitorio, mientras se sentaba de nuevo en el borde de la cama de Carmen, oyó su voz aguda. Apoyó los antebrazos en las rodillas, al tiempo que examinaba cuidadosamente los desniveles de color en la moqueta azul.

—Que serán puntuales —dijo Carmen, al entrar—. Leo también va a estrenar un vestido. A Ramiro le teníais que buscar José Manuel y tú algún empleo para por las tardes.

—Ramiro no...

—Principalmente, por la pobre Merche. Hoy estaba muy contenta. ¿Te he dicho que parece que Ramiro se encuentra de mejor humor? Casi le suelto a Merche la noticia.

—¿Qué noticia?

—Pero ¿qué te sucede?

—¡Ah, ya!

—Estás como alelado. ¿No te encuentras bien, Alberto?

—Perdona. Pensaba.

—Allá tú... ¿Qué me decías antes en el cuarto de baño? —dejó de acariciar la enagua—. Decididamente, no me va.

Cuando se hubo puesto la enagua negra, comenzó a canturrear.

—Habrá que vestirse.

—¿Pero aún estás así? Llegaremos tarde. Yo, en cinco minutos, estoy arreglada.

Alberto, con un parpadeo, retiró la mirada de la falda y la blusa extendidas sobre la cama, como si se decidiese a escuchar algo.

Antes que la voz, el perfume le obligó a levantar el bolígrafo del bloc.

—Estaba haciendo cuentas de... —Ramiro se interrumpió—. Estás muy guapa, verdaderamente.

—¿Te gusta? —Merche, al coger con dos dedos de cada mano la falda plisada negra, dejó descubiertas sus rodillas—. ¿Y qué me dices de la cadena? Comprendo que a mis años...

—Tienes veintinueve años.

—Pero me visto como si tuviese diecinueve. Carmen dice que ellos salían ya.

Ramiro dejó el bolígrafo y el bloc sobre la mesa-camilla.

—Estás sensacional.

—¿Qué hacías tú?

—Calculaba lo que podremos gastar esta noche.

—Ramiro...

Merche cogió el paquete de cigarrillos y encendió uno. Por la ventana abierta entraba el fulgor de los faros de los automóviles, que subían la avenida. Se oían las voces de los chicos del barrio, persiguiéndose bajo los soportales, llamándose, gritando inútil y estentóreamente. Merche apoyó las manos en la mesa, cerca del bloc.

—Es necesario. Siéntate, que hablemos un momento. De ahora en adelante, vamos a cambiar en esto del dinero. No pretendo ahorrar, naturalmente, sino distribuir mejor los gastos —Merche denegó con la cabeza—. Por ejemplo, ya he calculado lo que podemos gastar esta noche.

—¿Y qué?

—Que lo sé. Nunca tendremos dinero, si no. Fíjate en José Manuel o en Alberto.

—No quiero fijarme en ellos, ni en nadie. Vamos a salir por primera vez después del verano...

—Este verano hemos salido.

—No me quejo, Ramiro. Pretendo decir que vamos a salir con nuestros mejores amigos por primera vez después del verano. Es sábado, podremos ser felices, divertirnos... Y tú te dedicas a hacer cuentas. Si sé que somos pobres, no puedo ser feliz.

—No somos pobres.

—O más pobres.

Esperó pacientemente a que Merche aplastase el cigarrillo en el cenicero. Cuando estaba en el umbral de la puerta, la llamó. Ella se volvió, con una forzada sonrisa.

—Hay suficiente.

—¿Quieres que te confiese una cosa?

—¿Cosa? —dijo Ramiro.

La sonrisa de Merche desapareció, con el movimiento de sus labios.

—Que me disgusta oírte hablar de dinero, porque te transformas. Tú no sabes hablar de dinero.

La cadena dorada, ceñida a la cintura y que le caía hasta medio muslo, brillaba. En el bloc, las operaciones minuciosamente trazadas apenas llenaban media hoja. Ramiro subrayó una cifra y volvió a escribirla dos veces más. Luego levantó la mirada y comprobó que Merche ya no estaba en la habitación.

En la cocina, Merche cerraba las llaves de paso del agua y del gas.

—¿Por qué no sé hablar de dinero?

—Ramiro, no quiero contrariedades esta noche. No quiero —antes de sentirla junto a él, percibió el perfume—. No he buscado ofenderte y tú lo sabes. Estoy dispuesta a quedarme en casa, si es preciso, pero...

—No es preciso.

—... no quiero enfadarme. Desde hace días, espero ser feliz esta noche. Si estás de malhumor...

—Calla.

—... o quieres ir al cine, o que nos acostemos, o quedarte leyendo, o, sencillamente, destruir mi alegría... Pero reñir, no.

Le puso las manos —unos dedos sobre la tela negra, otros sobre la carne— encima de los hombros.

—Sólo intentaba que supieses una cosa. Si ellos son ricos, es porque saben lo que gastan. Unicamente los idiotas que nunca echamos cuentas seremos pobres siempre.

—Sí.

—Esta noche podemos gastar hasta quinientas pesetas —al tiempo que retiraba las manos, Merche abrió los ojos—. Quinientas, ¿has comprendido?

—Sí, Ramiro —susurró—. Sólo que... Esta noche era lo único que no quería saber.

Cerró la puerta del cuarto de la niña, cruzó el pasillo y, sin entrar en la sala, advirtió a Leocadia que no hablase tan alto. Leocadia se cambió de oreja el auricular.

—Perdona, hija. Era José Manuel, que decía no sé qué de la niña. ¿Qué hacer?, desde luego. Es tan raro y maniático.

—Rarísimo —dijo la voz de Carmen.

—Yo —Leocadia estiró la pierna derecha por la abertura de la bata y, con la punta del pie, empujó un vaso, que estaba sobre el mármol de una mesita enana— lo había pensado, pero no me atrevía sin consultarte. Por eso, te he llamado.

—Mi consejo es que no, ¿sabes?

—Ya, ya.

—Seguro que les vendría muy bien que fuéseis vosotros, o nosotros mismos, a recogerlos.

—Claro que sí. Además, qué cosa más natural —plegó la pierna— no teniendo coche, como no tienen.

—Pues desde luego. Sería naturalísimo. Y estoy segura que a Merche no le molestaría lo más mínimo. Pero él es un picajoso. Mi consejo es que no.

—Habrá que alterarse y hacer algo —ahora con el pie izquierdo, acercó más el vaso al borde de la mesa— por esa pobre chica.

—¿Por quién? —dijo Carmen.

El vaso quedó en equilibrio.

—Por Merche. Tu marido y el mío tienen que alterarse y hacer algo, buscarle un enchufe a Ramiro, colocarle en algún sitio por las tardes... No me resigno a que esa encantadora criatura no tenga coche.

—Tienes razón, Leo. Tan guapa y en la flor de la vida.

—Guapísima. Y sin coche y viviendo en ese barrio absurdo de obreros y empleaduchos —apoyando la planta del pie en la arista de mármol, movió el vaso unos milímetros—. Verás cómo esta noche, con cualquier trapo que se ponga, será la más guapa de las tres. ¿Me oyes?

—Sí, Leo —dijo la voz de Carmen.

—¿No estás de acuerdo?

—Claro que sí. Llevará un vestido del año pasado o se habrá arreglado alguno, pero...

—¿Tú estrenas vestido? —el vaso osciló y, con un ágil movimiento del pie, lo sostuvo—. Yo llevaré uno nuevo de no mucho vestir, de algodón, estampado y sin hombros. En este tiempo no sabe una qué ponerse.

José Manuel entró en la sala.

—Yo también estreno. Un conjunto.

—¿El verde de que me hablaste? ¡Ay!, perdona, hija, que José Manuel creo que quiere telefonear y...

—Naturalmente. Además, llegaremos tarde.

—Nosotros salimos ahora mismo. Un beso, monina —empujó imperceptiblemente y el vaso cayó sobre la alfombra.

—Hasta ahora, Leo, encanto.

—Yo no tengo que llamar a nadie —dijo José Manuel. En una mano los sobres sin abrir, que había cogido de encima de una consola, José Manuel observaba la pierna que Leocadia mantenía fuera de la bata.

—Sí, pero ¿qué quieres? La pobre Carmen es un plomo, cuando se engancha al teléfono. Y yo estoy aún sin vestir.

—Y descalza —Leo salió de la habitación, al tiempo que él se dirigía hacia la puerta—. No es bueno que andes descalza por toda la casa. Un día vas a coger... .

En el recodo del pasillo, la luz del office formaba una barroca parcelación de sombras. José Manuel giró a la izquierda, camino del living, pero la voz de Leocadia le detuvo ante la puerta del dormitorio.

—¿Qué?

—Pasa.

Aún estaba la bata, cubriéndole los pies, en el suelo. Le recorrió con la mirada su largo cuerpo desnudo, hasta los ojos.

—¿Qué quieres?

En el dormitorio hacía calor.

—Siéntate. ¿Puedes sentarte un momento?

Ocupó una pequeña butaca de raso color naranja. Leocadia saltó fuera de la bata.

—Sí.

—Necesito hablarte.

Los pechos le habían temblado y, ahora más cercanos, tenían en su caída como un resto de movimiento o un breve espasmo de gelatina. José Manuel abrió un sobre.

—¿De qué?

—De Merche y Ramiro.

—¿Qué les sucede? —frente a él, las nalgas de Leocadia parecían haber aumentado.

Leocadia se incorporó.

—Alberto y tú tenéis que buscarle alguna cosa a Ramiro, que les permita vivir mejor.

—¿Por qué Alberto y yo?

—Porque sois las únicas personas bien que ellos conocen —abrió el armario empotrado—. Sí, ya sé que por culpa de Ramiro. Pero Merche no se lo merece. Sin criadas, sin coche, con una nevera de hielo y dos vestidos al año. ¿Te has fijado alguna vez en sus faldas y en sus...?

Leocadia seguía hablando. Como si los sonidos resbalasen por los renglones o, en algún instante, se quedasen aprisionados en las casillas de los presupuestos, de las facturas o de los balances, José Manuel leía las cartas y la sentía moverse por el dormitorio, entrar y salir en el cuarto de baño, buscar en algún armario o en el joyero.

Cuando cruzó las piernas y encendió un cigarrillo, percibió que aquel silencio debía de durar ya unos minutos. Al otro lado de la cama, Leocadia se levantaba el vestido para ajustarse una media. Después de sus uñas, pintadas con un esmalte blanco, entre el negro de la liga y el color caoba de la media, vio sus desnudos hombros, redondos y llenos de una carne bronceada. José Manuel dejó los sobres y los papeles en la alfombra.

—Leo.

—¿Qué? —dijo Leocadia, sin levantar la cabeza.

—Cariño.

Se irguió bruscamente, riendo.

—Pero José Manuel... —él saltó sobre las camas gemelas y la tendió a su lado—. ¡Estás loco! Me he vestido ya... Deja, deja... Que me dejes... —las manos de José Manuel trataban inútilmente de subirle la falda ajustada—. Espera, por lo menos, a... —dejó de reír—. Por lo menos, espera a que me quite el vestido.

Luego, él le apartó la ropa interior, alcanzó el echarpe, de la misma tela del vestido, y le cubrió los pechos.

—Es un momento, bonita, sólo es un momento.

Leocadia, defendiendo la integridad de sus medias, parecía realizar ejercicios de yoga. Cerró los ojos.

—Pero ¿no comprendes que me vas a dejar nerviosa para toda la noche?

—Mejor —dijo José Manuel, con la saliva seca en el paladar—. Así todos te encontrarán más simpática.

Cuando el rostro de José Manuel cayó fatigado contra la almohada, Leocadia alzó suavemente la muñeca derecha, para ver la hora en el pequeño reloj de oro con seis diamantes incrustados.

—Anda, anda. Que llegaremos demasiado tarde.

José Manuel gruñó, mientras ella le empujaba y le hacía caer de espaldas sobre la colcha anaranjada.

2

A través del humo, inmóvil en la luz tamizada, se acercaba uno de los camareros. Instintivamente, Ramiro tocó la cartera en un bolsillo interior de la americana.

—¿Tomarán los señores el café en la mesa o en uno de los saloncitos?

Alberto, con un gesto, pidió opinión a las tres mujeres.

—¿Aquí? —dijo Leocadia.

—En uno de los salones —determinó Alberto.

—Gracias —dijo el camarero.

—Sigue —dijo Carmen.

José Manuel acabó por tragar una cucharada de cassata. Con la mano izquierda apartó el plato, al tiempo que se llevaba con la derecha la servilleta a los labios.

—Pero si es una tontería.

—No dejes las historias a medio contar, José Manuel.

—José Manuel, estás encantador esta noche.

—Gracias, Merche.

—Claro, tiene ya tres whiskys.

—El whisky no me hace daño, Leo.

—Tienes una piel maravillosa —dijo Ramiro.

—¿Qué?

—Que has conseguido un maravilloso tono de piel.

—Ramiro, encanto...

—José Manuel —Carmen le puso una mano en el antebrazo que apoyaba en la mesa—, termina de contar la historia.

—... Cuando te decides a piropear a alguna mujer, es que debe estar guapísima.

—Lo estás.

—Se advierte —dijo Merche— que Ramiro ha bebido también sus tres buenos whiskys.

—Bueno, pues entonces —la voz de José Manuel, repentinamente alta, les calló— Leo y yo no supimos qué hacer.

—Claro.

—Fíjate, hija. José Manuel, íntimo amigo del padre...

—Intimo amigo, no.

—Bueno, con relaciones comerciales. El es mayor que José Manuel.

—Ya, ya, si nosotros conocemos a los Delgado-Gil.

—¡Ah!, ciertamente, tienes razón.

—Yo también realicé operaciones con él —dijo Alberto.

—Pues como José Manuel os decía...

—Leo, ¿lo cuentas tú o yo?

—... no sabíamos qué hacer. Y, encima, unas noches antes habíamos estado con sus padres...

—Lo cuenta ella.

—... comentando los escándalos de la playa.

—Suena a título de película.

—Calla, Ramiro, deja que Leo nos...

—Es que era un verdadero escándalo, ¿sabes? No se recataban ni en las noches de luna.

Ramiro movió la silla y avanzó la cabeza sobre las copas semivacías.

—Perdona, Leo, pero estimo que lo importante no es saber si, por fin, les comunicasteis que su hijo era un maricón de tomo...

—Ramiro —dijo Merche sobre las risas de Carmen y Leocadia.

—... y lomo, sino que nos describas las escandalosas fiestas de la playa. Si es que las visteis, claro.

—Una porquería, créeme —dijo José Manuel.

—Pero ¿las visteis?

—Yo, la verdad... —Leocadia se atragantaba con su propia risa— es que sí. Cariño, no te lo había confesado, porque era una bobada, pero bajé una noche.

—Cuenta, cuenta —dijo Carmen.

—Una noche que os pusisteis a jugar al poker. Con Ingeborg. Una muchacha sueca —giró en la silla— que veraneaba con su abuela en un chalet cerca del nuestro. Los hombres jugaban al poker y, entonces, Ingeborg y yo decidimos bajar a la playa. Ya os digo, es una cala pequeña con los pinos casi hasta la misma orilla. No es porque ella ahora no esté aquí, pero a Ingeborg se le ocurrió la idea. Bajamos y aquello era... —Leocadia extendió los brazos y los dejó sobre los hombros de Ramiro y de Alberto—. No sé cómo explicarlo.

—Una maravilla, seguramente.

—Pero ¿qué visteis? —dijo Carmen.

—Estaban en bikini.

—¡¿En bikini?!

—Sí, mujer, en dos piezas. Todos llevaban dos piezas y sombreros de paja, a la última, y tacones altos y...

—Lo ves, ¿no? —Ramiro besó una mano de Leocadia—. Una maravilla. Si no fuese porque uno ya está viejo para cambiar de costumbres, me dedicaría a esos deliciosos hábitos. Muchachos, somos unos inhibidos.

—Ramiro...

—Déjale, Merche, déjale, si está graciosísimo...

—A ti siempre —dijo Alberto— te han gustado las boutades. Ya en la Universidad, no podías pasar sin decir boutades. Me acuerdo que una mañana...

—Prohibidos los siniestros recuerdos de la adolescencia.

—¿Tomamos el café?

—Ya verás, Merche, qué monada de salones tienen aquí.

—Es un restaurante estupendo. Y la cena ha sido...

—Pero ¿se logrará saber si os atrevisteis a informarles de las helénicas maneras de su...?

Alberto retuvo a Leocadia por un codo, cuando los demás acababan de levantarse.

—Espera.

Leocadia recogió lentamente, sin dejar de sonreír, la pitillera de cuero y el mechero.

—No empieces, Alberto.

—Tengo que hablarte.

—Alberto, este verano he descubierto lo tonto que resulta esto nuestro.

—¿Tonto? —el camarero, al otro lado de la mesa, esperaba con una mano en el respaldo de una silla—. Porque tú nunca has consentido... Pero se trata de otra cosa. Procura que luego nos quedemos solos en el coche.

—Aún no me has dicho —Leocadia se levantó unos segundos antes que él— si me encuentras mejor o no.

—Leo, sabes que...

Delante de Alberto, muy próximos a las yemas de sus dedos, los hombros y la espalda de Leocadia recibían y rechazaban, al compás de sus pasos, tenues reflejos. Frente a la puerta del salón de paredes tapizadas de rojo y alfombrado en verde pálido, Alberto le puso una mano, alcanzándole la clavícula, en el cuello; Leocadia se detuvo a un metro del umbral.

—Renuncio al café hasta que me haya arreglado un poco.

—Te acompaño —dijo Carmen.

Alberto se apartó para dejarles camino libre. Sentada entre Ramiro y José Manuel en el diván de cuero, Merche cruzó las piernas y dejó caer el trozo colgante de su cadena dorada.

—Sí, café.

—Para todos —dijo José Manuel al camarero—. Y coñac, por favor.

—Yo tomaré otro whisky —dijo Ramiro.

—¿Me excusas un momento?

—Sí, claro que sí, Alberto —dijo Merche.

Ramiro, en pie junto a un butacón, encendía un habano, que había sacado de una caja plateada, sobre la mesa hexagonal.

—Bien, y a vosotros ¿cómo os ha ido? —dijo José Manuel.

—Estupendamente. Con mucho calor, es cierto. Ha sido un verano horroroso de calor en Madrid.

—Y aún sigue.

—No te puedes imaginar lo que era en agosto. Ramiro ha trabajado bastante en su libro y yo... Bueno, yo iba, de cuando en cuando, a la piscina.

—Hombre, celebro que hayas decidido escribir el libro. ¿Siempre sobre el existencialismo?

—¿Cómo?

—Sobre la filosofía y esas cosas.

—Sí.

—Me alegro. Nos hemos acordado de vosotros.

—Recibimos vuestras tarjetas —dijo Merche.

—Ya os decía Leo antes que nos hubiese gustado mucho teneros unos días allí.

—Cuéntame cómo habéis decorado la casa, José Manuel.

—¿No había que estabilizar?

—Perdona —José Manuel alzó el rostro hacia Ramiro—, no entiendo.

—Decía que si no había...

—Ramiro, deja a José Manuel que me explique cómo han decorado el chalet.

—Tú estuviste hace cinco años, ¿verdad? —José Manuel hundió un hombro en el respaldo del diván y sonrió a Merche—. Bueno, pues... —sin mover el cuerpo, extendió una mano hacia el camarero, que colocaba la bandeja en la mesa—. Nosotros mismos nos serviremos. Gracias. No reconocerías el chalet, ni por fuera. Terminamos la veranda y, además, cubrimos de cristales una parte de la galería y la escalera exterior.

—¡Qué preciosidad!

—Leo se empeñó en poner unas vidrieras de colores, pero habrá que cambiarlas, porque no han quedado muy bonitas. Ya conoces el mal gusto proverbial de Leo.

—Claro que no. Es extraordinaria. Con esa vitalidad, ese empuje... Siempre está contenta Leo.

—Por desgracia.

Mientras Merche reía y José Manuel le vertía café en la taza, Ramiro observaba uno de los grabados de la pared opuesta.

—No te quejes.

—Créeme que, a veces, resulta demasiada vitalidad. Ya hemos superado los treinta —Ramiro, de espaldas, lanzaba humo y sostenía el vaso de whisky a la altura de su mejilla derecha; José Manuel cogió la taza, de la que Merche acababa de beber, y la dejó en la mesa—. Se comporta como una chiquilla. En lo de la casa, sobre todo. Se levantaba cada mañana con una idea distinta o no se preocupaba en absoluto, cuando ya estaban los pintores o los albañiles a punto de empezar la decoración. Su vitalidad, como tú dices, me cuesta mucho dinero.

—Eso no es problema para vosotros.

—Bien, pero es una tontería malgastar, ¿no te parece?

—Desde luego, José Manuel.

Con la cadena entre las manos y la barbilla apoyada

en los nudillos, Merche le miraba sonriente, un poco entornados los ojos.

—¿Tienes calor, Merche?

—¡Oh, no, no! Me encuentro muy bien. Gracias.

Ramiro había salido del salón. Mientras se servía coñac, sentía la mirada de ella, su sonrisa, que volvió a encontrar al apoyarse de nuevo en el respaldo. José Manuel rió quedamente y le puso una mano sobre la falda plisada.

—Hace mucho tiempo que no hablabas con nadie, ¿eh?

—¡Ah, José Manuel...! Sí —la sonrisa de ella se hizo móvil otra vez—, ¿para qué negarlo?

Soltó la cadena y descansó la cabeza en el diván, resbalando el cuerpo y adelantando sus piernas cruzadas.

—Hace cinco años, en vuestro chalet... Fueron mis últimas vacaciones. Estaba aún soltera, ¿te acuerdas?, y Leo y tú os acababais de casar. Por él, hubiese ido. Ahora bien, no debía dejarle solo.

—Tu estupendo marido es un ibérico, a pesar de todos sus intelectualismos.

—Puede que tengas razón —Merche bajó la mirada a la superficie transparente del coñac y movió la copa—. Te aseguro que me insistió mucho, para que aceptase vuestra invitación. Pero, solo en Madrid, se habría puesto de malhumor todas las tardes y no habría trabajado.

—Está bien que haya empezado el libro.

—Cuando regresaba de la oficina, si no...

—Te hacía una escena. No me lo cuentes, igual que en otros tiempos. Cuéntame mejor cómo te lo pasabas en la piscina.

Merche frunció los labios y pasó los dedos de una mano por la frente de José Manuel.

—Ahora me parece que estupendo. Sí —cerró los ojos—, era bueno estar al sol, con los ojos cerrados —abrió los ojos— sin preocuparse de nada.

—Supongo que de los conquistadores.

Merche rió.

—Una tarde les hice caso a dos muchachos, me acompañaron a casa, me llamaron por teléfono... ¿Sabes que ya tenemos teléfono?

—Sí, lo sabía.

—Es maravilloso tener teléfono. Perdona, estoy contenta y desbarro. No conviene estar demasiado contenta.

—¿Por qué?

—Porque no es saludable. Todas las cosas almacenadas a alta presión, cuando salen, dejan vacía. Mañana estoy segura que...

Ramiro alzaba la voz, entre el camarero y Alberto. El repentino silencio de Merche hizo volver la cabeza a José Manuel. Se pusieron en pie. Al fondo del pasillo, Carmen y Leocadia, con los pequeños bolsos en las manos enguantadas, reían y hablaban a la vez.

—Pero ¿qué pasa? —preguntó José Manuel.

—Este, que en un descuido...

—Disculpadme un momento —murmuró Merche.

—... ha pagado la cuenta.

—Hombre, si no tiene importancia —dijo Alberto—. Convidaba yo.

—No, no. No se había quedado en que nos convidases tú. ¿Verdad, José Manuel, que no se había quedado en nada de eso?

—¿Qué os parece si nos damos una vuelta por las tascas de la Plaza Mayor?

—Oye, José Manuel, escucha. Te pregunto...

—No seas párvulo, Ramiro. Alberto ha pagado aquí; lo mismo podíamos haberlo hecho tú o yo. Ya pagarás en otro sitio.

—Espero a Merche —dijo Alberto.

La mujer del guardarropa entregó a Merche el bolsillo y los guantes. Mientras sostenía la puerta de la calle y el botones se apresuraba a sus espaldas para sustituirle, Alberto vio a Leocadia junto al automóvil de José Manuel. La portezuela posterior estaba abierta.

Carmen asomó la cabeza por la ventanilla delantera.

—Yo voy con Alberto —dijo Leocadia.

—Pero ¿a dónde vamos? José Manuel pregunta que a qué sitio vamos.

Merche se había sentado junto a Ramiro. Alberto tomó a Leocadia del brazo.

—Donde se pueda aparcar. A estas horas estará aquello imposible. Como es sábado —Carmen retiró la cabeza al interior del coche—. Mira, en ese mesón que está decorado con trabucos y cacharros antiguos.

El automóvil de Alberto se encontraba en uno de los aparcamientos del estadio; antes de llegar, les adelantó el coche de José Manuel. Merche gritó algo.

—Aguarda. ¿Por qué no damos un paseo?

—Dime lo que sea en el coche.

Miraba al frente, con las manos cruzadas sobre el bolsillo, encima de las flores estampadas de su falda. Había dejado caer sobre el respaldo del asiento los dos extremos del echarpe. Alberto condujo hacia las primeras calles y frenó junto a un edificio en construcción.

—¿No te importa que abra?

Retiró el brazo y bajó el vidrio. Antes de retirar la mano, acarició las rodillas de Leocadia.

—Bien, tú dirás.

—Carmen va a tener un hijo.

—Me alegro —dijo ella.

A través de la estructura del edificio, se veían lejanas luces, en agrupaciones anárquicas, pequeños rectángulos de un cielo clarísimo, casi blanco. Pacientemente, Alberto puso en marcha el motor. Cuando impulsaba la palanca de cambios, le detuvieron los dedos de Leocadia.

—Es cierto que me alegro.

La mano de ella siguió sobre la suya, al volverse él, como de un salto, en el asiento.

—¿Sabes lo que tú eres? Una perdida. Una redomada perdida. Llevo tres meses deseando verte, para decírtelo —la mano de Leocadia continuaba inmóvil—. No me has escrito una sola vez, te has negado a que pasásemos un solo día juntos, has llegado hace una semana a Madrid y... ¡Puta!

En fugaces sombras, de los oscuros descampados a la calle solitaria volaban unos murciélagos.

—¿Soy una puta porque siempre me he negado a acostarme contigo? Dime. ¿Sólo porque sé lo malo que resulta, para una mujer, vivir con dos hombres?

—¡Sí, por eso! Porque sabes lo que es vivir con dos hombres.

La mano de Leocadia se despegó bruscamente de la suya.

—Alberto, por favor, sin retruécanos. He querido decir que lo imagino.

—No.

—¡Sí! Ya está bien, vámonos.

—Leo —la abrazó despacio—, dime la verdad, dímela, por lo que más quieras en este mundo.

—No te mereces nada. Ni siquiera la verdad.

—Sí, Leo, te lo ruego, te lo suplico.

—Nunca he sido la amante de Fernando Cañomeras —giró la cabeza y sonrió a la compungida expresión de Alberto—. ¿Estás contento?

Alberto, con una rápida violencia, le buscó los labios. Después del segundo beso, Leocadia abrió su bolsillo y sacó la barra de labios, la barra de los ojos, una caja redonda de maquillaje, un pequeño trapo sucio y un peine. Al otro lado del parabrisas, el final de la calle se enturbiaba en una pendiente de luces y sombras.

—Perdóname.

—Por mí, puedes arrancar.

Cuando hubo guardado el peine, se miró en el espejo retrovisor, a la luz de los otros coches que descendían por la Castellana.

—Tenemos que vernos un día con calma, Leo.

—¿Para insultarme con más calma que esta noche?

—Leo, ¿cómo podría borrar lo de esta noche? Estaba nervioso, entiéndelo. Todo este largo verano sin ti...

—La luz verde, Alberto.

—¡Ah, sí!... Hasta había olvidado lo hermosa que eres, Leo. Y luego, lo de Carmen.

—Supongo que la dejarías embarazada por descuido.

—Sí, sí.

—O quizás lo hiciste deliberadamente —Leo hundió el cigarrillo en el cenicero, ya casi lleno, mientras reía—.

La tonta de tu mujer te convenció, ¿eh? Alberto, Alberto, eres un romántico.

—Leo, yo no...

—Ten cuidado con los que salen por tu derecha. Pero, bobitito mío —le acarició una mejilla—, si es conveniente tener algún que otro hijo. ¿Crees que siempre seremos jóvenes?

—Tú, sí.

—¡Oh, Alberto!, hablo en serio. ¿Por qué os sentís en la obligación de adularla a una continuamente? Imagino que será un secreto.

Con la uña del dedo meñique, Leocadia se rascó una comisura de la boca.

—Sí, es un secreto. Carmen piensa anunciarlo esta noche.

—Ahora que vas a ser padre, puede que te quiera más.

Alberto, inclinado sobre el volante, oteaba en busca del mesón.

Con el pie izquierdo apoyado en una de las columnas de los soportales, Ramiro se ataba el cordón del zapato. Identificó aquel grito, como emitido por Carmen, después de oír la voz de Alberto. Unos chiquillos corrían hacia las mesas del restaurante. Ramiro se abrió paso entre los cuerpos que le impedían la visión.

—¡Lo mato! Dejadme que mate a ese golfo de mala madre.

Merche y Leocadia sujetaban por los brazos a Alberto. Los dos muchachos retrocedían lentamente; el de la chaqueta a cuadros se detuvo, al oír las palabras de José Manuel.

—¿Sois —había dicho José Manuel— dos maricas o dos rateros?

—Oiga, sin faltar, ¿eh?

—Y, además, chulo —José Manuel esperó a que el muchacho de la chaqueta a cuadros hubiese vuelto a avanzar—. Te voy a romper la cara a bofetadas, imbécil.

Carmen llegó en el momento en que José Manuel asía la corbata y la camisa del muchacho.

—Atrévase, atrévase.

—José Manuel —dijo Carmen.

—¡Que lo suelte! —gritó el otro muchacho.

—A mí no me ponga usted la mano encima —la voz le tembló, sin convicción—. No sabíamos que iban con ustedes.

Con las dos manos —había entrelazado los dedos unos segundos antes— Alberto le golpeó en el mentón. José Manuel le soltó inmediatamente y miró a Alberto, que, otra vez con las manos separadas, cerraba la boca y levantaba los puños.

—No largaros, cobardes. Sólo valéis para ofender a las señoras —los muchachos se miraron—. Canallas, comunistas, ¡comunistas!, hijos de mala madre.

Los muchachos se abrieron paso precipitadamente entre los espectadores de la riña y se alejaron, con un evidente esfuerzo para no correr.

—Basta —dijo Merche.

—Pero si no nos han dicho ninguna inconveniencia.

—Carmen —Alberto la condujo por un brazo hacia los soportales—, eres idiota.

—¡Ay, hijo!

Entre las mesas del restaurante al aire libre, Leocadia hablaba con un hombre.

—Había que darles un escarmiento —dijo Alberto.

—Hombre, claro. Lo que sucede es que me has sorprendido. Le tenía cogido y no te había visto venir. ¿Dónde has aprendido a pegar así, con el canto de las manos?

—A éstos —Alberto tuvo una pequeña risa— hay que tratarlos como se merecen, y si no, nos convierten la ciudad en un estercolero.

—¿Te has hecho daño?

—No.

—Deja que te vea —Carmen trató de cogerle las manos—. Te has tenido que hacer daño.

—Qué susto, ¿verdad? —Merche se apoyó en José Manuel—. Parecían dos horterillas.

—No eran horteras —dijo José Manuel—. Me fijé en sus manos.

—Y qué chaqueta, Dios mío. A cuadros morados y marrones.

—¿Quién es ese viejo del sombrero, que está con Leo? —dijo Alberto.

Leocadia les sonrió. A su lado, el hombre del alfiler en la corbata separó ligeramente el sombrero de sus cabellos blancos.

—Le felicito, señor. Ha utilizado usted el único argumento eficaz con esa gentuza.

—Buenas noches —dijo Alberto.

—Contra la chusma —levantó la voz—, la violencia.

—Es usted muy amable —dijo Leocadia.

—A su disposición, señora —se inclinó para besarle la mano.

—Anda, vamos —dijo José Manuel.

—Es diplomático.

—¿Qué?

—Que me ha dicho que es diplomático. Alberto —Leocadia, riendo, le besó en la frente—, eres un sol. En serio, que eres un tío estupendo. Y tú, cariño, también. José Manuel abrazó a Leocadia por los hombros.

—Bueno, vamos a olvidarlo.

—Sí, sí —dijo Merche.

—No se puede venir por estos barrios.

—Carmen, yo creo que en estos barrios hay gente de todo.

—Pues eso, eso es lo que digo. En Madrid sólo se puede ir...

—¿Vamos a bailar?

—... por dos o tres barrios.

—De acuerdo.

—Pero nada de sitios populares —dijo Alberto—. Nos largamos a una buena sala de fiestas, a pasarlo bien y tranquilos.

—Sois unos valientes, que... —Merche se interrumpió—. ¿Y Ramiro?

—Es cierto —dijo Carmen—. ¿Dónde se ha metido Ramiro?

Ramiro, con las manos en los bolsillos de la chaqueta, avanzaba bajo los soportales de la Plaza. Cuando llegó cerca de ellos, levantó la cabeza. A Merche le temblaba la sonrisa.

—¿Te has enterado?

—¿Por qué tenéis que llamar a todo el mundo comunista en este país? ¿Qué os han hecho esos dos desgraciados?

—Es lindo —dijo Carmen—, encima que no nos defiendes, te pones de parte de ellos.

—Posiblemente, vosotras les habéis ofendido más. Vosotras tres, sí.

—Ramiro, no desbarres —dijo José Manuel.

—¿Te he contado lo del diplomático? —Leocadia le tomó del brazo y le obligó a continuar hacia los automóviles.

Cuando llegaron, se les acercó Merche.

—Ramiro, si no quieres que vayamos a bailar, nos...

—¡De ninguna manera! —dijo Leocadia.

—Somos amigos de muchos años y tenemos confianza. Quizá a Ramiro...

—Te prohíbo que hables con tu marido, Merche —Leocadia, dando un traspiés al arrastrar a Ramiro, se apoyó en él con todo el peso de su cuerpo—. Ramiro, esta noche eres mi pareja.

Dobló sobre la rodilla izquierda la pierna derecha y comprobó que no se había roto el alto tacón.

—¿Se ha roto? —dijo Ramiro, sonriente.

3

—¿Y eres tú el que me advertía que no bebiese? —Carmen le centró el nudo de la corbata.

Alberto dejó el vaso en la barra y la muchacha, que había girado en el taburete al llegar Carmen, se interesaba por las etiquetas de las botellas, alineadas en el bar.

—¿Es tu mujer? —preguntó, después que Carmen prosiguió camino de los lavabos.

—Sí. ¿Cómo te llamas?

—Fabiola —dijo la muchacha—. ¿Me invitas a un cóctel de champán?

—Oye, ¿seguro que te llamas Fabiola?

Recién maquillada, Carmen encontró a Ramiro cerca del guardarropa.

—Alberto está en la barra, rodeado de fulanas. ¿Lo pasas bien? Me he tenido que mojar las sienes, porque esta noche el alcohol me hace mucho efecto. ¿Vienes a bailar?

—No, perdona. Voy a dar una vuelta.

—¿Cómo? No puedes irte ahora, que estamos en lo mejor.

Imprevisiblemente, Ramiro la besó en un antebrazo.

—Sí, puedo. Es muy fácil.

—Pero ¿regresas?

Ramiro subió la escalera que conducía a la calle. Con la cabeza muy alta, a pasos lentos y marcados, Carmen atravesó la sala, bajó unos escalones alfombrados y, antes de sentarse a la mesa, vio bailando a Merche y a José Manuel.

—Ponte a mi lado —dijo Leocadia.

—¿Te has fijado? Esto está repleto de fulanas. ¿Recuerdas si el año pasado las dejaban entrar aquí?

—No me acuerdo —Leocadia encendió un cigarrillo—. ¿Has bebido mucho?

—Un poquito. ¿Queda? —destapó la botella de whisky, sirvió a Leocadia y medió su propio vaso—. Si no bebo, me aburro.

—Es mentira —dijo Leocadia, riendo.

—Sí, lo reconozco. Lo cierto es que me gusta. Y que no me aburro nunca. Igual que el cerdo de mi marido.

—¿Qué pasa con Alberto?

—Está en la barra, rodeado de fulanas.

—¡Oh!, es magnífico Alberto. ¿Hay alguna guapa al alcance de su mano?

—¿Guapa? Hija, van todas con unos vestidos horrendos, apretadísimos, y con los pechos prácticamente al aire. Y esos peinados y esos maquillajes... ¿Cómo les podrán gustar mujeres así?

—No te extrañe —Leocadia encendió un cigarrillo—. Ellas son las que saben entenderlos. Está elegante Merche, ¿verdad?

—Recuerdo aquella noche que José Manuel se emborrachó tanto y que decía bestialidades del matrimonio.

—El matrimonio consiste en tener durante todo el día una puta en casa —las dos rieron, contenidas, con un levísimo movimiento de los labios—. No se me olvida, no, porque lo malo es que lo siente realmente.

—Mujer, no me digas... ¿Cómo vais ahora?

—Si yo te contara...

—Cuenta —dijo Carmen—. Hace mucho que no hablamos.

Leocadia dio unos golpecitos sobre el negro pelo, cardado, de Carmen. Carmen se retocó el peinado en la nuca.

—Si estoy desnuda, completamente desnuda, ¿comprendes?, no...

—Sí, Leo, sí.

—... quiere. Tiene que ser a medio vestir y en los momentos más inopinados. En la sala, o en su despacho, o en la ducha, o...

—A Alberto le pasa algo parecido. Desde hace una temporada, ha de ser en el baño. Y si es en la cama, hay que hacerlo como él quiere.

—Te prometo que son un incordio estos chiquitines nuestros.

Leocadia levantó los ojos unos momentos después del saludo y la sonrisa de Carmen a Merche y a José Manuel. En el micrófono, un muchacho con un smoking granate cantaba en italiano unas lentas melodías.

—¿Qué decía yo? —Carmen apoyó la barbilla en la palma de la mano.

—Decías que, si es en la cama, tiene que...

—¡Ah, sí! Y, además, dice palabras.

—¿Palabras?

—Sí, mujer —se impacientó Carmen—, palabras feas.

—Pero Alberto es más joven que José Manuel. Dos años más joven. Y, encima, José Manuel está muy gastado, porque la corrió de muchachuelo. Fíjate —tocó una mano de Carmen—, desde hace tiempo, hay veces que, cuando él ya se ha dormido, me tengo que calmar yo sola.

—¿Sí?

Carmen trataba de redondear los ojos y mantener entreabierta la boca un tiempo prudencial.

—Como lo oyes.

—Bueno, mira, te confieso que también yo... He oído que es malísimo, si se coge el hábito. ¡Qué cosas!, ¿verdad?

—Te digo —dijo Leocadia— que estas zorras son las que les entienden.

—Algunas se acuestan hasta cinco o seis veces al día y con distintos hombres. Parece imposible. Cinco o seis hombres y en un solo día. Desde luego, no pueden quejarse.

Leocadia echó hacia atrás sus hombros desnudos.

—¡Ay, Carmen, qué graciosa eres!

—¿Sabes un secreto? —la expresión de Leocadia, repentinamente seria, la obligó a balbucear—. Voy..., voy a tener un hijo.

—¡Carmen, querida, pero eso es estupendo! —abrazándola por el cuello juntó su mejilla a la de Carmen—. ¡Un hijo! Qué callado te lo tenías.

—Ya ves, es un secreto. Este verano me decidí. Naturalmente, no le dije nada a Alberto.

—Naturalmente —asintió Leocadia, antes de aplastar el cigarrillo en un cenicero de loza blanca.

—A ese precio no se podía comprar. Y el tipo, de golpe, va y me hace una rebaja del sesenta por ciento. ¿Te das cuenta?

—Sí, sí. ¿Es mucho?

—Un sesenta. Entonces, yo... ¿Qué crees que hice?

—Compraste.

—No. ¡Ay, perdona! ¿Te he hecho daño? Entonces, yo no compré. Diez días después le detenía la policía.

—Dios mío.

—Reclamado por un montón de Juzgados.

—Desde luego, José Manuel, tienes que tener mucha vista.

—Sí, hija. Este mundo es una selva. Otro ejemplo. El día que regresábamos del verano, a las ocho de la mañana me llaman por teléfono. Si estás cansada, Merche...

— ¡Oh, claro que no! Sigue.

—A las ocho de la mañana. Habían telefoneado desde Hamburgo y en la oficina...

—Calla —dijo la muchacha.

—¿Te gusta esto?

La muchacha osciló su alto peinado para afirmar. Con los párpados aleteantes y la cabeza adelantada, se recostó en la barra. Alberto apretó el vientre contra las rodillas de la muchacha.

—Es maravilloso. ¿Sabes italiano?

—Yo no, preciosa.

Cambió el cigarrillo a la mano derecha e introdujo la izquierda debajo de la falda de la muchacha. Cuando alcanzó el límite de la media, comenzó a acariciar. La muchacha continuó con su ensoñadora expresión, que le humedecía de saliva el rojo de los labios. Al terminar la canción, se apagaron las luces, se encendieron unos focos coloreados, el batería anunció las atracciones con unos redobles estentóreos y Alberto sacó la mano de entre los muslos de la muchacha.

—Me gustaría saber italiano.

—Uno de mis amigos, de los que están ahí con mi mujer, decía hace un rato que éste es un país de hambrientos sexuales.

—¿Por qué decía eso?

—Porque ha descubierto que las mujeres sois unas provocadoras eróticas.

—Tu amigo es un cretino, ¿no?

—Oficialmente, es muy inteligente —Alberto bebió un largo trago de whisky—. El más inteligente de toda la pandilla.

—Pero no le gustan las mujeres.

—El cree que sí. Pero le molestan. Le irrita que os apetezca tanto vivir. Esa vocación y esa fortaleza que tenéis para el placer, la frivolidad y la alegría. La felicidad, quiero decir. El lo explica mejor que yo.

—¿Es casado tu amigo?

—Con una mártir cachonda y reprimida.

—Me alegro, muñeco, que no seas como él.

—Si verdaderamente te llamas Fabiola, te tengo que presentar a mi mujer y a mis amigos.

Ramiro se sentó entre Leocadia y Carmen, durante la pausa que siguió a la actuación de los flamencos. La pareja de japoneses comenzaron manteniendo unos vasos sobre varillas de marfil, que apoyaban en la nariz. José Manuel se inclinó hacia Ramiro.

—Tenemos que hablar.

Merche le sonrió, antes de continuar cuchicheando con Carmen. A su izquierda, el perfume de Leocadia le obligó a aspirar con los ojos cerrados. Al ritmo de la música, la espalda de Leocadia parecía palpitar. Rozándole la chaqueta, Leocadia había dicho algo.

—Perdona —susurró Ramiro.

—Que son extraordinarios.

—¡Ah, sí!

Se miraron sostenidamente. Leocadia frunció los labios, con una deliberada lentitud. A Ramiro le sudaban las manos.

—¿Te gusta mi piel? Procuraré mantenerla así hasta el próximo verano —Leocadia parpadeó—. Esta noche te gusto mucho.

Por unos instantes, aquella voz casi inaudible proporcionó a Ramiro una suerte de bienestar adormecedor.

—Y me embruteces.

José Manuel, medio vuelto en la silla, atendía alternativamente a los japoneses, a Carmen, a Merche y a las carcajadas de Alberto en la barra, que, disminuidas por la distancia, sonaban en los momentos en que la música era menos fuerte.

—¿Verdad que necesitas besarme?

Ramiro aproximó los labios hasta rozarle una oreja.

—Sí —se oyó musitar.

—Esta es mi mujer. Y unos amigos. Ella —la muchacha, sostenida por Alberto, sonreía mecánicamente— dice que se llama Fabiola.

—¡Uy! —gritó Carmen.

—Siéntese.

—Quizá estará mejor aquí —José Manuel le cedió su silla.

—¿Bailamos?

Cuando avanzaba hacia la pista, detrás de Leocadia, Ramiro oyó el consejo de José Manuel.

—Leo, no entretengas mucho a Ramiro, que he de hablar con él.

Antes de que su mano se hubiese posado en la espalda de ella, Leocadia le puso los dedos separados en la nuca.

—¿Por qué nunca se me había ocurrido coquetear contigo? Creo que me dabas miedo.

—Te aburres mucho.

—Si me sueltas un discurso moral, dejamos de bailar.

—¿Cuánto tiempo hace que no das un paseo?

—No digas cursiladas.

—Mucho tiempo, claro.

—No. Y no me sueltes discursos morales —le sonrió—. No temas a Merche y apriétame un poco más. Pero, sobre todo, no hables. Si no te empeñases en aparecer diferente a como eres, le pondría cuernos contigo a José Manuel.

—Una muchacha de la buena sociedad no debe...

—Calla. Además, no soy de la buena sociedad. Tú eres de mejor familia que yo. Lo que sucede es que me he casado con un hombre que gana más...

—Lo sé.

—... dinero que tú. Pero tú dices cosas sorprendentes. Habrás de saber que este verano he paseado mucho.

—Desde hace mucho tiempo, no llevas una sencilla vida de chica joven y soltera.

—Desde hace mucho tiempo, no soy una chica joven y soltera. No idealices, monada. Tengo una hija, un marido, unos amigos, vosotros, un peluquero, dos modistas, tres criadas, un automóvil, una casa, un chalet en la sierra, otro chalet en la costa y soy feliz. Puedes creerme. Si no lo fuese, no tendría esta piel que te gusta tanto.

Con todas sus fuerzas, hundió la yema de los dedos en la carne de Leocadia. Unicamente su ceño denotó el dolor.

—Es lástima que no quieras coquetear —dijo, cuando sus brazos cayeron pesadamente.

—Perdóname, Leo. Yo...

—Es lástima que tampoco sepas.

Alberto, tambaleante, y José Manuel se levantaron.

—Estamos todos un poco borrachos —anunció Alberto, fingiendo un hipido.

—Me alegro —dijo Leocadia—. Cielo, es una maravilla que te llames así. No te importa que te tutee, ¿verdad?

—Claro, señora. No faltaba más.

—Alberto —dijo Merche—, termina de contarnos ese chiste, tan brutal, de la paralítica.

Mientras Alberto alargaba el chiste, Ramiro no dejó de observar a Leocadia. Todas rieron, de pronto y al unísono, con una alegría feroz y creciente. A Ramiro se le movieron las mandíbulas y comenzó a reír también. La música era más fuerte y, a través del aire espeso, los perfumes agobiaban. Ramiro llamó al camarero. Cuando el camarero trajo la botella de champán francés en el cubo de hielo, la muchacha le llamó rumboso y le besó en las mejillas. Leocadia, sacudida por la risa, ni le miraba.

—Ahora la vamos a coger buena —dijo Carmen—. Whisky y champán.

—Pero hombre...

—Un día es un día —dijo Ramiro.

Esgrimiendo la botella, Alberto llenaba las copas y amenazaba a las mujeres con mojarles el pelo. Leocadia se refugió contra el pecho de Ramiro, ocultando el rostro con las manos.

—Teníais que beberlo en nuestras corvas, como en los felices veinte —dijo Carmen.

—¡Vivan los felices veinte! —gritó Leocadia.

La muchacha preguntó a José Manuel qué cosa eran los felices veinte.

José Manuel se bajó del taburete con el vaso de whisky en la mano, para dejar más espacio libre a Ramiro. En la pista sólo bailaban tres parejas.

—O sea, que Merche te ha convencido de que me debéis buscar un empleo.

—No exactamente así. Hablando, se me ha ocurrido que...

—¿Y qué clase de trabajo se te ha ocurrido que puedo hacer yo en tu oficina?

—Sabes que nosotros tenemos muy buenas relaciones en América, concretamente con empresas de Chicago. Es más, una de nuestras compañías ha pasado a ser filial de otra de ellos. No creo que fuese difícil. Tú sabes inglés y pienso que te gustará vivir en el extranjero. Naturalmente, al principio, no sería una gran cosa, pero sí, en todo caso, mejor —José Manuel bebió un sorbo— que lo que tienes en la actualidad. Puedo escribir mañana mismo.

—Mañana es domingo.

—Bueno, pues pasado.

—Estoy seguro que a Merche le habrá entusiasmado la generosa oferta.

—Sí.

—Con el voraz olfato que todas las malditas zorras de las mujeres...

—Ramiro.

—... perciben el dinero.

—Ramiro, trato de ayudarte, tal como Merche y yo

hemos supuesto que se podía hacer. Eres injusto con ella y conmigo.

Ramiro se pasó la mano por el cuello y se alisó la camisa sobre el estómago. La cantante balanceaba las caderas y llenaba la sala con su voz ronca y artificiosa.

—Escucha. No quiero empleos a instancias de mi mujer, y menos en Estados Unidos. No soy un obrero emigrante, ¡ni tampoco sé inglés!

—De acuerdo —dijo José Manuel.

Bebieron en silencio, con las miradas más o menos fijas en la cantante o en las mujeres más próximas. José Manuel terminó el whisky.

—Excusa un momento.

Ramiro volvió a pasarse la mano por el cuello y tarareó interiormente la melodía. Estaba distraído, cuando la muchacha le tocó en una manga.

—Se van.

Al otro lado de la sala, Alberto el último, subían despacio los escalones.

—¿Cuánto son estas copas?

Con una mano en la barandilla y una pierna extendida hacia atrás, Merche tiraba de Alberto, con un aparente esfuerzo. Todos reían, incluido José Manuel, que acababa de unirse al grupo.

La muchacha le llamó de nuevo.

—Oiga, señor.

—¿Qué pasa?

—Creo que me deben dar algo. Un regalito, vamos.

—¿Que quieres dinero? —la muchacha asentía, con una sonrisa casi esfumada—. Pero ¿por qué?

—Su amigo me ha llevado a la mesa, yo he estado con ustedes, y, por tanto, ocupada. Me podía haber salido...

—Guapa, que Dios te ampare.

—Cabrón.

Se volvió, tratando de intimidarla con una firme y silenciosa actitud.

—A mí se me ha ocupado y es justo que...

—Estoy harto de oiros hablar de justicia e injusticia. ¡Harto! Eres una perdida y te callas.

—Oiga, no tiene por qué ofender.

—¿Qué ocurre? —José Manuel bajó dos escalones, hasta colocarse junto a Ramiro.

—Esta, que quiere dinero.

Cogió el billete que José Manuel le alargaba, con una repentina sonrisa.

—Gracias.

—Eres bobo. ¿No sabes que lleva un tanto por ciento de copeo? Tirando el dinero de esta forma, ponéis la vida cara. Como los turistas.

Merche se había acomodado ya en el asiento posterior del automóvil de Alberto.

A los cien metros, la rueda trasera saltó al bordillo de la acera, unos instantes antes del frenazo.

—Estoy borracho —Alberto se volvió a Carmen—. ¿Puedes tú?

—Yo no puedo conducir, amor mío. Yo también estoy borracha. Y embarazada. Y tonta. Y muy...

—¡José Manuel, José Manuel! —llamó Merche desde la ventanilla.

—... feliz.

El automóvil de José Manuel se detuvo delante de ellos.

—Tendremos que tomar café en casa de alguien. Todos los sitios decentes de esta asquerosa ciudad estarán cerrados. Sin café —insistió Ramiro— no podéis acostaros.

4

José Manuel cerró la puerta de vidrio y metal. Junto al coche, Leocadia y Merche levantaban el rostro a los ventanales y las terrazas en la fachada sin luz.

—Que descanséis —dijo Carmen desde la terraza.

En la calle solitaria las voces ampliaban las distancias.

—José Manuel, dice Ramiro que ellos...

—Sí —interrumpió Ramiro a Leocadia—, nosotros cogemos un taxi. A estas horas no vais a atravesar Madrid dos veces, por dejarnos en casa.

—Son diez minutos o un cuarto de hora. Pero como quieras.

Hasta que arrancaron, Merche, que se había lavado la cara en casa de Carmen, les sonrió, con sus labios ahora más delgados.

—Mañana —dijo Leocadia— tendré un resacón imponente.

José Manuel aceleró por la amplia calle desierta, punteada por la hilera de las intermitentes luces amarillas.

—Me duele un poco la cabeza.

—Tienes cara de sueño —dijo Leocadia.

Las ruedas chirriaban en las curvas. Un imprevisto olor a tierra mojada entró, en el viento, por la ventanilla abierta. Leocadia se inclinó y, con una mano a la espalda, bajó la cremallera del vestido.

—¡Uf!... ¡Quién estuviera ya en pelota viva!

—No hables de esa manera, Leo, cariño mío. Cada día hablas peor.

—Sí.

—¿Quieres encenderme un cigarrillo?

Luego, Leocadia cruzó las piernas. Sus pestañas, casi juntas, filtraban los brillos y las luces cambiantes. Cuando estaban llegando, se retrepó en el asiento.

—¿De qué hablabais Ramiro y tú con esa mujer? Sí, hombre, cuando ya nos íbamos.

—Quería dinero —José Manuel sacó la palanca, unos metros antes de frenar—. El pobre Ramiro está hundido. Nunca llegará a nada.

—La pobre Merche, querrás decir. No he conocido criatura más amable y encantadora con una suerte más puñe..., más perra.

José Manuel abrió la portezuela y descendió.

—Oye, que llevas toda la espalda al aire.

Leocadia rió. La parte delantera del vestido se le despegaba flojamente de los pechos. Con la llave preparada, José Manuel se apresuró a llegar al portal.

—Pero si no hay nadie. ¿No es excitante? —levantó los brazos, hasta que el echarpe le resbaló—. Me gustaría pasearme desnuda por las calles.

—Sí, como aquella:.. ¿Cómo se llamaba? —abrió la puerta—. Anda, anda, entra.

—¿No enciendes?

La llevó del brazo hasta el ascensor. En el ascensor, Leocadia se bajó el vestido a la cintura.

—Lady Godiva —dijo José Manuel, cubriéndola con el echarpe—. Tápate, te puede ver algún vecino. No habría podido coger el sueño si no recuerdo el nombre —el ascensor se detuvo—. Tápate. Esperemos que la niña no se haya despertado y tengamos una noche tranquila.

Carmen estiró, en la entrepierna, la tela del pijama. Por las puertas abiertas, llegaban la luz del cuarto de baño y los gemidos de Alberto. Carmen encogió las piernas y puso una mano entre su mejilla y la almohada.

Dobló el cuello, tratando de no perder la postura, para comprobar si estaban corridas las cortinas del ventanal. Sonó el ruido del agua de los grifos; el agua, que llenaba la cisterna del water, producía un contrapunto a los estertores más agudos de Alberto. Carmen, que sintió el sueño, se pinzó las mejillas.

—Alberto —dijo, antes de dejarse llevar por el sopor.

La despertó cuando entraba en la cama gemela. Carmen, sobresaltada, se dio la vuelta y quedó apoyada en un codo.

—¿Estás mejor?

—Sí.

—¿Has vomitado?

—Sí.

—¿Has tomado alca-soda?

—Sí.

—¿Quieres que te prepare algo?

—No.

Se dejó caer de cara al techo. Movió las piernas, inconscientemente. El sueño se le escapaba y, quizá, tuviera que levantarse por una pastilla de somnífero.

—Antes de salir, en el cuarto de baño, dijiste que habías tenido una sensación extraña.

—¡Ah, sí!... Como si estuviese a punto de suceder

algo bueno. Lo sentí por todo el cuerpo, con esa seguridad, ya sabes, de las sensaciones raras —después del eructo, le ahogó la tos por unos instantes—. Ha sido ese maldito champán.

—Oye.

—¿Qué?

—¿Era atractiva la fulana que has llevado a la mesa?

—¡Qué tonterías se te ocurren ahora!

Carmen recuperó la postura que tenía al ser despertada. En la palma de la mano crecía el calor de la mejilla. Con los pies retiró la sábana. Decidió imaginar rubia a la mujer —cuyo rostro no recordaba— que en la sala de fiestas bailaba con aquel negro de cuerpo flexible —se habían mirado, quizá, hasta seis veces—, para distraerse de la sonora respiración de Alberto y de su propio temor al insomnio.

—Pare aquí mismo.

—Pero... —comenzó a decir Merche.

—¿Aquí? —dijo el taxista.

—Sí, ahí, a la derecha —Ramiro sacó unas monedas de un bolsillo de la chaqueta—. Donde sea.

Una vez que el taxista le entregó el cambio, corrió hacia Merche, que ascendía por la avenida. Al final, en el término de los tubos fluorescentes, un débil y fijo resplandor azulado estriaba la oscuridad. A uno y otro lado, en las casas de cuatro plantas, todas las ventanas eran iguales. Merche se negó a que la cogiese por el brazo. Clavándole los dedos en la carne, Ramiro insistió, al tiempo que la doblaba una esquina a la fuerza.

—¿Por qué tenemos que ir por aquí? ¿Y por qué has dejado el taxi, si falta aún mucho para casa? Estás loco.

—Ya que vas a llorar —ella se había detenido y le miraba a los ojos— por lo menos no me hagas la escena delante del taxista.

Antes del primer sollozo, se le llenaron los ojos de unas lágrimas redondas, abundantes, como apresuradas.

La calle, estrecha y con árboles recién plantados en ambas aceras, bajaba hacia los descampados. Merche caminaba sollozante, con un pequeño pañuelo contra la boca, dos pasos delante de Ramiro. Cuando ella se detuvo, Ramiro sacó las manos de los bolsillos del pantalón.

—No te dejes llevar por la histeria, Merche.

—No quiero oírte más —se sorbía la nariz estridentemente—. He sido muy feliz esta noche, aunque te duela. Pero, Dios mío, ¿por qué te fastidia que esté contenta?

—Son unos estúpidos inflados de dinero, de un dinero que no les cuesta ganar, empeñados en sus costumbres y en sus...

—No quiero oírte, Ramiro. Estás lleno de rencor.

—¡Me vas a oír!

—Grita —se apoyó en el tronco de un árbol, los pies juntos en el borde del alcorque y los brazos cruzados sobre el pecho— cuanto quieras.

—Merche, no es rencor, ni envidia. Es desprecio. Y miedo a que te conviertas en una de esas zorras alhajadas e insatisfechas que son sus mujeres. Me comprendes, sé que me comprendes —Merche, sin variar su expresión tensa e impasible, movió negativamente la cabeza—. Tienes que comprenderme, hacer un esfuerzo y entender. La vida es algo difícil, algo muy complejo... —tiró el cigarrillo—. Yo tampoco comprendo nada, ni sé explicar nada.

Dio unos pasos, hasta la tierra pisoteada que limitaba con la acera. Detrás de él, los bloques de viviendas parecían empujar el silencio contra sus hombros.

—Siempre hablas mal de los demás. ¿Por qué no piensas un poco en cómo eres tú? Y en mí. Estás borracho y, como eres complicado, no sabes llevar la borrachera con alegría. La vida es sencilla y alegre. Al menos la vida que yo quiero llevar.

—¡No! —se volvió con una estudiada violencia—. Tú quieres que yo gane más dinero y que compre un...

—Sí, sí, lo quiero. ¿Qué mal hay en ello?

—Mira, este verano no hemos salido de Madrid y te puedo asegurar que has sido tú mucho más feliz que

Leocadia o que Carmen, con todos sus chalets, sus fiestas y esos maridos, a los que han castrado. ¿Crees que son más felices porque tienen dinero?

—¿Puedes tú asegurarlo? —los pies de Merche tropezaron con los de Ramiro—. ¿Por qué puedes asegurarlo? Tú que sabes si yo soy más feliz que Carmen o que Leo, si ni siquiera puedes decir que soy feliz. No, Ramiro, no pagues conmigo tus propias torpezas o tu mal carácter.

—¡Mi mal carácter! Es evidente; una noche con gente rica y cambias por completo. Te abofetearía.

—¿Quieres hacerlo?

—No, no quiero.

—Espera. Estoy segura que sí. Espera. ¿Te ha costado más de quinientas pesetas tu ridícula botella de cham...?

El golpe le alcanzó en la mandíbula inferior y le hizo chocar la cabeza contra el tronco del árbol. Cuando abrió los ojos, Ramiro se encontraba ante una de las fachadas.

—Me has hecho mucho daño —dijo Merche.

Ramiro se acercó. Merche descubrió que le temblaban las manos, al abrazarla y empujarla hacia la oscuridad. En el suelo desigual le fallaban los tacones y tuvo que sostenerse en él. Le dobló las rodillas con una pierna. Merche apretaba los labios. Al subirle las faldas, sintió en la piel la cadena dorada, que le pendía de la cintura, y, luego, las manos de Ramiro apartándola. Miró al cielo, mientras la cabeza de él no se interpuso entre las nubes bajas o las diseminadas estrellas.

Después se quedaron inmóviles, tendidos en la tierra uno al lado del otro, cerca de los primeros solares tapiados. Ramiro encendió un cigarrillo, que le pasó a Merche. Sobre sus rostros, el humo formaba una neblina casi invisible.

—Vámonos, Ramiro —se compuso y se sacudió el vestido.

Camino de las casas de la colonia, Ramiro apoyó una mano en su hombro.

—¿En qué piensas, Merche?

En la avenida, buscó un taxi desde el centro de la calzada.

—Subimos dando un paseo —Ramiro retornó junto a ella—. Mañana no hay que madrugar.

Caminaron en silencio. Dos manzanas de casas más allá estarían la plaza con los soportales bajos, en penumbra, los portales de blancas paredes, la piedra rosa de los escalones, el olor a humedad, las puertas barnizadas, la luz de la escalera que se apagaba siempre en el segundo piso.

—¿Por qué les has dicho que estaba escribiendo el libro, si no es verdad?

Sin mirarle, quizá por el entrecortado sonido de las palabras, Merche decidió fingir la celeridad de las evidencias.

—Porque algún día lo escribirás.

—Realmente... La semana pasada se me ocurrió modificar el plan. Voy a...

La cuesta hacía más premiosos las palabras, los pasos, la respiración. Y también aquella minúscula, pero persistente, inquietud por su vestido negro, cuyos pliegues había planchado cuidadosamente por la mañana, y que ahora sabía manchado de tierra.

Marciapiede izquierdo Avenue de Wagram

Mais quand il voulait mettre des guillemets il traçait une parenthèse, et quand il voulait mettre quelque chose entre parenthèses il le mettait entre guillemets. C'est ainsi que Françoise disait que quelqu'un restait dans ma rue pour dire qu'il y demeurait, et qu'on pouvait demeurer deux minutes pour rester, les fautes des gens du peuple consistant seulement très souvent à interchanger — comme a fait d'ailleurs la langue française — des termes qui au cours des siècles ont pris réciproquement la place l'un de l'autre.

Marcel Proust

De los mismos colores de los anuncios que uniformemente ocupaban las paredes de los largos corredores eran, desde el último escalón, sus blusas, sus faldas, sus impermeables, los pañuelos de cabeza, sus jerseys o sus chaquetas de punto, los poco numerosos vestidos de seda, de algodón y hasta de alguna fibra artificial inarrugable. Pero, instantáneamente y por efecto de la luz de la tarde bajo los árboles, se percibían los gestos y, rota la aparente inmovilidad de los cuerpos, el violeta, los amarillos, el rosa desteñido, los azules, el ciclamen y el blanco derivaban a una realidad más precisa, sin conexión con los colores de los carteles anunciadores del aperitivo, que llenaban durante minutos las paredes de los pasillos del metro.

Algunas ya no llevaban medias.

Junto a la baranda de la entrada o apoyadas en ellas, se juntaban por parejas, y por grupos, hasta alcanzar la verja de los jardines, en la acera dividida por los árboles alineados de forma que conservaba el trazado circular de la plaza. Casi todos rostros conocidos, recién maquillados, la conciencia de familiaridad provenía tanto de la mezcla del perfume (perfumes de dos o tres marcas) que todas, en el último momento, quizá ya en la escalera, se habían puesto, y del agua de colonia, no por barata menos duradera, como del tono alto de las voces, de las palabras mascadas con una cierta premura y una voluntaria aspereza en las consonantes más fuertes.

Matilde charlaba con la italiana.

Guarecida por uno de los grupos, se alejó de Matilde, cuyos zapatos negros eran nuevos, y de la italiana. A la Martina, muy descotada, se le escapaban de la blusa los pelos de los sobacos.

—Hola, tú —dijo Martina.

—Hola.

—Hola.

—Tu amiga la Matilde está ahí.

—¿Dónde?

—Ahí —precisó Martina.

—¡Ah, sí! No la había visto.

—Dicen que van a mandar más americanos a Madrid.

—Eso he oído.

—Y a Zaragoza y también para Andalucía. La verdad, chica, no sé para qué seguimos en estas tierras. ¿No vas con tu amiga?

—Ahora voy.

A través de la corriente constante de automóviles, distinguió pocas personas en el Arco de Triunfo.

—Bueno, yo me largo también.

—Espera —Matilde podía descubrirla en cualquier momento—, ¿qué prisa tienes?

—Uy, mujer, yo ninguna. ¿Sabes que la andaluza, la de Malakof, se ha vuelto?

Ignoraba que alguien en los últimos meses hubiese regresado. La Martina, aunque era más alta que ella, llevaba los labios mal pintados, con ribetes, sin rellenar las comisuras.

—Ha hecho bien en volverse.

—Nunca se sabe. Aquí mal no estaba.

—Ni nadando en oro. Vamos, digo yo. La que más

y la que menos, aquí todas tenemos mierda de niño hasta las orejas.

—Chica, no te pongas así. Te dejo, que a lo mejor ya está mi amiga por ahí. Nos bajamos a la Pompe, que se pasa la tarde en un suspiro. A divertirse.

Le tendía la mano.

—Lo mismo te digo.

—Merci —dijo Martina.

Cerca de la entrada del metro, la Martina habló con otras y poco a poco se acercó y, sin detenerse, tocó un hombro de Matilde, quien giró la cabeza en la dirección que el dedo de la Martina —más alta, con una falda que le hermoseaba las piernas, pero que le hacía mala pinta— señalaba.

Matilde llegó corriendo.

—Pero ¿cuándo has venido?

—Ahora.

—¿Estás bien? ¿Has recibido carta de tu casa? Tengo muchas cosas que contarte —acabó de besarle las mejillas—. Ven, anda.

—No.

—Es que estoy con la novia de Pepe, con la italiana. Vamos, no seas rara. Es una chica muy buena y tiene ganas de conocerte. ¿No ves que la he hablado mucho de ti? Y el Pepe también.

—Mira, Matilde, que estoy muy harta de oír francés toda la semana, para que hasta el domingo no se me dirijan en cristiano.

—No seas tuya, mujer. Si ella habla casi como nosotras. Y encima que el Pepe la aprende el español. Es una chica muy fina. Las italianas son como nosotras, así, de buena intención. Fíjate, que viene ella para acá.

La italiana se contoneaba, movía su chaqueta de punto, colgada de una mano. Como tenía novio —Pepe—, la italiana no llevaba bolso.

—Lo hago por ti. Malditas las ganas que me entran de conocer gentes.

Matilde acabó con su remoloneo y se dirigieron hacia ella, que sonreía y, ya decididamente, se le aproximaba.

—Mi amiga Visita ha venido —anunció Matilde, antes de pararse las tres, incómodas las manos y las miradas inquietas—. Bueno, pues aquí, como ya te he dicho, una amiga, la novia de Pepe.

—Mucho gusto. Visitación Badules, para servirla.

—Y aquí, mi amiga.

—Piaciri.

—Se llama Assunta, ¿sabes?

—Assunta Garofalu, ai cumanni.

—Es italiana —dijo Matilde.

—Ya se ve.

Las sonrisas se distendieron en la medida que el silencio crecía, era ocupado por el murmullo de las palabras que se agrupaban, que se separaban, se rompían en diferentes acentos regionales. Visita se cambió el bolso de plástico negro al antebrazo derecho. La italiana llevaba el pelo recogido en cola de caballo, muy negro y tirante sobre las sienes; sus ojos parecían siempre húmedos.

—Assunta sabe francés.

Visita, con la pronunciación despaciosa y cuidadosamente articulada que empleaba para dirigirse a los extranjeros, preguntó:

—¿Lleva usted mucho tiempo en París?

— ¡Mujer! , no llames de usted a Assunta.

—*D'accordo.*

—Lleva once meses sólo, pero en Italia ya lo sabía, date cuenta. Assunta es de una parte de Italia que hablan francés.

—Hay que ver... Yo creía que en Italia pues se hablaba italiano.

—Veru è, parlu italianu, ma sugnu stata da granni na la vaddi d'Aosta, un paisi au Nord, vicinu a la Suizzera, unni si parla puru 'n francisi.

—¿Qué dice?

—Iu mi scusu, ma... En mi pueblo se parla anche il francés.

—Sí, Visita, se comprende. Como en Cataluña que hablan catalán y es España. O los gallegos que hablan gallego. Si Italia y España son iguales, pero que muy igualitas. Ellos también han tenido una guerra, ¿verdad, Assunta? Y la gente va al Norte, como nosotros, porque en el Sur la tierra no da para comer.

—A terra è bona, ma non pri li puvireddi. C'è assai fami... hjambre 'nna lu mezujornu, 'nna lu sud, mi cumprenni?

—¿Que si entiendes?

—Ya entiendo. Que en todas partes cuecen habas.

—Chi?

—Dice —Matilde se rió— que..., eso, que sí... Assunta, hija, no sé explicarte lo que ha dicho Visita.

—Que el mundo está lleno de pobres.

—¡Ah!, sí, sí... Pepe dici ca l'Annalusia e la Sicilia sunnu assai simili, ca sunnu a stissa cosa. Anchi pri lu paisaggiu.

—Está citada aquí con Pepe —dijo Matilde—. Qué bien, ¿verdad? Así vemos a Pepe. ¿A qué hora viene tu novio?

—Al quattru veni a pigghiárimi. Travágghia sinu a li dui. Sempri'nna machina —la risa de Assunta era muy parecida, por sus timbres agudos, a la de Matilde— il Pepe. *E'molto carino.*

—El también está muy enamorado de ti. ¿A que sí, Visita, a que el Pepe ha pegado el cambiazo desde que se puso en relaciones con ésta? Antes, andaba con mala jeta de un lado para otro, comiéndose el mundo. Y es que, digan lo que digan, una mujer es mucho para ellos. Con cada hombre que tuviera su pareja, pero una de ley, una que le acomodara, no habría guerras. Ni en Italia, ni en España, ni donde los negros.

—Estás tú buena... Anda, chica, que no eres un ministro —sin pensar, quizá por aquella cálida e imprevista emoción que le transmitió la presencia de Assunta y Matilde, sonrió—. Y luego, que rajas tan a lo loco, que aquí la joven ni se entera.

—Capisciu, *capisco benissimo.* Pepe vulía che parrassi spagnolo sempri. Ma nun pozzu. Già a Chatillon mé lingua a sintía parrari picca. Sempri'nna stu bruttu francisi, *ho dimenticato molto.* Spissu mi scantu ca nu jornu non sacciu cchiu parrári. *Non avro.piú una lingua l'avro rovinata, sarò una donna muta.*

—Yo también —dijo Matilde.

—Tú ¿qué?

—Eso. Que a mí eso también me empezó a pasar en Barcelona, que ya hablaba catalán. Ascolta, noi, quin ora és? —Matilde rió—. Hala, a pasear un poco, que parecemos tres estatuas.

Visita se cambió el bolso al antebrazo izquierdo, cuando Matilde cogió a ambas e impuso aquella marcha de pies arrastrados, para tardes de domingo, bien diferente del ritmo cotidiano del super-market, de les petites demarches, del metro. Había más muchachas.

—Nun tantu arrassu..., no lejos, *perchè Pepe non può aspettare.* Se enfada.

—No, hija, no. Si es moverse un poco por aquí, sólo un poquino, que hace una tarde de gloria y da gusto mover las patas, después de tanto encierro.

—Nos ha jodido —aceptó Assunta, con una sonrisa.

—¡Uy, Visita, lo que ha dicho! ¡Uy, qué burro el Pepe, que le enseña esas cosas!

Como Visita tampoco pudo contener la risa, hubieron de detenerse. Las mejillas de Assunta, en los trozos menos maquillados, se colorearon. Matilde le pasó un brazo por los hombros y Assunta inclinó la cabeza, aún más púdica, casi gozosa de tantas carcajadas como había provocado.

—*E'un bestione, Giuseppe.* Mi scusu, iu sapía, ma... parra comu si ricorda. Mi scusu.

—No tiene importancia —Visita intentaba la seriedad al tiempo que la cortesía—. A mí también me ha ocurrido. Un día le solté a la madame, no a ésta de ahora, a otra donde estaba sirviendo antes, una tía más seca que un palo... Bueno, pues un día voy y la suelto... Yo qué sé dónde lo habría oído; a alguien, digo yo, porque si no... Nada, que así, de repente, se le cae a la madame el collar y yo, pero sin saber lo que decía, que qué iba yo a saber, pobre de mí, que llevo cuatro años en Francia y no he aprendido más que el bon jour, el on y va, el merci y gracias. Pues tal como lo cuento, que voy y dije: Nom de Dieu. ¡Ay, madre, cómo se puso la madame! A todas nos ha ocurrido, no tiene importancia.

—*Grazie, Visitá.*

—Tú no vuelvas a decir eso, ¿sabes?, no lo digas, porque es una palabrota, un taco, ¿comprendes?

—*Sí, Matilde, una parolaccia. Schiffoso!* Tu sapía chi significa, ma parra comu si ricorda. *Sapevo che significa fare l'amore.*

—Qué amor, ni amor —Matilde las puso en marcha de nuevo—. Significa una burrada, eso..., joder.

—Buenas explicaciones te gastas.

—Explícaselo tú, anda, tú, que eres tan lista.

—Yo que voy a explicar esas cochinerías... Además, que ella te acaba de demostrar que entiende la palabrota.

—Hija, mi intención es buena, porque entender no entiende, que ha dicho que...

—Ma bedda mia, ma si capisci.

—... es hacer el amor, y ya me dirás tú que tiene que ver el... eso, con el amor. Como el culo con las témporas, que dice mi madre.

—Claro que tiene que ver —a Visita se le escurrió el bolso hasta la punta de los dedos—. Lo que pasa es que tú, Matilde, no tienes más que veinticinco años y has estado metida toda tu vida en Madrid.

—¡Quién habló! ¿Serás insensata? Y tú ¿qué? Pero si tú, Visita, eres paleta. De Socuéllamos. Se necesita cara. Pero no de cariño, como dice ésta —Matilde, con las yemas de los dedos, se golpeó repetidamente un carrillo—, sino de cemento.

—Qué mal educada eres, mujer. Habrás de saber que, antes de venir aquí, estuve sirviendo diez años en Madrid, que me conozco Madrid como la calle mayor de mi pueblo, que eres una picajosa y una ignorante, que...

—¿Yo ignorante?

—... tú tienes lo peor de los madrileños, la chulería, los malos modos y la ignorancia. Que no se os puede contradecir. Y es una mierda, con todos los respetos.

Que París, ahí donde lo ves, así como ochenta veces más grande que la migajita de nada que es Madrid.

—Bueno, bueno, ya está bien. Que no es para tanto, que yo sólo le iba a explicar a ésta lo que es joder.

—¡¿Tú?! Matilde, ¿pero tú qué sabes de eso?

Bajo la manga de su blusa color crema, en la corva, la mano de Matilde se crispó.

—Más que tú a lo mejor. So desgraciada, si a ti nunca... —calló, con la misma celeridad que había retirado su mirada de la expresión atónita de Visita.

Como agua sobre vidrio, la voz de Assunta escurrió por el silencio.

—Nun l'haiu vulutu... Forsi... Tu e tua amica vamos juntas per pasar la tarde. Pozzu aspittári sula.

—Tú te quedas con nosotras hasta que venga tu novio, tal como se había hablado.

Desde la esquina, la avenida se perdía en los automóviles, en los árboles, bajo un sol que llenaba de alegría la tarde. Sin embargo, todo se había estropeado. Alguna vez sucedió, incluso en París; el tipo borracho que pretendía abrazarla, el hijo de la señora González, la pie negro, que... Matilde no tenía más pecho que ella, aunque sí más rectos los hombros, ni mejores vestidos, ni las piernas tan llenas. Pero resultaba cierto lo que no había terminado de decir y había arruinado la tarde. Daría un paseo sola, hasta el río. Dinero para volver en metro había cogido. Aún redundaba en su fastidio el hecho de que aquella tarde le correspondía pagar a Matilde.

—Visitá, vidi chi bello tempu... Non liticário.

—Yo —dijo Matilde— no estoy acostumbrada a estas cosas. Assunta, no te preocupes, sigue contándome eso de la vuelta.

—Iu pinsava di turnari quannu nun era cchiu zita. Ora Pepe voli iri in Germania. Pero hava 'mparári lu tidiscu.

Quizá resultara cierto por aquella piel desigual, enrojecida, y no sólo por los siete años menos de Matilde, quizá porque no conseguía mantener la voz en un tono agradable o, probablemente —aunque ya la causa poco importaba—, se debía a sus brazos cortos y a sus manos hinchadas, estorbos salvo para el trabajo. Sí, ella, Visitación Badules, cualquier mañana se iría al Boulevard Malesherbes a preguntar qué era preciso, ahora que, según decían, no se precisaba el visado.

Continuaron unos metros por la Avenue de Wagram. Matilde y Assunta hablaban animadamente. Visita se cambió el bolso al antebrazo derecho, lo abrió y sacó el pañuelo de dibujos estampados, planchado dos horas antes, para sonarse.

Ahorrar la cantidad máxima que podía guardar, no compensaba, y en Madrid, con los americanos y la falta de servicio, se sacaría tanto como allí, quizá igual si se tenía en cuenta que en París todo es más caro —por muy poco que se gaste— y que sólo en tasas de giros gastaba unos diez francos mensuales. Después de siete días sin ver un rostro amigo, sin pronunciar una palabra en español, esperando el domingo, unos minutos bastaban para estropearlo todo. Como le correspondía pagar a Matilde, sólo había cogido seis francos. Hasta con sol podía ser triste una tarde libre, semejante a aquellas horas en la bodega, cuando fregaba los albañales y fuera la lluvia retrasaba el comienzo de la vendimia; angustiosa y aburrida y oprimente, como las tardes en la sala del hospital, entre las paredes de baldosines blancos, entre las otras familias, escuchando los suspiros de la madre y los carraspeos del padre, cuando la madre tuvo lo de la pulmonía y ella —Visita— temía, de pronto, que fuese el piojo verde y les dejase solos al padre, a ella, a la Antonina, que entonces era una cría, al Casiano, que o había terminado o estaba a punto de terminar el servicio militar, y al Nazario, que por aquel tiempo ya tonteaba con la Perpetua. Una semana sin saber si sería mejor una carta o el silencio, en un cálculo constante de los ahorros para alegrarse un poco, cuando parecía que era mucho, o desesperarse del todo, si parecía que no era nada. Cualquier mañana se acercaría al consulado.

—Me puse hecha una fiera. Yo tengo buena pasta,

pero si me mientan la honra, soy una leona. ¿Sabes qué es una leona?

—Sí, una leona.

—Pues así te juro que me puse, que llevábamos el tío aquel y yo diez minutos en la escalera por lo que cuesta entenderse, y eso era todo, y, desde luego, de lo demás, nada. Ella sí que colocaba cuernos a su marido, venga de estar sola en el living con cualquier par de pantalones que llegase a la casa. Te digo que la vida es así, que piensa el ladrón que todos son de su condición. No duré una semana más. ¿En Italia decís también lo de los cuernos?

—Sí, sí, spissu.

—Son igualitas tu tierra y la mía.

Largas horas, en que el silencio se transformaba en rencor, durante las cuales ni se imaginaba una que se volvería a hablar, se perdonaría y, como granos de maíz en la mazorca, se soldarían el olvido, la enemistad y la amargura. Se detuvieron, imposibilitadas para marchar las tres juntas por la acera llena de mujeres.

—Si yo contara... —dijo Visita, y seguidamente percibió la sonrisa de Assunta y la mano de Matilde, que la cogía del brazo—. Eso tuyo no es nada, si supiérais las cosas que he tenido yo que presenciar. Sin ir más lejos...

—Cuenta lo de la borracha.

—... el otro día —Visita separó un poco los pies, tensos en los zapatos de medio tacón— me explicaba una de las recién llegadas que en la casa donde servía en Madrid le habían puesto un candado al teléfono, para que no pudiese hablar.

—Anda, mujer, cuenta lo de la borracha y su marido.

Visita y Assunta, apoyándose en los brazos de Matilde, cambiaron de un pie a otro el peso del cuerpo.

—Borracha, que decía ella estar. Pues nada —se dirigía a los transparentes ojos de Assunta, que no parpadeaba—, cada dos por tres teníamos función. Siempre la misma. Llegaba a las cuatro o a las cinco de la madrugada, borracha o haciéndose la borracha, y él, que era también joven y más bueno que el pan, un verdadero señor, muy fino, muy educado, de esos que nunca molestan y son capaces de levantarse a coger el cenicero antes de pedírtelo, vamos, de los pocos que te consideran y piensan que una criada también es hija de Dios... ¿Por dónde iba yo?

—Idda a notti arrivava 'imbriaca e iddu...

—Sí, mujer, entonces él la cogía por los pelos.

—Ya, ya me acuerdo —Visita miró a su alrededor, para cerciorarse de que los rostros conocidos contribuían a la normalidad de la tarde—. Ella era guapísima, eso sí, como una diosa o una artista de cine, y casi siempre llevaba el pelo como tú —Assunta se dio unos golpecitos en la nuca—, recogido en cola de caballo...

—Cuenta las cosas más corto, Visita, que se te van de la cabeza.

—... y de los pelos la cogía él, el señor, y la arrastraba por toda la casa, venga de gritar ella, hasta el cuarto de los niños, una parejita, dos ángeles los pobrecitos. Total, que daba la luz, los niños se despertaban y se sentaban en sus camitas y él les decía: «Mirar, mirar bien a vuestra madre y no olvidaros nunca que es una...» Y decía la palabra de cuatro letras.

—*Cosa?*

—Sí, mujer, que era una tía mala, una de la vida.

—*Chi?*

—Ella, la madre, la señora de la casa donde la Visita servía.

—Anda, que ahora que me acuerdo de aquella... ¿Cómo se llamaba? La señorita Jacqueline. No. La señorita Jacqueline era otra, una loca rarísima que dormía por el día y lloraba a solas y ya le podías preguntar que qué le pasaba, que ella nada, a llorar y a llorar, mirándote fijo y todo, pero como si no estuvieras delante. No, no era la señorita Jacqueline. Me da una rabia no acordarme de los nombres... Una cosa que sonaba a Jacqueline o a Nathalie o algo parecido. Esta que digo era madame, porque tenía un marido más joven que ella, que le preparaba el baño.

—¿Quién?

—El marido.

—¿El marido le preparaba el baño a la madame?

—No, mujer, al contrario; ella le preparaba el baño al monsieur.

—¿Por qué?

—¡Ah!, ¿yo qué sé?, porque iba y se lo preparaba y no dejaba que nadie interviniese. Y también le vestía ella, porque él decía que no le gustaba vestirse, que se aburría mucho cuando se vestía solo.

—Ese tío era un mandrias.

—Era guapo. Tal y como os lo cuento, ella todas las noches cogía la ropa interior sucia y la tiraba debajo de la cama. La de ella y la de él.

—¿Y qué?

—Eso, que tiraba la ropa interior y, a la mañana siguiente, tenías que sacarla, que te veías y te deseabas de lo baja que era la cama, de ésas que casi tocan el suelo. Fíjate tú, la rareza. Y es que una, en los diecisiete años que lleva sirviendo, ha visto de todo.

—Y aquella que se subía el novio a casa, y los padres... —empezó a decir Matilde.

—¿A qué hora dices que va a venir el Pepe?

—Ai quattru —Assunta consultó su reloj de pulsera—. Ma sunnu gia i quattru e mezza; e vinticincu. Arriva sempri cu so commudu cu na scusa sempri pronta.

—Lo digo —dijo Visita— porque por allí viene el Pepe.

—Unn'ès.

Assunta soltó el brazo de Matilde, se puso de puntillas, al tiempo que estiraba el cuello, y oteó la Avenue de Wagram, hacia la cúpula bizantina de la iglesia rusa.

—Sí, es verdad. Mírale, que guapetón se ha puesto —Matilde le indicó la dirección acertada—. Allí, mujer, allí, ¿no le ves?

En la esquina de la Avenue Mac-Mahon, Pepe levantó el brazo, unos instantes después que ellas comenzaron a caminar a su encuentro. A Visita le retuvieron unas chicas que conversaban en corro. La chaqueta a cuadros de Pepe, su corbata, su camisa a rayas blancas y marrones y, más aún, la insignia del Real Madrid en el ojal de una solapa de la americana, quedaron ocultas para Visita, que llegó cuando Pepe y Matilde subían y bajaban las manos unidas, riendo, empecinados en aquel machaqueo del aire, transmitido al resto del cuerpo por un similar empuje de los hombros. Al fin, Pepe le acarició el cuello a Assunta, le rodeó la cintura con un brazo y, ensanchada la sonrisa, saludó a Visita por medios exclusivamente verbales.

—Yo bien, Pepe. A ti te veo muy majo.

—Tirando. La que estás maja eres tú, Visita. De verdad que estás muy majetona esta tarde.

—Amos, quita. Qué zalamero es este Pepe. Me alegro verte, sí que me alegro. Aquí estábamos, esperando.

—He tenido un incidente con el patrón. Salaud!

—Dici accussi, ma nun è veru.

—Si no fuera por lo que es, a buenas horas aguantaba a ese tipo. Y tú, bonita, habla cristiano que para eso lo sabes. Si no fuera por lo del carnet de conducir... Tiene castigo la cosa.

—Hala, Pepe, no te enfades, chico —dijo Matilde—, que hoy es domingo y te vas a pasar la tarde con la novia.

Pepe, muy serio, inspiró aire pacientemente, hasta que las hombreras de su chaqueta alcanzaron la altura de sus mejillas, sin por ello entretenerse más de lo justo en la consideración de las propias dificultades, ya que, antes de fijar su mirada en la boca entreabierta de Visita, había, a la manera de los oficiales del ejército sobre sus soldados alineados o del capataz sobre sus obreros ante las máquinas, dirigido los ojos de muchacha en muchacha, algunas de las cuales les observaban. Visita movió las cejas. Pepe expiró aire y estrechó más la cintura de Assunta.

—Veremos... Y ¿qué tal? ¿Cómo van los affaires, Visita?

—¡Ay, Pepe!, tirandejo; unos días, bien, y otros,

peor. ¿Has oído tú que vayan a enviar más americanos a Madrid?

—Por mí, que los zurzan, valientes borrachos —Matilde consiguió la atención de Pepe—. Mejor prefiero yo a los franchutes, con todo lo animales que son. Pero, chica, si los americanos mucho pico y mucha fama y a final de mes como otros, y encima más desastrados y más vivalavirgen y más poco señores.

—Y de tu casa, Matilde, ¿cómo va la familia? ¿No se anima a venirse tu primo el Paulino?

—¡Uy, madre!, ése...

—Cuántas veces me lo recuerdo al Paulino, listo como el hambre.

—¿Paulino, el del señor Fidel?

—*E'nuova la giacchetta... Porca miseria, ma che ti piace la roba vecchia?*

—Calla, calla, muñeca.

—Sí, el mismo.

—Pero ¿de qué el Paulino, el sobrino del señor Fidel, es primo tuyo?

—*Ahi!* —Assunta fingió sustraerse al abrazo de Pepe— *non stringermi tanto.*

—Claro que sí, Visita. El señor Fidel, por parte de su esposa, es contrapariente de mi tío Sotero.

—El de Onteniente —dijo Pepe.

—Ahí está, sí señor —Matilde se colocó en el centro del corrillo, dando la espalda a Assunta, distraída en las puntas polvorientas de sus zapatos marrones—. O sea, para que lo entiendas, que mi tía Trini, que se casó ya viuda con mi tío Sotero, era parienta de Fidel, el tío de Paulino.

—¿No decías que era por parte de la mujer?

—Madre, qué desconfianza... Si los tengo vistos a todos juntos, con estos ojos que se ha de comer la tierra, cuando yo era una chavala y ellos vivían en el Pozo del Tío Raimundo, en dos chabolas parejas una de la otra, recién venidos del pueblo mi tía Trini y mi tío Sotero.

—Tu tía Trini, ¿es la que tiene mucho pecho?

—Esa —dijo Pepe.

—Y bocio —añadió Matilde—. Lo del bocio hace que parezca más pechugona. Pero sí, sobre todo entonces, faltarle no le faltaba.

—Hay que ver el Paulino... —dijo Pepe.

—Lo que son las cosas, yo creía que tu primo Paulino era hijo de tu tío Fidel.

—Aquí ganaría el dinero a espuertas y ahí le tienes en España, hecho un pelagatos, siempre con disgustos...

—Porque se mete en follones —dijo Matilde.

—... por meterse donde no le llaman, que es lo que yo digo: En esta vida, el que más pone, más pierde. Es verdad de la auténtica, hombre.

—Di quannu cumincio, l'invernu *porta la stessa giacca.*

—Pero cielito lindo, si a ti lo que te gusta es lo que va dentro.

—*Senza scherzi, Pepe.* E' na vriogna. E poi ca pri guadagnari di cchiò, bisogna iri vistuti puliti. Arriva sempri mezz'ura cchiù tardu e'cca solita...

—Assunta, que hables en español, ángel mío, que te lo tengo mandao, que si yo soy tu novio y hablo el español, tú hablas como es forma y educación. Y vamos a tener la fiesta en paz.

—Soy de acuerdo. ¿Dónde vamos? ¿Y vosotras?

—Nosotras no habíamos aún pensado nada, ¿verdad Matilde?

—No, nada. Como hace una tarde tan buena, lo mismo nos damos un paseo.

—Andando —ordenó Pepe—, que ya está bien de marmotas de la tierra. Madre, son todas iguales de feas.

—¡Uy, Pepe, calla, que te pueden oír!

No anduvieron más de tres pasos, ya que Matilde y Assunta se reían inconteniblemente, dobladas, dándose palmadas en los muslos.

—¡Ay, este Pepe, ay, Virgen Santa, pero qué salidas tiene! ¿Le has oído, Visita?

Congestionada por una interminable carcajada, Matilde respiraba en suspiros y proseguía en tonos más expansivos, sin final previsible.

—Vamos, muchacha... A ésta —explicó Visita a Assunta— si le entra el regocijo, no hay quien la corte.

Pepe, que alzaba la mano derecha sobre la espalda de Matilde, conservaba, igualmente indecisa, una sonrisa forzada.

—Pero ¿de qué te ríes tanto, so pánfila?

—Andá..., andá éste. De la risa.

No le palmeó, porque ella escurrió el cuerpo y corrió, ya casi avergonzada, hasta un árbol.

—Si bajáis por los Campos Elíseos, vamos juntos un rato —dijo Visita—. Se agradece un poco de compañía. Aunque una lleve años y años de estar sola, una no se acostumbra.

Assunta y Matilde continuaban riendo, cogidas del brazo, mientras, unos metros delante de Pepe y Visita, cruzaban a la carrera la Avenue de Wagram, la Avenue Hoche, la Avenue de Friedland, la Avenue des Champs Elysées.

—¿Sola?

—Vosotros los hombres no comprendéis eso; vosotros, el que más y el que menos, habláis unos con otros, salís, entráis. Pero una se pasa tardes enteras en la cocina, o en su cuarto, y que no, que la soledad se hace muy cuesta arriba. Y ¡mira que son años!

—A mí me pasa lo contrario, ya ves tú. Hay días que daría no sé qué por estar a solas, para sacudirme de tanto ajetreo.

—Quita, Pepe, no sabes lo que te dices.

Matilde y Assunta esperaron en la acera opuesta a que ellos dos se aproximasen y continuaron, siempre del brazo, en una marcha quebrada. Junto a Visita, Pepe caminaba con las manos en los bolsillos del pantalón, erguida la cabeza frente al borroso horizonte de árboles, asfalto y edificios. Visita se cambió el bolso al antebrazo izquierdo. Los pocos automóviles y los escasos peatones agrandaban la avenida y empequeñecían los coches aparcados y las personas sentadas en las terrazas aún acristaladas de los cafés. A cada minuto, Matilde volvía la cabeza y retrasaba la marcha o Assunta tiraba de ella hacia un escaparate o los affiches de algún espectáculo. De reojo, Visita comprobó que Pepe silbaba en sordina.

—¿Sabes qué te digo? Que cuanto antes os caséis, mejor.

—Oye, tú, ¿a qué viene ahora eso del casorio?

—Te ahorras de andar hecho un pendón por ahí —Visita se rió—. Hazme caso.

—Cásate tú.

—¿Yo? —a Visita las bromas de Pepe le punzaban a lo largo de la columna vertebral como un alambre de espino—. Más quisiera yo.

—Todavía estás en edad.

—¿Y quién me va a querer a mí?

—Alguno habrá. Pero tienes que volver a España. Si te vuelves, más de uno te propondrá la vicaría. Tú eres trabajadora.

—Sí, eso sí.

—Lo que pasa es que no hay Cristo que se ponga en relaciones con los que hablan de otra manera.

—Pues la Assunta y tú...

—Es diferente. Con los italianos es diferente.

—Conozco yo a una chica de Almería, una andaluza muy graciosa, que conoció a un franchute delgado, moreno...

Visita anduvo aún dos pasos, al detenerse Pepe.

—¡¡Eh, vosotras, sooo!! ¡Muchachas, veniros p'acá!

—¿Qué mosca te ha picado, Pepe? Gritas de una forma, hijo, que la gente se va a creer algo.

Matilde y Assunta llegaron preguntando qué deseaba Pepe. Pepe, en silencio, se dirigió hacia una heladería, examinó los automáticos instalados en la acera, consultó los anuncios de los diferentes precios y las diversas clases y, al tiempo que sacaba un puñado de monedas, les conminó a que cada una eligiera el que más le apeteciese.

—Gracias, pero yo no sé si quiero.

—Venga, Visita, sin cumplidos, que hoy invito yo.

Al reemprender la marcha, flanqueando ambas a Pepe y a Assunta, ahora del brazo, Visita, que comía despaciosamente el mantecado de fresa con una cucharilla blanca de plástico, tuvo una momentánea depresión, a cuyo origen incierto contribuyó la irritación de ver a Assunta y a Matilde lamer los helados e incluso mordisquear el cornete de barquillo, pero que, en todo caso, le duró sólo lo que el recuerdo del noviazgo frustrado de su conocida de Almería, con el que luego resultó argelino. En su ensimismamiento, lejos de la tarde soleada, de los colores y los aromas violentos de la tarde, oyó dirigida a ella, entre el zumbido de la conversación y sus risas, la voz de Matilde.

—¿Qué? —aparentó regresar de la contemplación del pavimento.

—¿Que qué vamos a hacer nosotras? Yo digo que al cine.

—¿Al cine? ¿A cuál cine?

—Me gustaría una cinta que echan por aquí, una que sale Madrid, pero el Pepe dice que es de guerra y triste.

—Y, además, que ni ves Madrid, ni nada. Yo ir no he ido, pero se lo he oído a uno.

—Tú estás chaveta, Matilde. Tú no sabes lo que cuestan los cines de estos barrios. Hace un tiempo muy hermoso para andarse metiendo a lo oscuro.

—*C'è il sole dappertutto.* Ahi, amuri, scusa.

—Assunta, no empieces. Nosotros cogemos aquí el tubo, en Roosevelt, que vamos a Pantin y hay que echarle camino.

—Eso está pero que muy bien —dijo Visita—. A menear un rato el solomillo, igual que en el casino del pueblo.

Assunta, enrojecida de pudor, únicamente por la mirada y los visajes, provocó el desconcierto de Visita. Sin saber por qué, Matilde se unió a los escandalizados gorgojeos de Assunta.

—Tú no te azores —intervino Pepe— que a nadie le está mandado expresarse en otro idioma. Si hablases español, Assunta, no ocurrirían estas violencias.

—Ma yo ho hablado nada.

—No te preocupes, Visita. Es que en italiano casino quiere decir casa de mujeres de la vida.

—¡Ahí va! —dijo Matilde—, y cuando quieren decir casino, ¿qué dicen?

—Casinò —dijo Assunta.

—Para que veas qué gente —Pepe le arrancó una sonrisa a Visita, por el sistema de golpearle la espalda.

Por unos momentos, se encontraron encadenados por la risa decreciente de Assunta, que, cogida de Pepe, saltaba sobre un pie y sobre el otro, sin que nadie tomase la iniciativa de las despedidas.

—Que os lo paséis bien —dijo, al fin, Visita, con una lentitud determinada por la sensación de olvidar algo importante o, al menos, más importante de lo que había hablado con Pepe— y hasta... bueno, pues hasta otro día.

—Lo dicho, a mandar.

La mirada empañada de Assunta se aproximó a su rostro —Visita cambió el bolso al antebrazo derecho—, sintió la piel de la otra en sus mejillas y, casi inmediatamente, la mano de Pepe en su mano. Se alejaron y Visita, expectante, dichosa inesperadamente, quizá por las frondas explanadas desde el Rond-Point des Champs Elysées, por la felicidad que denotaba la voz de Matilde, por el verde y fácil camino que terminaba en la place de la Concorde y que, al ser reconocido y, por tanto, familiar, convertía en un espacio entrañable aquella ciudad, en la que lo frecuente resultaba ignorar dónde se encontraba una y cómo sería el lugar al que una se dirigía, engarfió sus dedos en la corva del brazo derecho de Matilde, como el núcleo de las tensiones que la impulsaban.

—Andando.

—¿En serio no quieres ir al cine? Acuérdate que hoy me toca pagar —Matilde dejó de arrastrar los pies—. No he querido decir nada delante de ésos, no por falta de confianza, sino porque la Assunta no tiene por qué enterarse de nuestras cosas, ni hay por qué dar dos...

—Claro.

—... cuartos al pregonero. ¿No te parece?

—Me parece muy bien, pero... lo del cine... ¿Tienes muchas ganas?

—Yo, mujer, por hacer algo. Ganas, ganas, no tengo muchas.

—Y, además, recuérdalo, que no entendemos por muchos letreritos que tenga. Que, como no sea española, no enganchamos ni jota.

—Lo pensamos luego, no hay prisas. ¡Qué simpático es el Pepe!

—Una alhaja el Pepe. Tan servicial, tan... Es de mucho fondo. Yo, con lo de los helados, te digo que he pasado mal rato. Ahí es nada... Que se ha gastado lo que no tenía que gastarse.

—Déjalo, mujer, que él lo gana.

—Es verdad, pero... —Visita se interrumpió—. ¿Sabes?, no le he encontrado yo muy dado a casarse.

—¿Por qué?

—No le encuentro yo con ansias, está refitolero, como así un poco si quiero o no quiero.

—Figuraciones tuyas. ¿No has visto cómo la achucha, a la Assunta? Que no para, que la coge un brazo o una mano o la soba esto o lo otro. ¡Qué hermosura, madre, quererse así!

El zumbido de los coches que bajaban hacia la place de la Concorde, ritmaba en el aire caliente sus pasos rápidos, aquella marcha acelerada por el placer de mover las piernas sobre la acera punteada de sombras de hojas.

—No sé qué te diga... Ella, la Assunta, no parece que tampoco le aprecie mucho. Se ríe por todo, todo se lo toma a guasa.

—Andá, ¿y qué quieres? Triste se va a poner.

—No, Matilde, yo no digo tanto. Mira tú qué mayor alegría puede haber. Pero, vamos, que se podía comportar con más seso. A veces, igual que una niña. Eso, a mi entender, al Pepe no le tiene que gustar nada, ni una miaja eso de que hable tan sin formalidad.

—Si yo tuviera novio, haría como ella.

—A los hombres les gusta que las mujeres honradas tengamos nuestro poco de juicio.

—No te sigo. Tú ¿qué harías?

—¿Yo? ¿Con mi novio?

Abandonaron la avenida, al entrar bajo un bosquecillo, en cuyo centro había un estanque.

—Sí, tú con tu novio. ¿Qué harías con él?

—Quererle mucho.

En la arena, crujían los zapatos.

—Pero ¿a lo alegre o a lo funeral?

—A lo serio.

Donde terminaban los árboles se veían ya los parapetos del río, al otro lado de aquella esquina de la plaza.

—La Assunta hace bien —insistió Matilde—. Lo que les gusta a los hombres, que vienen cansados de trabajar como mulas, es su ratito de cachondeo. Por lo bueno, claro.

—Los hombres a ésas las dejan; se divierten con ellas y las dejan. Yo no le iba a permitir que me pusiera la mano encima.

—¿Ni un beso?

Visita y Matilde espiaron, sin soltarse del brazo, en una y otra dirección la intensidad del tráfico.

—Ni un beso. ¡Ahora! Después de las bendiciones, todo lo que se le apeteciese. Pero antes, ni tentarme un pelo de la ropa. Así, así se empieza; una caricia, un apretujón, un déjame por debajo de la falda y, luego, ya sabes lo que pasa. A mí no, yo no me quedo para vestir santos y con bombo.

—Eres una exagerada —Matilde miró las águilas que coronaban las columnas del Pont Alexandre III, a sus espaldas ya—. Una cosa es una cosa, y otra, que a una servidora le vayan a quitar el virgo.

—En eso tienes razón. Pero te descuidas, y preñada.

—Yo le dejaría que me acariciase con decencia, que me besase suave, que me hiciese cosquillas. ¡Si es lo mejor de la vida! ¿Qué nos queda a los pobres, si se nos quita eso? Y, además, que un día, porque nadie tenemos la vida comprada, va y se te muere.

—¿Quién?

—Tu novio.

Junto al parapeto también caminaban bajo árboles

y otros árboles brillaban al sol mediado de la tarde en la terraza del Jardin de Tuileries, sobre el muelle.

—Si se me muriese, yo me mataba —determinó Visita.

—¡No seas animal, mujer! ¿Qué ibas a adelantar con eso? ¿No creerás que después de muertos nos encontramos en el cielo o en el infierno?

Después de leer en la placa «Pont de Solférino», Matilde soltó el brazo de Visita y se acodó en el pretil, a mirar la corriente del río, cubierta de reflejos y pequeñas ondas difícilmente separables por la vista unos de otras, de semejante manera que para la memoria resulta imposible separar una caricia de otra, o adivinar, cuando los cuerpos están juntos, si un beso y no el anterior traerá consecuencias desfavorables. Visita contemplaba el vaporcito, que se alejaba remolcado —unidas por gruesas sogas— dos gabarras repletas de arena.

—¿Nos sentamos ahí —Matilde avanzó la barbilla— a descansar un rato?

Bajaron los escalones de piedra, atentas a no fallar los pasos a causa de los tacones. En el muelle crecían también árboles, más raquíticos que los de la acera y los de las Tuileries. El sol llegaba en rayos casi paralelos al río y del agua subía un olor acre y fresco. Se sentaron, las faldas deliberadamente recogidas, una vez descalzas, y pedalearon las piernas en el vacío, sobre un agua más negra que la que fluía en el centro del cauce.

—Si la gente habla de la otra vida —dijo Visita—, algo habrá, aunque sólo sea por lo de que cuando río suena... Me mataría y así, de golpetazo, me enteraba. Y si es verdad que hay otra vida y allí nos encontrábamos..., nada, que había hecho bien en matarme.

—Pero si no era verdad y no hay otra vida, te quedas muerta y sin enterarte.

—De algo hay que morir.

Durante un largo tiempo estuvieron en silencio. Visita tiró algunas piedrecitas al río, observó el sombrío edificio frontero, se quedó embobecida, sin ver a un hombre que dormía en la otra orilla, oyó una conversación detrás de ella, la risa de Matilde cuando se acercó el perro y un sonido parecido al que produce el viento al embocar un túnel. Bajo el puente la luz era distinta y a la izquierda, en el centro del Sena, había una isla en punta, muy verde.

—Se nota que es domingo, ¿verdad?

—Sí —dijo Visita—. Me estaba acordando de aquellos domingos en Madrid, la gente de veraneo y un calor de chicharrera en la Puerta del Sol. Luego nos íbamos a las Vistillas o al baile de la carretera de Extremadura.

—Ya me acuerdo.

—Por las noches hacía mucho bochorno. Algunos días nos marchábamos al cine. Al Chueca, al Pleyel, al Carretas, al Usera, al Iris, que estaba por Argüelles, al Olimpia y al Lido, que era tan grande y tan bonito. A mí el que más me gustaba era el Lido.

—Y al Doré.

—Sí, es verdad. Y comprábamos pipas, a la entrada. Madre, qué vida más buena aquélla.

—Tienes una memoria que ya quisiera yo. El Olimpia es el que estaba en Lavapiés, ¿no?

—Qué va. El Olimpia estaba por Atocha.

—Pues eso, Atocha estaba en Lavapiés; vamos cerquita.

—Quita de ahí, mujer. De Atocha a Lavapiés habrá una tirada como de la Torre a la Estación de Austerlitz.

Visita retiró del borde su bolso y, cogiéndolo por el asa trenzada de plástico, lo colocó sobre la falda.

—Aún me recuerdo —dijo Matilde— de la mañana que llegué a la Estación de Austerlitz. Dios, qué feo era todo, y el parque ése, que luego resultó que es el Jardín de las Plantas, qué tristón. Tú me esperabas afuera.

—Cuarenta mil. A otras les había oído que ocho mil, pero la Gregoria, el domingo que bajábamos al metro de la Pompe, me dijo que, según a ella la tenían informada, éramos cuarenta mil. ¿Te das cuenta? —Matilde asintió sin convicción aparente—. Mil y encima cuarenta veces esas mil. Se marea una.

Visita abandonó el intento imaginativo de visualizar cuarenta mil mujeres, ya que, en la memoria, las calles adyacentes a la Glorieta de Atocha se le formaban nítidas, aunque no pudiere, por un muro de humo blanco que se interponía en determinado momento, enlazar aquel paisaje —el hospital, la estación, el pretil de la estación, las tabernas de Atocha— con las calles, más estrechas y menos rectas, que conducían a Lavapiés, o, quizá, a Embajadores. A Visita aquella luz crepuscular le resucitaba, mientras escuchaba fragmentariamente las palabras de Matilde, atardeceres lentísimos en cuartos de la plancha, en fregaderos o en cocinas, cuando la luz se achicaba en el patio de paredes desconchadas, ennegrecidas por la humedad.

—... tan preciosísima vista desde arriba de la montaña, grande, grande, hasta el mar, que casi no se veía. Y también volver por el puerto en barca y encontrarse con una estatua más alta que la Torre, rodeada de tranvías, y con toda aquella alegría de la gente y tantos olores y jaleo. Yo, ya te digo, al final casi hablaba catalán.

—En Socuéllamos, cuando se terminaban las faenas en la era... En Socuéllamos, ¿sabes?, no hay muchos árboles, ni montes, sólo en las viñas... ¿Qué iba yo a contar? Algo sobre el cura y los novios, que ocurrió poco antes de que me mandase mi madre a servir al Parador de Quintanar. No sé —Visita sonrió.

—Todo el mundo tenía que vivir en paz y gracia de Dios, jolines —dijo Matilde—. Sin matanzas, sin maldades, cada cual con su pedazo de pan y sus cosas buenas. La Sofía siempre andaba diciendo que las cosas buenas están en el mundo para todos, para que cualquiera que sea lista las coja.

—Valiente pendón la Sofía. Nunca he tenido una compañera más pendón y más gorrina. Era como he visto pocas. Entrases a la hora que entrases en la habitación, te encontrabas cuando menos las colchas arrugadas. No he conocido mujer que le gustase tanto el aquél de tumbarse. Una gorrina.

—Seguro que la Sofía ha ido a más —Matilde subió los pies al borde de piedra y se abrazó las piernas con las manos entrelazadas—. A veces, miro dentro de los automóviles para ver si la veo. Esa no se ha quedado de fregona, como nosotras, ésa tenía mucha madera de sacar billetes. Acuérdate, que quería que la llamásemos Magdalena Sofía, porque lo de Sofía a secas le sonaba a poco.

—¡Ay, que ni me acordaba! —Visita se balanceó al compás de su breve risa—. Te digo que hay algunas... Todo el santo día del Señor, con una revista en la mano.

—Me he comprado una de esas toda de dibujos que les salen las palabras encerradas como en bolsas. ¡Más bonita...!

—¿La entendiste?

—La madame me dijo lo que no sabía traducir.

—Tú, Matilde, sí que estás bien en esa casa.

—Ya te dejaré la revista; hoy, con la prisa de salir pronto, se me ha olvidado.

—Bueno, ¿qué hacemos?

El río estaba oscuro. Más fuerte ahora, llegaba el ruido del tráfico, casi sin solución de continuidad, en un zumbido monocorde. Unicamente arriba quedaba luz, desleída, empañada o húmeda, así como en algunas ocasiones la mirada de Assunta.

—A estas horas... A ti ¿qué te apetece? La Assunta y el Pepe estarán bailando. Para el cine, es tarde.

—Si quieres, nos vamos a ver escaparates. Matilde, mujer, bájate las faldas, que estás haciendo foto con los muslos. Anda, cuéntame cómo te vas a hacer el vestido de tirantes.

—Si no me alcanza la tela para una torera, me tendré que hacer los tirantes altos y anchos. Si me sobra, voy y me los hago finos, que me dejen las costillas al aire.

—Según, claro —dijo Visita.

Los faroles de la orilla opuesta se encendieron al tiempo. Un muchacho y una muchacha, cogidos de la mano, caminaban hacia ellas; se desviaron y, una vez que las hubieron rebasado, volvieron al borde. Matilde les siguió con la mirada, suspiró y abrió su monedero de plástico verde.

—¿Quieres un bombón?

—Sí —dijo Visita—. ¿No notas un poco de relente?

—Vámonos.

—Oye, pero si es un caramelo.

—Como aquí —dijo Matilde— a los caramelos los llaman bombones, una se confunde. ¿Te gusta?

—Está bueno.

Reflejos eléctricos navegaban ahora la superficie negra, giraban o desaparecían, durante aquella distancia cerrada por los puentes iluminados, por las luces de los barcos. Se levantaron lentamente y se calzaron con esfuerzo, ya que tenían hinchados los pies. Matilde estiró los brazos y bostezó.

—Es raro —dijo Visita—. No parece el mismo sitio que cuando nos hemos sentado esta tarde.

—Por la noche todos los gatos son pardos.

Al pisar la acera, Matilde guiñó repetidamente los ojos. Atravesaron la calle y el Jardin des Tuileries. En los escalones de la salida, Visita, después de darle el bolso a Matilde, encajó una moneda de cinco francos —antiguos— en sustitución de la goma del sujetador de su faja, que se acababa de romper y había rasgado el extremo superior de la media.

—No, carrera no se me ha hecho. ¿Vamos de garbeo a la rue de la Paix?

En la rue Castiglione, Matilde persistió ante una chaqueta de mohair extendida sobre el suelo de la boutique, hasta que Visita, aburrida de haber examinado todo, incluida su imagen incompleta en la vidriera, siguió caminando. La place Vendôme, a pesar de la iluminación, tenía cierta semejanza con los patios interiores del atardecer y sólo en la rue de la Paix ya, Visita desfrunció el entrecejo y se concedió escuchar a Matilde.

—Como ese aspirador —Matilde señalaba el cartel en rojo y negro, que colgaba de un cordón dorado sujeto a dos aspiradores colocados verticalmente— es el que tengo yo. Casi no hace ruido.

Moviendo los labios, sin emitir sonido, Visita leyó: Le Nouveau Balai - 48 F. - Puissant, Robuste, Maniable.

—¿Cuarenta y ocho francos nada más?

—Sí, sí, fíjate; par mois. ¿Cuántos meses serán?

—Eso nunca lo ponen. Vamos a ver las joyerías.

—Yo, si tuviese mucho, mucho, mucho dinero —Matilde expulsó una corta risa nerviosa— no me compraría joyas. Me compraría vestidos, automóviles, una casa, alfombras, pero joyas, no; ¿para qué?

—Te las comprarías, porque acabarías aburriéndote de todo.

—A lo mejor.

—Mira, mira...

—Por la acera llena de gente, tropezaban, se paraban, se desunían y volvían a cogerse nuevamente del brazo, deletreaban los anuncios —Confort et Chaleur—, las etiquetas y los precios, golpeadas por el asombro —Toute l'Afrique par...—, boquiabiertas de deseo —... est en même temps qu'un meuble élégant et raffiné...—, incluso —... la célèbre ballerine, elle aussi, a adopté pour son petit déjeuner...— deslumbradas interiormente —... ont l'honneur de figurer dans les vitrines des plus grands bijoutiers...— por los pequeños sobresaltos de la sangre ante un objeto insólito —Onctueuse, délicatement parfumée...—, bello o, en ocasiones —... totalement équipés 2e chaîne et déjà des milliers de téléspectateurs heureux...—, viejamente codiciado.

Frente al indicador del metro, en la isla de cemento central de la place de l'Opéra, recuperaron el control de sus gestos, con frecuencia más rígidos que enfáticos.

—Directo hasta La Motte Picquet —la yema del dedo de Matilde cambió de dirección en el vidrio protector del plano— y luego una..., dos..., tres..., cuatro..., cinco... y seis, hasta Auteuil.

—Yo también he tenido suerte. Cambio en Châtelet y derecho a Saint Sulpice, sin más mierda de transbordo. ¿No estás cansada?

—¿Cansada? No, me duelen un poco los pies. Por los zapatos nuevos. ¿Tú estás cansada?

—El viernes es fiesta —dijo Visita—. Podemos quedar donde hoy.

El rostro de Matilde se amplió en una sonrisa tensa

como los músculos, riente como aquella súbita luz en sus ojos pardos.

—Se me había olvidado que el viernes... ¡Qué bien! Ah, oye, que sigo yo debiendo lo del primer día de salida, ¿eh? Como esta tarde no hemos gastado...

—No te preocupes, mujer —Visita colocó su mejilla derecha sobre el pómulo derecho de Matilde—. Si tienes carta de España o te aburres algún rato, llámame por teléfono.

—Lo mismo te digo —Matilde apretó su pómulo izquierdo contra la mejilla izquierda, algo fría, de Visita—. Que lo pases bien, Visita. Adiós.

—¡Uy, qué tontas! ¿Por qué no bajamos juntas?

Matilde rió y se cogió del brazo de Visita, cuando ésta ya había descendido un escalón.

«Tantísima gente y cada uno a lo suyo, a sus casas, a cenar, a acostarse. A ratos, los domingos también se ponen tristes. El viernes... Llevaba una pulsera igualita a las que vendían en la Plaza Mayor de Madrid, más fea que picio. Por eso me he hecho la tonta, como si no la hubiera visto. Hace años me hubiese vuelto loca llevar una pulsera así. Y es que se cambia más... Hala, hala, bien apretujados. Y nadie soba a nadie. En Madrid, ya me habrían tentado el culo. Esos de la puerta, que me han mirado al entrar, no sé yo por qué, pero me huele que van cascando en español. Las camisas de monsieur ya estarán secas. Le plancho una esta noche, y las otras dos, en cuanto me levante. Voy a abrir las latas con el nuevo abridor; que no se me olvide. A veces, me parece que éste corre más que el de Madrid, y otras, que no, que el de Madrid va más de prisa. Fuera es de noche. A oscuras las calles, los campos, los ríos, el mundo entero en tinieblas. Y allí habrán salido a tomar unas cañas, bajarán de Palomeras. Dicen que han abierto más bocas de metro en la Avenida. El metro es una buena cosa. Hará una noche hermosa, más calor que aquí, y el Cayo dirá: "Chico, pon unos boquerones en vinagre, que no te vas a quedar manco." Que no me pase de estación.

¡El Cayo tiene siempre más buen humor...! Una va, se distrae y, luego, todo un infierno para volverse, con tantos pasillos iguales y tantas escaleras y tantas averiguaciones... Lo hemos pasado bien, corriente. El viernes es fiesta. Si puedo, mañana me baño. Ahora escarrilábamos y nos moríamos todos. Cuántos somos, y cada uno con una cara distinta. Llego bien, no puede decirme nada. Daba gloria, los árboles tan verdes ya.»

Las calles se alargaban en las luces de las farolas, en las hileras de los automóviles aparcados, en las fachadas penumbrosas. Dio una carrera desde la salida del metro hasta la primera esquina y continuó despacio por aquel paraje, en el que las tiendas —cerradas— y los bares se sucedían en una regularidad conocida, fomentando recuerdos y proyectos concretos.

Apretó el botón y se abrió la puerta. En el ascensor de servicio se aflojó el sostén.

Al entrar, oyó los rumores de las voces y la música tenue. Encendió la luz del pasillo y caminó hacia el hall. Por el hueco de una de las puertas correderas a medio cerrar, vio una parte del salón, la mesa enana de mármol, unos vasos, el cubo de hielo, unos libros, una mujer en pantalones sentada en la alfombra. Las conversaciones se hacían más fuertes, ya que no más distintas o inteligibles.

—... je t'assure qu'il nous a parlé pendant des heures et toujours de ce sacré bouquin, que vous appellez la nouvelle morale.

—Pas possible! Mais si Jacques ne comprend pas nullement qu'est que ce la nouvelle morale. Alors, je me demande comment il peut parler, s'il n'est pas engelien, ni juif, ni polygame?

En el momento que madame, deslizando con un codo la hoja entornada, salió al hall con la bandeja de platillos, ceniceros y los pedazos de un vaso roto, ella encendió las dos lámparas cilíndricas, de lajas de madera, que colgaban del techo a distinta altura.

—Ah, ma petite...

—Bon soir, madame.

—Est-ce que tu t'as amusé?

—Oui, madame, beaucoup —cogió la bandeja.

Por el pasillo, en dirección a la cocina, que estaría repleta de vajilla sucia, oyó la cálida voz de monsieur, destacándose sobre los demás ruidos.

—Qui est arrivé, Yvette?

Decidió ponerse la cofia almidonada y planchar las tres camisas por la mañana temprano. Pisar la moqueta le provocó el placer de siempre. Madame contestaba:

—La bonne seulement, mon cher.

2. Apólogos y milesios

Y según a mí me parece, este género de escritura y composición cae debajo de aquel de las fábulas que llaman milesias, que son cuentos disparatados, que tienden solamente a deleitar, y no a enseñar; al contrario de lo que hacen las fábulas apólogas, que deleitan y enseñan juntamente.

MIGUEL DE CERVANTES

Hablan unas mujeres...

1

Había anochecido tres veces, lo que, para una sola tarde, ya resultaba demasiado, ¿no? El nunca bebe antes de las seis. (Estoy equivocando los tiempos del verbo, no se me oculta, pero ¿qué quiere usted?) A las seis toma la primera copa, siempre en el jardín, ya que, nada más levantarse de la cama, se instala fuera, sin reloj, a esperar esa señal que sólo él se ha fijado. De tal manera que, desde que considera que faltan unos minutos, desenrosca y enrosca el tapón de la botella, hasta que suenan (¿dónde?) las seis, y las manos le tiemblan. En pleno verano, cuando las horas de la tarde parecen estancarse, el cálculo se le hace mucho más impreciso.

Pero si en una misma tarde anochece tres veces —y en este pueblo sucede en los últimos días del verano—, al primer oscurecimiento no espera y se sirve. Que luego sean las cuatro, que, de nuevo, anochezca, que a continuación las manecillas marquen las cinco y media, que nos caiga encima y como a traición un tercer crepúsculo, ya no cuenta para él, porque, a partir de la primera jubilación de la luz, bebe sin correspondencia alguna con la naturaleza (quiero decir, usted me comprende, sin embustes) y se acuesta, una vez terminada la botella. Cada una de esas botellas le dura unas cuatro horas; para mí son relojes de arena y así lo pienso dos días por semana, cuando bajo a comprárselas al autoservicio de la plaza.

Al primer atardecer, yo, que desde el ventanal observaba la dirección de las nubes, supe que él había llegado a las seis y, como eran las cuatro apenas, pensé que a las ocho aproximadamente estaría derrumbado sobre la cama, y así estuvo, cuando los gritos de los niños le despertaron. O sea que, pasados unos minutos de las cuatro, me podía ver (y me vi) sobre las ocho y media desanudando los cordones de sus botas, tirando de sus pantalones, sacándole los calcetines con dos dedos, liberada. (¿Qué hago después? Imagínelo.)

La tarde era muy hermosa, tampoco más que cualquier otra de finales de verano en cualquier otro pueblo, una de esas tardes cambiantes, con tantas variaciones de perspectivas, de sonidos, hasta de olores. Para él, claro, una tarde perfecta. A las seis tomó la primera copa y, poco después (usted me sigue, ¿verdad?), sobre las cuatro y diez, me aparté del ventanal. Para mí, todos son casi idénticos; varía, naturalmente, la altitud y, por tanto, la temperatura (algunas veces, dese cuenta, huimos del invierno, otras del calor, y advierta que en mi situación, para una mujer que apenas habla, el clima adquiere más importancia de la que probablemente tiene), en unos hay varias plazas, en otros menos calles, en todos he encontrado esas tiendas, a las que acudo dos días por semana y de las que vuelvo, por distintos atajos —que son el mismo—, cargada con los relojes de arena que he comprado. En éste existen demasiados perros y demasiados niños (y vea las consecuencias), el viento sopla por la noche con una constancia adormecedora y, luego, la madrugada mata el viento. Sin embargo, a pesar de sus noches tan propicias, no puedo aborrecerlo menos que a otros muchos pueblos en los que hemos vivido, me sugieren todos —éste incluido— esas familias que alimentan con las sobras de la comida a unos cerdos, de los que ellas se alimentarán. Me da asco.

Retirada del ventanal, porque había anochecido, esperé, mientras anochecía dos veces más, a que él acabase la botella. La casa se diría que es mía durante esas cuatro horas en que la arena va pasando de la botella a su cabeza, pero, estando él en el jardín, ni la casa, ni el jardín —ni yo misma— me pertenecen. Tampoco son horas lentas. Me limito a esperar. A odiar. Tengo tiempo más que suficiente y recuerdo y falsifico los recuerdos, me compadezco, relaciono ultrajes y afrentas, me detesto, le maldigo. Hace mucho (no me pida usted precisiones, era en otro pueblo, en otra casa), aún algunas tardes le contemplaba, tras los visillos. Una de esas tardes se me ocurrió la idea y, aunque no lo hice inmediatamente, me asusté de mí misma, como si fuese posible volverme loca o, peor, como si estuviese a punto de fingirme loca.

Eso hago, espero. Oigo pasos. Entra y deja sobre la mesa la botella y el vaso. Me mira, pero no me ve. Se derrumba sobre la cama. Al rato, le desnudo, y la casa, el jardín, las horas —y yo misma— me pertenecen. Jamás me ve, aunque siempre me mira. Sin duda, porque al principio le esperaba disfrazada o a gatas sobre un diván o extendida en cruz sobre la alfombra o encaramada en el reborde de la chimenea, una pierna doblada y un bastón enarbolado, o borracha y gritadora, para nada. Por entonces, se me ocurrió la idea y salí, unos días después, a darle de correazos con uno de sus cinturones. (Sí, como a un perro, exactamente como a un perro al que se ha decidido educar. Supongo que él no lo había olvidado esta noche, cuando lo de los perros, fíjese, después de tantos años, que ni siquiera yo sabría decir si han sido demasiados o pocos o siete.)

2

La tarde, de repente, se rompió en ladridos. El aire se fracturó, se despedazó en coros aulladores, casi localizables. Y, acto seguido, sobre los aullidos, resonaron los gritos de los niños, corriendo desordenadamente por el jardín, aun sin saber, orientados hacia la verja no obstante y adivinando o negándose a adivinar. Los mayores, que salieron primero, unieron sus voces, crecientemente irritadas por la sorpresa, a la vociferación y a los gemidos. Aunque el cuerpo canelo desconcertaba sobre el asfalto, vieron antes al que, en la cuneta opuesta, renqueaba entre los zarzales, extravagante, como sostenido en cinco patas y ninguna del mismo tamaño. Alguno de los mayores —algún tío, alguna madre, alguno de los amigos— había llegado al portillo y, con una premura autoritaria, trataba de retirar a los más chicos, los más inasibles por otra parte, que gritaban, sollozaban incluso, parecía que jugasen a imitar los aullidos. Negro con manchas blanquecinas, intacto, sólo alarmante por el bamboleo, no conseguía apartarse de la cuneta. Un coro de voces femeninas —madres, tías, hermanas casadas, primas, doncellas y asistentas, Viernes— entonaba una polifonía de espantos y prohibiciones. Inútilmente, porque los más capaces —o angustiados— habían abierto ya y el tropel de la chiquillería se alargaba en la linde de la carretera, ineptos, plañideros, entregados todos al desamparo de la infancia. Y entonces asomó un automóvil por el cambio de rasante a cien, y cerraron los ojos, oyeron las ruedas pasar sobre la osamenta del canelo, y el hilo de tarde que ponía azulosas y amarillentas las nubes se llenó de renovados gritos, de ladridos desesperados, de algo, como un estertor, que logró sobrenadar la algarabía.

3

Con una terquedad idiota y metódica, vacía el vaso; se le pierde la mirada en el horizonte; llena el vaso; bebe; mira; así cuatro horas de arena fluyente, pensando en mí, en la que creyó conocer, en la que creyó amar, en la que creyó sorprender, en la que nunca he sido, en la que algunas noches él consiguió, sin saberlo, que yo fuese. O reconstruyendo, con esa minucia escurridiza de los viejos, cuerpos que fueron. Por entonces, ya no me hablaba de esos otros cuerpos, ni siquiera me permitía averiguar, era sólo una figura de hombre, sentado en un jardín, bajo unos pinos que olían a yodo, bebiendo. O —detrás de los visillos, le vi levantarse, por vez primera, aquella tarde de los primeros años— una figura de hombre avejentado, que abandona el vaso en la hierba, se levanta, se aproxima a una mata de glicinas y, mientras llega, ha ido bajando la cremallera del pantalón, orina. Unos días después (quizá, compréndalo, me detuvo un resto de inhibición, alguna huella del respeto que siempre impone una presencia ajena) me decidí; salí de la casa con uno de sus cinturones bien anudado a mi muñeca derecha e, impune, puesto que él sólo oía el burbujeo de su orina, la emprendí a rebencazos contra su espalda, que se doblaba más a cada golpe, y él, inmóvil, ni movió la cabeza, se cogió con ambas manos —se guarecía, mejor— aquella triste cosa, su piltrafa, se doblegaba, caía de rodillas sobre la tierra pobremente húmeda y recibió en la nuca el último correazo, el más flojo, por que me dolía el hombro y hasta de castigar a un perro se fatiga una, o se apiada. Desde entonces, contiene la vejiga o sale al campo (ya sé que empleo mal los tiempos del verbo, no tiene usted que repetírmelo con la mirada, me acostumbraré mañana o dentro de un mes), nunca entra en la casa antes de que lo indique su reloj de cuatro horas, pero tampoco nunca ha vuelto a una mata de glicina, a un rosal, a una tapia, a una valla de madera verde, a mear como un perro. Resisto convivir en silencio; que sólo me hable para ordenar el traslado a otro pueblo, a otra casa, todavía puede sorprenderme; pero aquéllo, no.

Ayer mismo, cuando por cuarta vez anochecía y ya no le iba a quedar a la tarde lunática más posibilidad de coqueteos con la luz, cuando entró y me miró con esa mirada suya de legañas rojas, que no me ve (sí, yo le esperaba desnuda), él recordaba aquella casa junto al mar, aquellos latigazos que le di, para que aprendiese a ser limpio, para evitar que, en esta existencia de bestias mudas que desde años arrastramos de lugar en lugar, no acabásemos de perder eso, que no sé cómo llamar, pero que, en todo caso, consiste en no mojar la cama, en no comer en pie y con las manos, en no buscarme forzosamente, como si yo fuese un arbusto junto a una valla de madera.

He llenado y vaciado maletas, cuando él ordenó, bajo —o subo— dos veces por semana al autoservicio, guiso, saco mi dinero del banco, arreglo la casa, estiro sábanas, busco lavanderías o lavanderas, le desnudo noche tras noche, a tirones, le dejo una jarra con agua en la mesilla. Eso, en su mirada, no existe. (Créame, no existía anoche, ni jamás ha sido capaz de mencionar todo lo que por él hago.) Por fin, apareció el sol, ya muy bajo entre unas nubes imposibles, se vio que por mucho que las nubes se acumulasen sólo llegarían a rubricar el verdadero crepúsculo y oí sus pasos. Estaba sentada y así seguí, hasta después que él hubo dejado la botella y el vaso sobre la mesa, hasta que olvidé su mirada, hasta que recordé que iba siendo hora de retirar la botella y el vaso, de desnudarle, de recuperar la libertad o el mundo. Frío no, pero sí un aire fresco hacía, por lo que, después de haberle oído caer sobre la cama, pensé que, además, tendría que vestirme yo y, anoche, muy tibio aún el odio que había ido encendiendo desde las cuatro, apenas si tenía energías para levantarme del sillón y comenzar una noche más, con mi emancipación, mi propia borrachera de soberanía. A pasear el jardín, a recibir y atender a mis invitados, a bailar impulsada por el viento, arriesgándome a unos días de fiebre, de muebles polvorientos y vajilla sucia.

Me arrancaron del sillón los ladridos de los perros, recién atropellados, y el disparatado griterío de esos niños del chalet vecino, que (sépalo usted) algunas noches, encaramados a la tapia o a los árboles, me espían, casi me acosan, ignorando que yo escucho sus risas sofocadas o sus puercos jadeos, que, aunque siga danzando en círculos, vislumbro sus torpes sombras. Tanto aullaba esa jauría —y, encima, los perros— que salí, sin sospechar que él, despatarrado en la cama y anulado por cuatro horas de alcohol, también pudiese despertarse, acudir, como se acude a una cita de la memoria, a la cita que los perros y los niños le estaban preparando consigo mismo. Porque eso fue lo que anoche le sucedió. Y es que hacía años que, de tanto mirarme sin verme, tampoco se veía a sí mismo, el pobre perro borracho.

4

Con los brazos extendidos en cruz y las piernas separadas, como improvisando una barrera inestable, Viernes oponía una prohibición angustiada a la irregular hilera de niños. Uno de los hombres, casi un muchacho, que había cruzado la carretera, se acuclillaba junto al perro de manchas blanquecinas con una mano, se diría que amonestadora, abierta en el aire sobre la cabeza herida. En el silencio, otros dos hombres corrieron por el asfalto, asieron por las patas al canelo y lo fueron arrastrando hasta la cuneta, donde el muchacho tanteaba ahora el cuello del negro con manchas. Y, entonces, la hilera serpenteante se deshizo, se cruzaron todos a la carrera y, de nuevo, con una saña airada, se oyeron los gritos de las madres, de las hermanas solteras y casadas, de las primas, mientras Viernes, sorprendida, permanecía aún unos instantes con los brazos ya innecesariamente extendidos.

El negro de las manchas blanquecinas, que flaqueaba entre las piernas de los niños, consiguió llegar junto al canelo, siempre yacente y con la panza como un fuelle discontinuo, para husmearlo. Se retiraron —mayores y pequeños— unos pasos atrás, respetuosos con unas relaciones —parecía una ceremonia— indescifrables. Una voz aguda pidió un médico de perros, lo que obligó a mirarse a los mayores, a que dudasen, hasta que alguien supuso que en el pueblo no habría veterinario, y Viernes, con más acritud de la necesaria, gritó que no se trataba de personas, sino de un par de animales, que no se pusiesen histéricos, cuando ya los niños gritaban la palabra veterinario al unísono. Pero los perros —y al negro se le habían doblado las patas entre unos surcos calcinados por los que había intentado huir— movían porfiadamente los rabos, transmitiendo una creciente sensación de culpable inmovilidad o de rabiosa impotencia, según la edad de los espectadores de la doble agonía. Hasta que una de las pequeñas, que indudablemente había cruzado a la casa y vuelto a atravesar la carretera, en compañía quizá de alguna de las mujeres que se habían agregado al grupo, se abrió paso y, agachándose, con más temor que piedad le ofreció al canelo unas galletas, que mantuvo oscilantes y retráctiles, en tanto las sonrisas y las alabanzas aligeraban la penumbra.

Una vez que las mujeres, sosteniendo cruzadas las chaquetas de punto con los brazos en aspa y las manos bajo las axilas, se aproximaron a observar al canelo, Viernes dictaminó, con un tono que no admitía apelaciones —aunque sí demoras—, que ambos habían muerto. Y recalcó que ya no sufrían. Azuzaron a los niños, que murmuraban que el negro de las manchas sangraba mucho y que el canelo respiraba todavía; imponiendo la atención en la carretera, consiguieron que cruzasen de nuevo, que entrasen en el jardín y que empezasen a comentar, para hacer pasado del presente, olvido, a lo que contribuyó que, conforme franqueaban el portillo de la verja —y había que empujarlos para que continuasen—, descubrieron en el porche del chalet vecino a la loca a quien tantas noches, encaramados en la tapia, habían contemplado, como un trozo de luz sin brillo, gesticular, bailar, hacer reverencias, contorsionarse, y que ahora era como un rescoldo ceniciento, salvo cuando, por contraste con el hombre vestido, el hombre avanzó dos pasos, se colocó junto a ella y Viernes creyó distinguir una mano del hombre en las clavículas de la mujer.

5

Me sobresaltó, la verdad, ya que no le había oído llegar y le suponía durmiendo la botella. Uno de los perros se había alzado sobre las cuatro patas y yo pensé que los niños, a los que obligaban a cruzar la carretera, lo descubrirían y querrían regresar. No vieron nada, probablemente porque miraban hacia mí y, en ese momento, sentí que llegaba, que se detenía, esperando, quizá, que yo girase la cabeza; avanzó luego, imaginé que me abrazaría, pero todo era menos complicado, aunque él estuviese allí y no evaporando a estertores el alcohol; quedaban únicamente unos reflejos mezclados a la calina entre la que había desaparecido el sol, sólo se les oía parlotear en su jardín, y yo, cuando él comenzó a bajar los escalones del porche, entré en la casa, me senté ahí, acurrucada en el suelo sobre mis propias rodillas, a esperar que se hartase de olerle la muerte a los perros y se acostase de una buena vez.

No se acostó, sino que, cuando regresó —y tardó bastante—, se buscó otra botella y (¿qué hacer?, hay días que parecen de otro planeta) se sentó junto a la chimenea, lo cual, de alguna manera para mí incomprensible, resultaba acorde con una tarde durante la que había anochecido tres veces, él se había acostado y se había levantado, los chicos ésos habían organizado una barahúnda y yo continuaba desnuda, apenas con energías para abrazarme las piernas y, todo lo más, no entristecerme demasiado con el olor de mi piel. Estaría yo imaginando que, si no se retiraba a los perros, a la mañana siguiente hederían los alrededores, dudando en acostarme o calculando lo que aquella no programada botella le podría durar. No lo sé, pero sí que él habló:

—Tendremos que marcharnos.

—¿Por qué? —repliqué.

—Algún día tendremos que irnos de aquí. Hace mucho que no hemos estado en una ciudad, que —añadió— no nos hacemos ropa.

—Tú usas ropa de confección —fingí un silencio definitivo, hasta que advertí que no bebía y dije para saber si aún podía dañarle—. Y yo vivo mejor sin ponerme nada.

Mantenía el vaso en la mano; tampoco habría movido yo un músculo o pestañeado, si en ese momento me hubiese arrojado el líquido a la cara, pero con la diferencia de que mi apatía estaba encubriendo una extraña ansiedad, esa necesidad de que algo suceda, hasta habría soportado que me abrazase, y, en cambio, él permanecía inmóvil, sosegado, porque nada nuevo podía sucedernos. Así es que alargué las piernas y los brazos, en un ejercicio de gimnasia, toqué con la punta de los dedos las uñas de mis pies, me dejé resbalar y me quedé sobre la madera, de costado, en parte porque no resistía que estuviese allí, quieto, con el vaso lleno, sin esperar, pensando (oiga, eso resultaba evidente) en cuerpos muertos.

De pronto, súbitamente quiero decir, después de que estuve midiendo los minutos como para inadvertirlo, levanté la cabeza y, efectivamente, miraba con una fijeza complacida mi vientre, con la misma mirada que moja mi rostro tarde tras tarde, cuando entra del jardín con la botella vacía. Y, sin embargo, él quizá esperase de mí algún gesto, alguna propuesta (hace años, fíjese que sólo ahora lo recuerdo, jugábamos a los naipes), que me vistiese y saliese, con una maleta, por la puerta. Por muy ridículo que sonase, le pregunté:

—¿Quieres comer algo?

Terminó el vaso y se puso en pie. Segura, aun sin verlo, de que se dirigía al dormitorio, oliendo el polvo del parquet y para ahorrarme el esfuerzo, le ordené que se desnudase por sí mismo antes de tirarse sobre la cama. No me contestó ni con un gruñido. Continuó andando y yo, como los niños que juegan a tribus indias, trataba de oír en la madera el curso de su camino, iluminaba ya los salones de mi soledad y mi delicia.

(Si usted puede probar que yo sabía cuándo él se levantó del sillón, arrésteme.) ¿A qué clase de conformidad, de indolencia, a qué especie de distracción, me pregunto, tuvo que recurrir para no moverse, para repetir pacientemente, sin un vaso en la mano, esa fatigada inmovilidad de tantas tardes, pero ahora en pie, allí, ciego, aguardando a que unos faros le deslumbrasen? Como todo lo que ya no se oye y, a pesar nuestro, suena y se oye, yo ni escuchaba ese ronquido de la carretera, que algunas madrugadas aún me despierta y por el que conozco que no estamos en la casa de los prados, ni en la casa junto al mar, ni en ninguna otra de las casas donde hemos dormido en los últimos años, sino en ésta. Y aunque no escuchaba, ahora puedo jurar que no sonó ningún zumbido, que el silencio fue absoluto durante un tiempo (¿cuánto?, nunca llegaré a saberlo) larguísimo, hueco, excesivo, a no ser que en esa espera el tiempo haya dejado de pasar y así tuvo que suceder, que, para él, ya no contaba el tiempo y, para mí, comenzó cuando (no, no recuerdo tampoco el ruido creciente del motor) retumbó el golpe, como un portazo brutal y desconsiderado, que cerraba la tarde multiplicada. Y abría esta sensación estimulante, como una fruición repentina, a la que todavía no me he acostumbrado y tardará, pero no me importa, porque tengo veintiocho años y él me domó para que a todo me amoldase. (Sí, al oír el estruendo, corrí al porche, desde donde apenas se distinguían los bultos en la carretera, moviéndose atolondradamente, y entré, inmediatamente, a telefonearles, y me quedé aquí, imaginando que le pasaban ruedas y ruedas por encima, en silencio, ya que ahora no había niños que gritasen; estarían durmiendo los dulces ángeles.)

6

Aunque los niños se acostaron más tarde que de costumbre, ninguno se despertó, cuando los del automóvil, temblorosos y vocingleros, entraron a telefonear. Habían cenado todos, habían considerado la oportunidad de encender el primer fuego del año y, mientras unos taqueaban en la sala del billar, otros leían, alguna tricotaba, Viernes estuvo engrasando las cadenas de las bicicletas, que habían aterrizado más de lo conveniente aquel día. Por eso, apareció en el vestíbulo con el trapo negro de grasa y durante mucho tiempo no percibió que seguía con el trapo entre las manos; luego, tardó en lavarse, quizá cuando llegaron los agentes de paisano y los de uniforme o cuando se alejó la ambulancia, muy consolidada, a pesar de su fragilidad, la incongruencia.

Viernes permaneció en la ventana de su dormitorio, después de que, con la salida de todos los extraños, las luces, que habían disfrazado la noche, se apagaron. El insomnio la recuperaba de unos acontecimientos, que parecía irrealizar mientras recordaba, a los que se agarraba, repetitivamente, quizá para no dirigirse a la única habitación de la casa en la que su inquietud habría podido transformarse en una vigilia voraz. Imágenes que pulsaban un clave mudo se embrollaban en su memoria, e incluso más allá de los árboles quietos, entre los que, de pronto, una corpulenta blancura avanzaba calmosa. Viernes creyó retroceder un paso, a la vez que en el jardín vecino el cuerpo se delimitaba, al sentarse, y alzando un brazo, separaba una forma confusa, para la mujer de la ventana, que llegó a ser una botella, cuando la mujer desnuda la retiró de sus labios y la dejó rodar por el césped. Así, cada una en una opuesta penumbra, persistieron durante un tiempo que ninguna advirtió que aproximaba el amanecer, Viernes sospechando que la otra conocía su presencia en la ventana, paulatinamente convencida de que estaba inventando aquel cuerpo abundante desparramado en el sillón, mientras oía burbujear la risa de la bella loca del jardín vecino, ausente por una noche de sus trémulas fiestas de soledades y quimeras, hasta que la mujer se alzó, como de un trallazo, corrió hacia la tapia y, cayendo a cuatro patas, levantó la pierna derecha.

Que haya acabado marchándose, ahora que, por fin, se ha ido y quiero confiar, con toda mi alma, que jamás volverá, ¿arregla mucho las cosas? Aunque ya me he encargado yo de que no olvidase ni uno de sus pañuelos, parece al mismo tiempo como si no hubiese desaparecido completamente. Y es que, al recuperar todo su normalidad, nada va a ser igual que antes, la normalidad nos la ha dejado infectada, apestando a terror, la casa plagada de semillas de malos sueños. Ganas me vienen de arrancar los cables del teléfono, del timbre, hasta de abandonar la casa, incluso la ciudad, por si vuelve. Ellos, desde luego, ya conocen mi propósito de salir volando escaleras abajo, en bata, con los rulos en la cabeza, desnuda si regresa estando yo en el baño, dispuesta a no ceder así me hinchen a bofetadas, me amenace con el divorcio o me encierren en un asilo de viejas. No es un capricho, ni siquiera una opinión; es el miedo, que no me permitiría ni echarme un abrigo por los hombros, antes de escapar disparada. Benedetto sabe, además, que sería la definitiva entre él y yo.

Pero se ha marchado. Después de fregar, barrer, restregar, lavar, pulir, hasta purgar diría yo, con tanto ahínco como repugnancia, voy a dejar abierta la ventana de su habitación dos días y dos noches. Benedetto se reía hace un rato, mirando cómo me afanaba, resudada, a la velocidad del vértigo, rabiosa, y luego ha repetido, aliviado él también, que nunca, nunca, que jamás le tendremos otra vez de huésped. Y entonces he pegado el estallido.

—Mira, escucha, ¡¡escúchame bien!! —le he gritado, tirando el mango de la aspiradora y yéndome hacia su sonrisa—, que no se te salga de los sesos. Ahora me tendrías que comprar la máquina de coser, un aparador nuevo, una batería entera de cocina, tres vestidos, me tendrías que llevar dos semanas a la playa, al teatro todas las noches, y, que se te quede bien metido en los sesos, y no me pagarías ni un céntimo por todo lo que he padecido. ¡Así me estés regalando trastos durante diez años y haciéndome pamemas, maldita sea yo!

—Cálmate —me ha dicho, tranquilo, pero sin reír ya y, antes de irse, ha repetido que no sucederá más—. No prepares cena, que esta noche te llevo a cenar a una buena taberna y luego buscamos un cine.

—¡Ahórrate el cine y la taberna! Lo que yo quiero es volver a ser una persona.

Me besó la frente, temblones los labios, porque, sea fingida o no su calma, avergonzado está, no hay duda; le ha ido brotando la vergüenza en los últimos días conforme crecía mi miedo, que yo comprendo que, al final, debía resultar tan insoportable aguantarme que se atrevió a pensar que alguna consideración merecía su propia mujer. Esta mañana, cuando aparecí en el cuarto de estar y vi la maleta y el estuche del violín, cerrados, junto al balcón, en el momento preciso en que, como un empujón de felicidad, tuve la intuición de que se marchaba, lo primero que se me ocurrió es que Benedetto, por fin afectado por mi desazón, había hablado con los de arriba y que los jefes habían decidido que me lo quitaban de casa. Y no.

No, no, se ha marchado por lo que sea, pero, en cualquier caso, porque él lo ha decidido libremente. Mientras me voy calmando, estoy más convencida de que ni Benedetto tuvo valor para hablar con nadie, ni que él habría aceptado, de no convenirle, que los de arriba le ordenasen la mudaza. Pero si él no considera a nadie por encima... ¿A quién va a respetar como superior un tipo que se sabe temido por toda la organización? ¿A quién, mirando el asunto desde otro sitio, le podía influir, sin excluir a Benedetto, la desesperación de una mujer que ni siquiera es hermana, sino la esposa de un miserable y viejo hermano? Insignificante mujer, pensarían, bien cogida estás, sírvele de patrona y no gruñas demasiado.

Alegre nunca me sentí, ni al principio, cuando aún ignoraba todo. El piso admite una persona más —ese hijo que no hemos tenido—, el trabajo no me asusta y que él resultó ordenado, de poco comer y nada melindroso. Pero, desde que pasó la puerta de la calle, me sentí incómoda. No más incómoda que con cualquier otro de los cientos, extranjeros o del país, que Benedetto habrá traído en nuestros veinte años de matrimonio, pero sí molesta, porque ni tengo veinte años yo y me interesa lo que una basura esa montaña de cenizas de la organización. La vida me hizo para ser la mujer de un hombre como Benedetto, nunca le he pedido más a la vida, salvo que Benedetto —algo en contra había de tener, como se suele decir— sigue siendo hermano y se morirá siéndolo, aunque no quede otro a quien llamárselo, por mucho que la realidad le demuestre su error, el fracaso, ese olor a polvo, a rancio, que desprenden todos ellos. Menos él.

El pasó la puerta, atravesó el recibidor, en el cuarto de estar se detuvo junto al balcón, siguió un rato con la maleta y el estuche en cada mano y ya, a la luz, se veía que era distinto, aunque tuviese el pelo cortado a cepillo como los hermanos antiguos, a pesar de sus manazas de trabajador que hace años que no trabaja.

—¿Cómo te llamas? —me preguntó.

—Stefania —respondió, por mí, Benedetto.

—Yo saldré poco, de manera que me tendrás todo el día rodando por las habitaciones.

—A ella no le importa —se apresuró a decir Benedetto, como si las palabras del otro y el tono en que las pronunció hubiesen significado una disculpa, un deseo de no molestar o una simple muestra de buena educación.

Las dos primeras semanas no pisó la calle. Leía periódicos, dibujaba edificios de fachadas con mucho adorno, que después rompía en pedacitos iguales, miraba por el balcón; durante la cena y la sobremesa charlaba con Benedetto, no dejaba él de charlar, a borbotones, a tal velocidad y tan sin escoger las palabras que pasaba a hablar el idioma de su tierra sin apercibirse, ni tampoco Benedetto, prueba de lo alelado que le dejaban los discursos del otro. Recuerdos de la guerra y de la de España, de huidas, de enfrentamientos, de explosivos y remedios y estratagemas. Apenas les oía —le oía— y, acabando de secar la vajilla, me acostaba y en la oscuridad de la alcoba esperaba a que terminase el runrún de su voz, a que Benedetto entrase, risueño y fatigado, alucinado por las historias del hermano. No le quería preguntar, pero eran ya muchos días, ninguno de los anteriores había durado tanto.

—El por ahora no está de paso, ¿entiendes?

—No, no entiendo. Puede que ni tú mismo lo entiendas, pero averigua cuándo se va. Sólo eso.

—Entre nosotros no se usan marrullerías —dijo, y se dio vuelta en la cama.

Una mañana, después de esas dos semanas o dos semanas y media, al entrar con la bandeja del desayuno, le encontré con la gabardina puesta. Me dijo que no desayunaba, que quizá luego, cuando volviese. A la hora más o menos estaba de regreso y desayunó entonces, con apetito, hablador sobre todo. A mí, porque le habrían advertido o simplemente porque soy mujer, nunca me mencionaba la organización, en realidad casi no me hablaba. Pero aquella manaña no dejó de parlotear de las calles, del sol, de las gentes, como si fuese yo la enclaustrada y tuviese que descubrirme el mundo. No me fijé en más.

Y, cada tanto tiempo, a capricho se podría decir, alguna mañana aplazaba el desayuno, salía con la gabardina puesta —y mal abrochada—, regresaba en un par de horas todo lo más y desayunaba. Yo, sintiéndole excitado, con necesidad de compañía, no le hacía apenas caso. Algunos de aquellos días, en vez de fachadas extrañas, dibujaba rostros, unos rostros que por lo general gritaban y que también desmenuzaba poquito a poco, con una saña paciente, llenando el cenicero grande de papelillos. Aquel botón de la gabardina me despertó la primera sospecha.

Tampoco creo que se ocultase de mí. Guardaba una reserva natural, una costumbre de silencio, de silencio profesional, claro está, pero nada le importaba que yo supiese y, no siendo tonto, esperaría que tarde o temprano yo, que le arreglaba el dormitorio, que me pasaba el día con él a solas en la casa, tenía que terminar por descubrirlo, aun siendo tonta como soy. ¿Por qué abrochaba uno de los botones de la gabardina en un ojal que no le correspondía, de tal manera que le quedaba raro, aunque no escandalosamente? ¿Por qué, cuando esa equivocación le obligaba a llevar siempre la mano izquierda en el bolsillo, pero no como si sujetase algo bajo la gabardina?

Además de no ocultarse, más tarde lo comprendí, estaba a la espera de que yo supiese, seguramente pensó que yo era tarda de entendimiento, que necesitaba mucho tiempo y evidencias a puñados, no cabe duda que alguna vez debió de sentirse impaciente. Mi cabeza funcionó a su modo, un poco de claridad, penumbra otra vez o tinieblas, incluso ciega a plena luz. El día que supe también él supo que yo había acabado de adivinar. Hasta tuvo un detalle zafio, algo no para ratificar o comprobar que yo conocía ya su secreto —le bastó mantenerme la mirada—, sino como intentando precipitar los acontecimientos.

—Deja de guisar y ven —le seguí al cuarto de estar—.

Toma, lee —me ordenó, tendiéndome el periódico sobre la mesa.

—Yo misma lo he comprado.

—Lo ponen ya en primera página, ¿te fijaste? —preguntó, en parte burlándose de su bravuconería, en parte por establecer una complicidad, que yo entonces no supe medir.

—No cante victoria. Cualquier mañana sale también en la primera página su fotografía.

Se carcajeó, ondeando el diario, contento, pero como misterioso. Por eso, ahora, mientras se ventila la peste que ha dejado en el dormitorio pequeño, estoy segura de que aquella zafiedad fue un escape de su impaciencia, de su ansia por que yo me enterase. Con Benedetto fingía ignorancia y seguí fingiéndola, cuando una noche ya no resistí más y, tras esperar a que él cerrase la puerta de su habitación, procuré decírselo sosegadamente, sin ponerme gritona, ni llorosa.

—Pero ¿no te has dormido todavía?

—No. Tienes que saber —hablar quedo me facilitaba la serenidad— que yo ya lo sé.

—Olvida, Stefania. Son cosas que no te atañen.

—Sí me atañen. Nos atañen a los dos.

—Te aseguro que no hay peligro.

—Mentira, Benedetto. No consiento que, además, me mientas. Y óyeme atentamente. Hoy, cuando ha salido sin desayunar, porque también he comprendido que ha de ser mejor, en caso de que te lo agujereen, que te agujereen vacío el estómago, registré su dormitorio. He visto el estuche del arma, los compartimentos forrados para las piezas, los racimos de balas, los botes de grasa, los paños con los que la limpia, esas bolsas de papel, en el armario, rebosantes de billetes.

—Aquí nunca le han detenido, apenas le conocen. Te aseguro, Stefania, que el riesgo es mínimo.

—Mentira, Benedetto. Tú y yo somos su tapadera. Lo diría, si le cogen...

—No.

—... vivo.

—Nosotros, los desposeídos, sólo nos tenemos a nosotros.

—Ni por vuestra causa, que jamás fue la mía, ni por ninguna causa, quiero levantarme temblando por si me rechaza el desayuno, por si saldrá o se quedará, y yo sin saber si quedarme o ir al mercado, sin atreverme a asomar la jeta a la escalera, ni a hablar con las vecinas, hasta preocupada por verle regresar, porque sería peor que no volviese. No lo sufro, entérate.

—Sí —dijo, y ya no pudo dormir esa noche, incapaz de oponer una palabra a las mías.

Algo conseguí, pues Benedetto acortó las sobremesas; alegaba, en cuanto yo terminaba en la cocina, que debía madrugar para el trabajo. Nos metíamos en nuestro dormitorio y le dejaba con las ganas de seguir conversando, de que un papanatas le escuchase sus machadas, sus teorías, su verborrea de preso solitario. Yo quería creer, en medio de tanta impotencia y tanta amargura, que de aquella manera le acorralaba, le obligaba a irse. Claro que era sólo una sensación y muy fugaz.

Me agarraba a cualquier eventualidad, a fantasías, que él ni sospechaba, empecé a pasar las tardes en la cocina o en nuestra alcoba, a no contestar sus preguntas, a rehuir hasta su saludo. Sobre todo, a escapar a la calle las mañanas en que él ayunaba. Nada más cerrarse la puerta, casi tras sus pasos —y, medio loca, incluso pensé seguirle, para verle actuar— escapaba a ninguna parte, a quedarme en un parque, delante de un escaparate, en una iglesia, asfixiada de miedo, enferma, mientras liquidaba la fechoría en uno u otro barrio, toda la ciudad era buena para él, hasta que volvía a casa y me lo encontraba sentado ante el desayuno, que con sus propias manos había recalentado. Malgasté horas maquinando que le echaba raticida a su comida y, al atardecer de esos días, escapaba a comprar los periódicos, con la insensata ilusión de que traerían, en primera página, la imagen de su cuerpo sobre una acera. Luego, me quedaba agotada, entristecida, incapaz de explicarme por qué le odiaba, como si me estuviese acostumbrando.

¿Qué podían afectarle mis silencios, mi displicencia, los alimentos mal condimentados, la ropa sucia, esas pequeñas venganzas, la mayoría de las veces sólo imaginadas? No, él no necesitaba un ama de casa, una sirvienta hacendosa, o prescindía sin subrayarlo de las comodidades. Pero, al mismo tiempo, ¿cómo podía yo haber supuesto, con mis años a cuestas, con mi rostro que ha recogido y conservado los surcos de las privaciones, con este cuerpo de largos huesos que ha descarnado la rutina? Y no habría sido difícil suponerlo, a poco que hubiese reflexionado en que él no salía sino para asaltar y para huir.

Bueno, pues ni la más mínima suspicacia, ni siquiera esa mínima precaución de asegurar el pestillo del cuarto de baño. Abrió como si hubiese derribado la puerta. Naturalmente, en un segundo comprendí. Y, aunque estaba ya derrotada, le esquivé, hui por el pasillo, chorreante, facilitándoselo, y también luché, hasta que él quiso usar su fuerza. Mucho después regresé al cuarto de baño, a donde le había oído ir desde la alcoba; la alimaña de él ni había cerrado el grifo de la ducha, que seguía lloviendo igual que cuando había entrado a asaltarme a mí también.

Benedetto es un hombre sencillo, un simple obrero, y logré no contárselo, porque a la humillación de saber habría unido la cobardía de consentirlo sin expulsarlo de casa. Es más, a partir de aquel día, después de recoger la cocina, volví a retirarme en silencio, dejándole repetir incansablemente, testarudamente, frases que a Benedetto le sonaban siempre nuevas. Lo intentó en otras ocasiones, no ha dejado de perseguirme para decirlo con claridad, incluso una tarde consiguió sujetar mis muñecas y rasgarme la blusa; otras veces me obligaba a que le escuchase unos discursos razonadores, sensatos, lo más hiriente y corrompido que nunca escuché. Llegaba, tratando de prostituirme o debilitarme, a decir verdad. Sin embargo, de poco le podía valer, porque en mi interior yo ni siquiera me escuchaba a mí misma, dentro de mí no se trataba de aceptar o rechazar, yo era sólo una enorme fuerza que decía no, sin decir nada, un muro de piedra mojada para sus manos, una náusea.

Se ha marchado. Pero ¿se ha marchado? Sé que ni el aire ni el tiempo limpiarán esta casa por completo. Me despertaré sobresaltada cualquier noche; a la sola idea de que a la mañana siguiente él tendrá la gabardina mal abrochada, mi piel se llenará de sudor; temblaré al entrar en una habitación vacía, rehuyendo un acoso, que embrujó el camino de mi cansado cuerpo hacia la vejez. Quizá —ahora es razonable la ilusión— un día, al desplegar el periódico, llegue a ver la foto de su cadáver.

La cosa más loca

¿A cuento de qué, sin faltar una sola, todas las tardes la Niña y yo nos instalábamos en la cafetería de los almacenes El Universo Mundo y, cuando cerraban, salíamos hasta como remolonas? Y así, sin marrar una, desde que habíamos reanudado la amistad, interrumpida durante un par de años el bendito día en que, cada una por nuestro lado, nos casamos. Los dos únicos de mi vida (y puede que ni llegase a tanto) que ni la vi a la Niña, alguna llamada, alguna cartita, alguna noche al cine los cuatro en pandilla, mientras a nuestros respectivos dueños y señores se les marchitaban las ansias de la exclusiva. Antes al mío, y eso que, y no es porque lo asegure yo, una está una pizca más apetitosa que la Niña. ¿Sería por no rompernos la mollera, cavilando cada tarde un plan distinto? O ¿por eso, que dicen, de que la cabra tira al monte y el criminal acaba siempre por personarse en el lugar del crimen? A saber...

Bueno, tampoco es cuestión de darle vueltas. El sitio, para lo que teníamos que contarnos (que era todo, como fue de ley entre nosotras siendo ya chiquitas), nos bastaba y sobraba. El techo es bajo, la moqueta muy elegante, el servicio de lo más fino y, luego, que resulta distraído el trasiego de la gente, cargada con los paquetes y con las bolsas, blancas y naranjas, de El Universo Mundo. Principalmente, para esos ratos durante los que la Niña y yo nos quedábamos calladas, rumiando cosas particulares (o de la otra), dejando que los barrigones o los barbudos (aunque menos) se deleitasen a ojeadas con nuestras respectivas vistosidades, que esa fisgonería se agradece y, en ciertas ocasiones, le anima a una la moral.

De tal manera, que, lo dicho: Después del café, de un poquito de siesta y de dejarles tarea a las criadas (si no les tocaba día de asueto), nos telefoneábamos para avisarnos que salíamos y, en coche (que se tarda más), nos citábamos en una de las puertas de El Universo Mundo. Como la cafetería está arriba del todo, íbamos subiendo de planta en planta, comprando algo (que siempre encuentra una algo que comprar), lo pagábamos, hasta guardábamos el ticket, y a merendar.

No diría yo que no fuese por eso, por lo de los coches y el asunto del ticket, a ver si me explico. Tanto el de la Niña como el mío son unas latas y abolladas, los utilitarios desechados de nuestros dueños y señores, de antes de prosperar, que ambos dos nos los pasaron, para darse postín hablando del «automóvil de mi mujer» y como pretexto o disculpa del nuevo y más grande que se mercaban ellos. Pero, aun con los cien mil kilómetros a cuestas, su papel hacían, eso es verdad. Y el asunto del ticket. Sí, en parte tenía que estar ahí el fundamento: que se nos esponjaban las carnes llegando en coche a El Universo Mundo y pagando cada compra, después de elegir sin prisas, dando la matraca a cuantos más dependientes mejor.

—¿A que tiene que ser por eso? —le decía yo a la Niña, y la Niña me daba la razón, los ojos como brillantes, entreabierta la boca, casi cachonda con tanto recuerdo malo, tanta angustia y tanto miedo, que la vida había tirado al cubo de los desperdicios. Que nosotras habíamos hecho que la vida tirase retrete abajo. Y la Niña se soltaba a reír.

Lo de la risa de la Niña es capítulo aparte. Desde siempre. Con la Niña una es que se deshace a carcajadas, porque lo de la gracia de la Niña es para que se cuente y no se crea. El maromo de su dueño y señor dice que la Niña alguna noche le refiere cualquier sucedido y él se cae del lecho conyugal. Y desde que la conozco, que no levantaba dos cuartas del suelo y yo todavía recuerdo cómo la retozona de la Niña me hacía a mí reventar de risa, que de pronto me tenía yo que ir volando a los servicios un poco mojada ya.

—Pues casi seguro que tiene que ser por eso, que nos estamos sacando la espina, leche —me replicaba la Niña, quien, en cuanto a palabras feas, se desfogaba conmigo de la rigurosa prohibición en que la tiene su dueño y señor.

Y luego, cuando se me pasaba el ataque de hilaridad, la Niña se ponía a recordar, pero con regodeo, gozándola, se entiende. «¡Qué tiempos! ¿Te acuerdas?», preguntaba, y como estaba segura de que yo me recordaba, seguía de seguido que aquello sí que había sido el gran basurero, que ella todavía sufría sueños por las noches de que nos cogían los mamarrachos, que era para no olvidar ni el peor par de medias, como refiriéndose a mi maña para esconder las medias en las mangas del vestido, y no sólo medias, sino también perfumes, ropa interior, chaquetas de punto, pantuflas, barras de labios, bolígrafos, sortijas, zapatos, transistores, discos, pelucas, de todo y de más, que no perdonábamos ni la planta tercera, Caballeros, ¿eh, Pinta?, ¿te acuerdas?

(Bueno, ella no me decía Pinta, porque entre nosotras no solemos decirnos los motes, sino que, igual que yo a ella, la digo Luisa, que es su nombre de bautismo, ella me dice Conchita, que es el mío, pero son muchos años de que así nos llamen hasta nuestros dueños y señores; yo sé que ella cuando me llama Conchita está pensando la Pinta y yo igual, que pienso la Niña aunque le llame Luisa. Será también por llevar la opuesta, que todo el mundo sabe que la Niña y la Pinta hemos sido muy dadas a nadar contra corriente, muy nuestras.)

—Ni la cuarta, Niños y Pre-Mamá —soltaba la Niña, y yo era la locura a reírme, que terminaban mirándonos, pero estábamos acostumbradas y, a lo que estábamos y que cada uno se ocupe de sus asuntos, la locura.

Pero, de pronto, dejaban de tocar música suave por los altavoces y anunciaban que en cinco minutos echaban el cierre y se había esfumado la tarde, que ni en el baile, de tal forma y manera que, a pagar, a bajar despacio, sin miedos, volviendo la vista atrás si se nos antojaba, sin escondernos entre la aglomeración, con los tickets en el bolso, al aparcamiento y hasta mañana, Niña, que nos llamamos nada más echar un poquito de siesta, no me falles, Pinta.

El tiempo es una cosa rara (una cosa loca, como todo lo que tiene que ver con la Niña), que se pasa en un relámpago o no pasa nunca. Y, en volviendo a casa, no pasaba nunca. Luego, ya en la oscuridad, oyéndole los primeros ronquidos a mi dueño y señor, que se empeñó en los tiempos de la calentura que una cama sola, la memoria se me ponía a funcionar cosas de la Niña y tenía que contenerme la risa o cosas que nos habían pasado juntas a la Niña y a mí, que no parecían de verdad, o meditaba de dónde habíamos salido la Niña y yo, se me representaba tal cual el barrio aquél, vamos, que hasta los olores, y, a oscuras, me bajaba de la cama, me arrodillaba en el suelo, los codos en el colchón, y me hartaba a rezar, lo que tiene mérito, si se considera que tanto la Niña como yo no creemos en el cielo, ni en el infierno, desde que nos licenciamos de párvulas.

Como para tener creencias nuestro antiguo barrio, más triste que un domingo por la noche... Y es que es raro, y loco, y no hay quien lo entienda, el tiempo, que hace ya mucho que salimos de allí, camino de la iglesia (bendito día), y no se nos marcha de la cabeza. Tanto, que alguna mañana yo cogía el teléfono, echaba a la criada del salón, llamaba a la Niña y le decía que soy yo, la Pinta, que si se acordaba de aquel novio mío, el ingeniero, el que estudiaba para ingeniero, que acudía media hora antes de la cita, se apoyaba en la acacia de la esquina y allá se estaba plantado, con los pies metidos en el alcorque, haciéndose las uñas una hora entera, la media que cogía de adelanto y la otra que yo le hacía esperar.

—Pero ¿cómo no, mujer? —me contestaba la Niña, y añadía, con ese memorión que siempre ha tenido—: Era así un poco calvo, pero guapito.

—Ese —decía yo.

—Para el regalo de su cumpleaños, les distrajimos una corbata y unos gemelos de nácar a los de El Universo Mundo —decía la Niña, y a mí me entraba la risa—, que luego él no te quería aceptar, porque no podía consentir que te gastases los dineros.

—Calla, calla, que no aguanto —le pedía yo a la Niña, riéndome que producía más ruido que el aspirador.

—De lo que no me acuerdo es del nombre de tu novio ingeniero.

Hasta que colgábamos, le echaba yo una inspección a la cocina que preparaba la criada, me metía en el cuarto de baño y, antes de ponerme al aseo, iba y, por uno de esos milagros, me acordaba, salía sin bata y descalza, la llamaba a la Niña y le decía que me acababa de acordar, que José Luis. José Luis, porque, en el cuarto de baño, acababa de verle en la acacia manejando el cortauñas, de sentir en mis manos el tronco de la acacia, de rasparme con el tronco, de oír a mis hermanos armando bulla, la voz chillona de mi padre, acababa de oler el olor de aquella casa mía, un olor especial dentro del olor del barrio, a agrio y espeso pero más, y era ya como tener que bañarse en el barreño, trayendo el agua en cacerolas desde la cocina, y maquillarse en el descansillo de la escalera y sólo poder elegir, en el mejor de los casos, entre dos jerseys, dos blusas y dos faldas. El abrigo, de cuatro temporadas. Pero me llevaba al cine y se llamaba José Luis o, después, cuando me estaba duchando tras haber despachado con la Niña, se llamaba Ricardo, que luego puso un taller de reparación y lavado de coches, o Faustino, el que más duramos, a don Ramón, que me aguardaba unas cuantas calles más allá porque no era cuestión que me vieran subir a su auto, o Vitorino, que tenía moto, la primera moto en la que yo monté, gozándola, que se percatasen en el barrio qué muslos tenía la Pinta, percátense, percátense de que yo aquí no me hago vieja (veinte o veintiuno contaría yo por entonces), o el mismo Fernando, juntos el día entero en la oficina de la fábrica hasta la tarde antes de casarme, lloriqueándome, alguna vez a bailar, a dejarme un poco —o un poco demasiado—, por gusto y también para luego tener qué contar a la Niña y que ella me contara, que, eso sí, graciosa y con más sal que ninguna, pero exagerada y un pedazo embustera, la Niña.

Pasmada con estos asuntos, me quedaba amodorrada, el gusto del café en los labios, y ya casi estaba aparcando el coche en el aparcamiento y encontrándome con la Niña. Era como volverlo a vivir, como acabarlo de vivir del todo, lo que esa mañana o la noche anterior habíamos recordado cada una por nuestra cuenta. Por fuerza teníamos que gozarla en la cafetería de El Universo Mundo, el almacén donde más habíamos sustraído la Niña y yo.

También mangamos lo suyo en otras tiendas y comercios, acuérdate, Conchita.

—Sí, Luisa, pero como aquí en ninguna parte.

—Okey, mona, aquí era la locura. A mí se me hace raro que no los llevásemos a la ruina tú y yo solitas. ¡Madre, qué chorizas...!

Y me daba un cólico de risa, mientras el mamarracho del camarero nos servía los trozos de tarta. Los primeros, después de los sandwiches. La Niña, desde ídem, fue siempre de mucho zampar. Y yo. Si les quito las telarañas a aquellos años, me parece que empezaron a llamarla la Niña porque decían que pasaba más hambre que un niño ruso, y la llamaban la Niña Rusa, y luego sólo la Niña, y, dada nuestra estrecha amistad, a mí comenzaron a decirme la Pinta, por lo de América sería, y, no me cabe la menor duda, para echarle morbo, ya que yo, que no es porque yo lo asegure, en dejando de crecer, cuando se acabaron los estirones de la estatura, se me puso a mí un cuerpo muy morboso. Pero lo de la Niña, antes.

¿Nos traerá el hambre de aquellos tiempos a esta cafetería, donde tantas veces soñábamos engullir sin parar? Digo yo si será, que en casa, sin embargo, yo no soy de mucho tragar. Y por el frío.

—¿Te acuerdas, Luisa, del frío que se pasaba en el barrio?

—Me acuerdo y de seguido me salen otra vez los sabañones.

Yo me reía poco, la verdad, porque, sin venir a qué, como suele suceder en El Universo Mundo cuando más descuidada estás, las luces hacían guiños, bajaban y subían, se quedaban quietas, pero la luz era muy distinta (hasta que poco a poco se iba volviendo normal), una luz así, violeta, de película de espectro o de autopista a medianoche, si una viene durmiendo y se despierta. Con esa luz a mí me agarraba una tristeza del carajo, me ponía lela de tristeza, y la comprendía a la Niña que usa abrigos de pieles sólo y no se los quita hasta mayo. Y a mí misma no me comprendía nada, a mi tristeza quiero decir, pero si en un rato de ésos me dan pinturas, podría haber pintado el frío de aquellos años, de morado todo el fondo, los faroles, los braseros, la mesa-camilla, las mantas, hasta las botellas de agua caliente, moradas, y las orejas como témpanos. También, el olor. Digo yo que frecuentábamos el local también por el olor, que huele El Universo Mundo a pulido, a cuero y a cera, como nuestras casas de ahora, pero en aquella época lo primero que se notaba era el olor, que hería, como si aquel olor, oliendo a buena vida, nos clavase el olor de nuestras casas de entonces, que olían a vida mala y, encima, recubierta de mugre, de apuros, de mi padre en camiseta haciendo números (¿para qué coña, si jamás le alcanzaba?) o yo comprándolos sueltos (dan ganas de fumarse cinco cigarrillos a la vez) a la vieja, que apestaba, igual que los portales, las escaleras, las alcobas, y ha de ser por esa peste, para volverla a oler, para que no se nos olvide, que venimos a oler El Universo Mundo y, al segundo, yo estoy olfateando la roña en la que nací, no falla.

—Niña —me salió sin pensarlo—, ¿tú crees que alguna vez volveremos a ser pobres? Yo no quiero.

—Me mato antes. Te lo juro, Pinta —y le salía también del alma.

Pero no duraba mucho aquel infierno; de asustarnos la una a la otra pasábamos, gracias a la música, gracias a una fulana con algo bonito puesto, gracias a nosotras mismas, a reírnos, y pedíamos los segundos trozos de tarta. Pensándolo un poco despacio, es que daba, además de mucho espanto, su goce, su gustito, rememorar calamidades y penas.

—Aunque no estamos entrenadas —decía la Niña—, lo solucionábamos fácil, volviendo al volavérunt. Ahora sería esto pan comido. ¿No te percatas de que somos clientas y de las buenas?

—De nosotras —le daba yo la razón— ni mosquearse.

—Dicen que hay mucha más vigilancia, y yo es que, hija, ni me fijo en los mamarrachos, o me fijo de pasada, alguna cara, ya sabes, ¿de qué conozco yo esta jeta?, y tiene que ser de entonces. Las chavalas es distinto, se habrán casado todas aquéllas, como nosotras; fíjate en éstas de ahora, todas jovencitas. ¿Nosotras éramos tan chulas? ¿Te acuerdas tú, Conchita, de si nosotras, cuando teníamos sus pocos años, resultábamos pura golfería?

La Niña, de un tiempo a esa parte, hablaba de edades más de lo mandado, se las daba de vieja, parecía, por mucho que recordásemos juntas, como si intentara olvidar. Principalmente, que aquella tarde pregonase ideas parecidas, que la tomase con las dependientas y los mamarrachos, luego, después de que todo pasó (si es que ha pasado todo), a mí me ha hecho cavilar. Supersticiosa no soy; tendré otros vicios, pero supersticiones una no usa. Leo el horóscopo en cada revista que cae en mis manos por distraerme, para ver que nunca aciertan (bueno, casi nunca), por leerlo, y, además, todas las personas se leen su horóscopo, aunque lo nieguen. Ya he dicho antes que no creo en nada que no sea de esta tierra y si rezo es raro y porque rezar alivia en las ocasiones en que le estalla a una la cabeza. Con todo esto, lo que quiero decir es que no hay quien me quite la negra sospecha de que la Niña padece gafe.

En la escuela tenía ya sus ramalazos de gafe, que me acuerdo bien. Y de no ser por mí, la Niña, que rodaba pendiente abajo, no se casa. A los hombres los gafaba, por caliente o por antipática, lo mismo da; con unos se encendía a escape, y con otros, las manos quietas así llevasen saliendo un mes; pues bien, todos terminaban cogiéndole aversión a la Niña. Que no se piense que a la Niña le olían los sobacos o el aliento, nada de eso. Era gafe. Y la prueba está en que la cosa empezó al poco de ponerse a cotorrear de si eran nuevos o antiguos los mamarrachos, de si tenían poca o ninguna vergüenza las niñatas, justo unas tardes después de aquella matraca que la Niña me dio. Todos, yo la primera, no nos cansamos de proclamar que la Niña reparte más gracia que una película cómica, que la Niña es la locura, que no hay quien se contenga a su lado, porque la verdad es que a Luisa personalidad no le falta, posee una personalidad macha. Pero atrae el infortunio, como si echase un conjuro, como si le entrase el espíritu de hablar de lo que va a ocurrir antes de que ocurra y que lo que ocurra, luego cuando ocurre, sea siempre malo. A eso le llamo yo gafancia y más cuando relaciono aquella conversación y, sin pasar una semana, empieza la cosa. Que empezó con la llamada por el altavoz.

No creo que haya persona en su sano juicio que esté atenta a los altavoces de los almacenes. O dicen tonterías o dicen publicidades. En los aeropuertos o en las estaciones ya es diferente, no vaya a ser que se quede una en tierra. Y, sin embargo, aunque una ni escuche, ni oiga, ni entienda, una se entera, como sin querer, de lo que hablan por los altavoces de los almacenes. Quizá será porque paran la música.

O sea, que estábamos tan normales, unas tardes después de aquélla en que la Niña se pasó horas rajando de la dependencia, cuando va el altavoz y dice que acuda la Niña a recepción en la planta baja. Así de clarito. Nos quedamos de hielo las dos.

—Yo no voy —dijo, encogida, la Niña.

Al rato, parecía de sueño, como si no hubiese sido a la Niña a la que nombraron. Pero era. A mí, por la noche en la cama, rememorando el episodio, no me cabía duda que la habían nombrado a ella, por su nombre y dos apellidos, y añadiendo, encima, para que no hubiera malentendidos, señora de Varalejo, que efectivamente así se apellida el dueño y señor de la Niña.

—Seguro que no era a mí —me dijo la Niña, nada más despertarse y por teléfono—. Seguro de toda seguridad, porque, fíjate, no me volvieron a mentar. Era a otra, que fue, y por eso ya no repitieron mi nombre. ¿No lo crees tú de ese modo, Conchita?

—Claro, Luisa —la animé yo, viendo que seguía ansiosa.

A media tarde, las dos en la cafetería, la Niña se lanzó a platicarme de eso lo primero. Pero ¿quién la iba a convocar a ella? A nuestros dueños y señores les decimos que andamos por ahí, cada vez a un sitio disparejo.

—Nada —insistió la Niña—, ellos ni preocuparse. Si no salen de los bares y de los restaurantes, haciéndose creer que están trabajando... Y, si ellos no son, ya me dirás tú, Pinta...

Tuve como un repente de que, una vez más, la estaba gafando, pero ni tiempo me dejaron para distraerla, porque la música se interrumpió, nos quedamos las dos sin respiración y claramente, con su vocecita de tía cursi y melosa, la tipa del altavoz llamó a la Niña, que la esperaban en recepción, en la planta baja. Continuó la música. Todo estaba corriente. A la Niña se le habían redondeado los ojos y unas gotitas de sudor en la frente le abrían caminitos en el maquillaje.

—A la misma hora que ayer —dije yo—. Tú, Niña, no vayas.

Estaba ya en pie. Con aire resuelto. Parecía que le habían quitado unos años —los últimos— de encima. Cuando no tenía remedio, pensé que yo la debía haber acompañado; pero ni la Niña me lo había pedido, ni el sobresalto permitió que se me ocurriese. Encendí un cigarrillo, dudé si pagar las consumiciones, para el caso de que tuviese que salir de estampida, y, antes de que hubiese conseguido colocar una idea detrás de la otra, la Niña estaba allí, de vuelta.

—Cuenta, cuenta —le pedí, cogiéndole las manos, casi abrazándola.

—Una equivocación —contestó la Niña, con la sonrisa tirante, forzándose a comportarse natural.

Entonces me percaté de que estaba pálida. Blanca, quiero decir. Y con las mejillas fláccidas. Los años que antes le habían quitado de encima se los habían vuelto a poner; y unos cuantos más de añadido.

—Pero ¿preguntaban por ti o no era por ti?

—No era por mí, ya te lo he dicho. Lo que pasa es que está todo repleto, los ascensores..., y me he entretenido mucho —llamó al camarero, para que le trajese un vermut.

—¿Mucho? No, Niña, mucho no —murmuré yo, extrañadísima.

Ni caso; se bebió el vermut, pidió otro y unas aspirinas, se la advertía con prisas y yo no quise insistir. A solas en casa, cuando logré librarme de mi dueño y señor, que tenía la noche cargante para no variar, me prometí a mí misma que yo aquella madeja la desenredaba. Pero ni sacar un cabo.

A la mañana siguiente, su criada me dijo que su señora (la Niña, se entiende) permanecía acostada, porque tenía unas pocas décimas. Puro pretexto, pero me preocupé menos, ya que, poquito a poco, yo le estaba viendo la entraña al asunto. Aquel enigma o era una broma de la Niña o una de sus locuras.

Ni siquiera había mirado su reloj, al decirle yo que había tardado unos minutos, justo el tiempo de ausentarse a la planta baja y volver a subir a la cafetería. Lo mismo, conociéndola lo descuidada que es, la Niña había perdido el billetero con el dinero y el documento de identidad, alguien lo había encontrado y a ella, luego, le había dado reparo contármelo. O la Niña tenía un amante. ¡Sí!, eso podía ser, algún lío más gordo que el del documento de identidad, a juzgar por lo afectada que había regresado. La historia del amante me tuvo casi convencida hasta la hora del almuerzo. Un amante con el que ella intentaba terminar, que la estaba persiguiendo, que se empeñaba en retenerla. No es que no la creyese capaz, pero lo del querido me lo habría confesado, si no al principio, sí yendo ya encarrilado el romance. No, la Niña conmigo no podría haber callado una aventura tal. Así es que, lo más seguro, se trataba de una de esas locuras de la Niña, como, por ejemplo, darse importancia. Hay gente que, en cuanto está en un lugar público, el fútbol, el café, unos almacenes, se hace llamar por los altavoces, para que la gente oiga su nombre. Eso era —o algo parecido— ganas de darse importancia que le habían entrado a la Niña. Yo hasta lo comprendía, que una se aburre también de vivir. La llamé después de la siesta y la criada me soltó un rollo calcado del de la mañana. ¿Qué hacía yo, pobre de mí? Estaba claro, la Niña no deseaba que yo fuese a visitarla y a comprobar si yacía en la cama, sola, o encontrándose con su amante en una casa de citas de mucho lujo. De modo y manera que, igual que una tarde como otra, me trasladé a El Universo Mundo. Eso sí, rondé un rato por la recepción, una especie de garita transparente, de plástico imitando vidrio, con una ciudadana dentro explicando al personal esas pendejadas que el personal inquiere en un sitio semejante: que dónde venden simientes de petunia, que a reclamaciones, que no se alborote, señora, que encontrarán al niñito, que para devoluciones... Subí a la cafetería, me senté en la mesa de siempre y me puse a esperar.

Parecerá una locura estilo Niña, pero estaba segura de que algo tenía que sucederme. O que llegaba la Niña, cuando menos la aguardase, o que se me presentaba el amante de la Niña o (aunque en eso no quería ni pensar) que me iban a llamar a mí también por los altavoces.

Así fue. Con tanta naturalidad que ni me asusté. En la

escalera mecánica iba incluso tranquila. Por lo menos, me enteraría de lo que le había ocurrido a la Niña la tarde anterior. Tuve agallas hasta para mirar el reloj. Salí del ascensor, me dirigí hacia la garita y, al lado, estaba él, más viejo que en nuestra época de randas, con las sienes canosas, mejor vestido, aunque igual de hortera. Se percibía a la legua que había ascendido, que de simple mamarracho le habían hecho jefe de una sección de mamarrachos o de chavalas. Movió las cejas; o no las movió; el hecho es que yo comprendí que tenía que seguirle. Y le seguí.

Primero entre la gente; luego, en ascensor, a los sótanos de los aparcamientos; entre los coches, por aquellas extensiones mal iluminadas, desiertas, lo cual ya me iba imponiendo un tanto. El, sin volver la cabeza, siempre al mismo paso, que enfurecía sentirle tan seguro de que yo le seguía. Penetró por una puerta, me cedió la entrada en un chisme con traza de montacargas, y comenzamos a descender. ¿Cómo había estado tantos años sin acordarse de aquel rostro? Tampoco era de extrañar, porque nunca la Niña, ni yo, habíamos hablado con aquel sujeto, uno más entre los cientos de ellos que en El Universo Mundo ofrecían la quincallería, acompañaban a la clienta a la caja, daban las gracias, mirando como sin mirar vigilaban, guardaban, defendían las riquezas de sus amos. Le observé fijo y me sostuvo la vista; era como encontrar en un espejo sucio el tiempo pasado.

Cuando terminó aquel larguísimo descenso en el montacargas, salimos a unas naves, cuyo techo ni se distinguía, llenas de fardos, de olor a humedad, de silencio. Me detuve en seco, pero él me cogió —sin violencia, eso sí— de una mano y me fue conduciendo por aquella amplitud como una catedral o tan inmensa como era la plaza de mi barrio, cuando yo tenía dos años. Empujó una puerta metálica, entramos en la tiniebla y me soltó.

—¿Quiere usted que encienda? —preguntó, a mis espaldas.

—No —contesté—. No quiero ver nada.

Se encendió una bombilla en el techo. Frente a mí,

en unos estantes desvencijados, con un orden que se notaba el trabajo que le había dado exponer allí tanto trasto, estaba la colección completa de todo lo que la Niña y yo habíamos birlado en El Universo Mundo. Frascos de perfumes, medias y prendas de ropa interior, chaquetas de punto y vestidos, dos transistores, barras de labios, discos, un tibor (pero ¿cómo pudimos?), pelucas, bolas de colores, corbatas, unos gemelos de nácar, carretes de fotografías, cepillos de dientes, cajas de betún, bolsas de caramelos, sortijas, mariposas disecadas, bolígrafos, gafas, cuchillos; la mayoría, objetos que yo había olvidado; todos, con una etiqueta colgando y en cada etiqueta una fecha. Aunque le sentía apoyado en la pared, detrás de mí, me volví rápidamente.

—Es mentira —dije.

Pero no estaba y yo escapé corriendo de aquel cuchitril, fui corriendo por las naves entre las pilas de fardos, guiándome por el ruido de mis tacones y el resuello de mi aliento. El me esperaba en el montacargas. Conforme ascendíamos, hizo algo como sonreír y, con una confianza repugnante, dijo:

—Vuelve el día que quieras.

Me tendía una mano abierta.

—¿Encima...? —logré pronunciar.

Me temblaban los dedos mientras revolvía en el bolso, y a punto estuve de entregarle todos los billetes que llevaba, sin contarlos. Pero, al fin y al cabo, era sólo un mamarracho, aunque ascendido, y le di dos de los grandes.

—Vuelve, si te interesa —repitió—. Te enseñaré con más calma lo que falta.

Dentro del coche se me ocurrió comprobar la hora y era un disparate los pocos minutos que había durado todo. La criada me dijo que la Niña y su dueño y señor acababan de largarse al chalet de veraneo por unos días. Malos días aquellos en los que estuve sola, amargando la existencia a todo el que se me cruzaba, únicamente tranquilizándome a ratos cuando, delante del espejo, insultaba con las peores palabras a la Niña. Hasta que me di cuenta de lo que yo quería y volví.

Nuestro encuentro transcurrió igual que la primera vez. Salvo que en el montacargas me exigió tres billetes y con la diferencia de que ya no vimos el botín, sino que en la oscuridad del cuchitril me fue contando cosas mías, muy mías; cosas de esas que todos alguna vez hemos hecho y en seguida hemos querido olvidar y hemos olvidado; suciedades —para decirlo sin rodeos—, porquerías, delirios, pero que tampoco resultaba tan horrible vivir de nuevo, que —él lo sabía— daban asco y un poco de gusto.

Así era entonces, con la Niña huida, yo abandonada y como loca, con toda aquella locura de hoy no voy, pase lo que pase, para terminar yendo, una tarde detrás de otra, quedándome sin dinero, teniéndole que desvalijar a mi dueño y señor, dispuesta a recordar, a que el mamarracho me refiriese hasta las heces, incluso lo que la Niña se había negado a saber. Una tarde, de subida ya en el montacargas, metió la mano en el bolso y se llevó el completo, mientras con la otra mano me acariciaba un pecho. Cualquiera habría apostado que a él ya le estaba cansando aquel juego, que él deseaba que yo no volviese más.

Y al día siguiente la Niña me telefoneó y me citó a la hora de costumbre; no me faltes, Pinta, que suspiro por verte. Le dije que no, pero me lo explicó con detalle. Su dueño y señor, por influencias con los mandamases de El Universo Mundo, había conseguido que despidiesen al mamarracho, alegando que nos había tratado con desconsideración. Volvimos a nuestras meriendas, volvió todo a ser como antes, la Niña y yo más amigas que nunca, sin secretos la una para la otra. Pero la cosa más loca de esta loquería, en la que me metió la Niña con sus locuras de siempre (y con su gafancia), es que está en una de las puertas de El Universo Mundo vendiendo globos de colorines, y nos mira a la Niña y a mí como si nos conociese íntimamente, como si alguien alguna vez nos hubiera presentado, el pobre facha, que da hasta lástima ver a un hombre, todavía joven, tan acabado y miserable. El se lo ha buscado, como dice la Niña, que nosotras bien pacíficas que estábamos en la cafetería, sin ofender a nadie.

…y, ahora, ocho flores del mal menor…

Cambió la sintonía (pero encontró las mismas palabras) nada más conectar la radio y oír la noticia de su fallecimiento. Lógicamente, le repugnaba tanta repetición. Hay asuntos, juzgaba él, sobre los que no es pertinente, ni distintivo, volcar demasiada atención. Sólo una malsana voluntad de portentos explicaba esa insistencia. Un hecho tan común, que mejor que nadie él no podía desconocer, de tan gregaria aplicación, ¿merecía aquella exuberancia difusora, salvo por una dosis a partes iguales de malevolencia y de tosquedad? Tosquedad, indudablemente, por los zafios términos que empleaba para la necrología. Y una sutil malignidad, porque, con toda evidencia, los multiplicados y vociferantes noticiosos esperaban que él escuchase y se sintiese afectado. Inútil pretensión, por fortuna, puesto que al difunto, aun sometido al machaqueo de la consabida turba de zascandiles, ya nada le afecta, ni menos todavía el mensaje de que lo está. Que los más allegados o los deudos más distantes entrasen en conocimiento de su exterminio no justificaba a sus ojos —cerrados— la reiteración, porque los seres queridos se afanaban ya —y bastaba abrir los ojos para comprobarlo— en las diligencias apropiadas. Pues con todo, le estaba resultando espinosamente difícil no leerlo, no oírlo, no verlo proyectado en las pantallas de luz temblorosa. Quizá tan profuso doblar justificaría el estrépito, si al menos se pretendiese un momento sísmico, que patentemente se eludía en beneficio del sosiego callejero, de las secreciones inhibitorias, de las digestiones gaznápiras y de los sueños sin sueños. De modo que, activos los parientes, sordos los ciudadanos y suficientemente notificado el muerto, ¿a quién —se preguntaba, removiendo su irritación— carajo le iba a interesar, cuando, encima, ni por lo más remoto comunicaban las auténticas circunstancias del aniquilamiento? Incapaces, al estar vivos, de conocer, no eran capaces de silenciar su inepcia. Miedo le daba conectar por enésima vez, con la jubilosa esperanza de escuchar íntegro —hazaña para la que, en vida, siempre careció de tiempo y le sobraron breñas— «El Clave Bien Temperado», y que una voz de bobita le participase —¡a él!— que él había fallecido. En el supuesto de que le pudiese explicar a la tontuela (y todavía, siendo recién muerto, no estaba seguro de que se tratase de un supuesto razonable) las notaciones y connotaciones del estado al que había accedido, dejarían de propagar por los treinta y dos rumbos de la rosa semejante nimiedad y, muy probablemente, emitirían el Segundo Cuaderno al menos de «El Clave». Con unas brasas de rencor, se consoló recordando que, poco a poco (incluso mucho a mucho, si la bomba), día a día, los informadores y los informados —para nada— del crimen sabrían todos en el futuro cuán inexacto sonaba en unos oídos de cadáver calificar de desaparación a la muerte.

Ululó como el silbato de un tren, algo semejante a la sirena de un barco (o al timbre alarmado de una bicicleta), y conectó. De nuevo, la noticia. Pero ahora, aunque un oído distraído hubiese registrado los mismos tópicos, secretos matices anunciaban su llegada a nuestra eterna ribera, entonaban una cantarina bienvenida, recitaban sus dignidades como mercancías decomisadas en la aduana, y se regocijaban. Ni siquiera trató ya de buscar otra emisora, convencido de que a un muerto, para su dicha y gloria, los mandos no le obedecen, ni el artilugio le está destinado. Y, poco después, estrechaba la diestra de J. S. B., quien le preguntó si por la otra orilla seguían interesándose por su obra.

—No me lo olvidan, no. Salvo estos días, que están como locos con lo mío. Pero no se me apure, compañero, que le siguen radiando. Y mucho.

—Gracias, Che —correspondió el maestro.

Tu melena enciende la luna

Reconoce ser autor también de la famosa canción «Tu melena enciende la luna», palinodia o pamema que esta Autoridad certifica no haber oído jamás. Requerido, en consecuencia, a que circunstancie el argumento de esa música, tras una resistencia inicial, dice que, en esencia, la melena de ella, sin duda del denominado tinte pelirrojo, al ser deshorquillada o desplegada enrojece la superficie lunar en las noches en que dicho astro o satélite desaparece en fase de novilunio. A la pregunta de que si cree en un fenómeno meteorológico de tan dudosa verosimilitud contesta que no. Inquirido sobre la incongruencia de asegurar, sin previa comprobación y convencido de su falsedad, la tesis de que la luna enrojece (o, al menos, según admite, adquiere una tonalidad castaño oscuro) siempre que su chica se suelta el pelo, reitera la petición de telefonear a un abogado. Niega tozudamente conocer el nombre y demás filiación de la antedicha manceba, capaz de manchar de bermejo la impoluta blancura selenita. Se le reconviene, mostrándole la temeridad de sus aseveraciones, por el indudable desprestigio que se deriva para las hembras de nuestra raza al hacerlas sospechosas de deambuleos por campos o vías públicas a horas inconvenientes; se le señalan los indicios de calumnia infamante que conlleva relacionar a la fémina con los ciclos de la luna; y, por último, se le apercibe de haber cometido injuria patente al claustro materno, donde, aunque declara ignorarlo, se forman y conforman los lunares para futuras identificaciones por parte de esta Autoridad. Convenientemente interrogado, tras una pausa o recuperación, declara que, además de haber compuesto jeringonzas como «¿Por qué, dime, se marchitan las rosas cuando tu teléfono no contesta?», «Si te alejas, se me llagan las manos» y «Cosecha de corazones», ha pretendido su máxima difusión, movido por apetencia dineraria, ansias de notoriedad y (con un cinismo que esta Autoridad cree su deber subrayar) por íntima complacencia. Añade, sin coacción alguna, que no sólo ambiciona llevar sus composiciones a labios de la juventud, sino que, a mayor abundamiento, aspira a que sean silbadas por la madurez reprimida, damas insatisfechas y burócratas, terminando, una vez más, por solicitar la presencia de un abogado. Desmiente haberse lucrado con la exhibición de sus manos llagadas, rubricando, sin embargo, las fatigas a que ha de someter a su mente y a sus neuronas hasta descubrir que se han resecado las rosas en el florero a causa de no conseguir línea con su expresada barragana. Acorralado por la evidencia, asiente al hecho incontrovertible de su anómala correspondencia con el mundo físico, astronómico, botánico y anatómico, exclamando que no le importaría, con tal de presenciarla, una explosión cósmica que le borrase la faz al Universo. Paulatinamente excitado (lo que obliga a medidas precautorias), se debate y vocifera su necesidad de acabar de una vez, al tiempo que jura que su próxima composición se titulará «Mi madre me concibió en un lupanar», con lo cual esta Autoridad obtiene la buscada confesión, da por finalizado el período inquisitivo y se permite recomendar el más implacable rigor, sin tener en consideración la innegable mediocridad y saboteadora cursilería del encausado, por cuanto todos estos autoconfesados hijos de prostituta resultan igualmente perniciosos y corrosivos, con independencia de sus aptitudes personales para el verso.

La escena figura una escena que no es otra que la que habitualmente decora la explanada de un castillo danés, previa a la aparición de los trasgos y en el momento preciso en que el telón sube. Unos minutos antes y desde la perspectiva del foro, la Dama Joven, enlevitada y sin maquillar, ha debido levantarse de un confidente de desconchada purpurina, a fin de facilitar a dos Tramoyistas la retirada del mueble por el lateral derecho. Nada se ha percibido (a causa del telón, que aún no había comenzado a subir) desde la perspectiva de la sala. Por el contrario, desde la perspectiva de la sala, iluminada sin recato, ha podido advertirse que las candilejas se han encendido. Todas las luces, incluidas las candilejas, se apagan nada más comenzar a subir el telón, de forma tal que, desde esta perspectiva de la sala, nadie podría suponer que la escena figura esa escena, que habitualmente decora la explanada de un castillo danés, como asimismo, desde la perspectiva de la escena, nadie —si hubiese alguien en escena— podría suponer que la sala figura esa sala vacía (y afantasmada por los blancos forros de sarga que cubren las filas de butacas, que empaquetan las altas arañas, y cuyo tejido exhala un húmedo aroma a almacén de cueros), que habitualmente decora, en algunas películas, una sala vacía de teatro decimonónico. Un generoso engrasado de poleas impide cualquier rumor de la pesada cortina que cae simultánea y sincronizada a la ascensión del telón, y que coincide, al hundirse en pliegues su borde contra las tablas a dos metros de la concha —ya ocupada— del Apuntador, con el encendido de todas las luces, incluidas las candilejas, de forma tal que, desde la perspectiva de la escena, ningún cambio de iluminación se ha producido y la escena, donde ya un Saetero ha ocupado su puesto en la almena del lateral izquierdo, figura una escena que no es otra, gracias al opaco envés de la cortina de —falso— damasco rojo, que el habitual salón dieciochesco, y, desde la perspectiva de la sala, se ha recuperado la insolente iluminación, desbocada ahora contra la cortina de —falso— damasco rojo, que obstaculiza el espectáculo, de óptima visión desde la perspectiva del foro, que componen dos Tramoyistas retirando por el lateral derecho a la Dama Joven, enjubonada y barbada, la cual mantiene dirigida hacia el azul de papel su saeta de cartón. Todas las luces, incluidas las candilejas, se apagan nada más empezar a emerger de las tablas el borde de la cortina, de forma tal que, desde la perspectiva de la sala, nadie —si hubiese alguien en la sala— podría suponer que la escena figura esa escena vacía (excepto una roca de alambre pintado en el lateral derecho y un árbol deshojado en el centro del foro), que habitualmente decora, en las obras de vanguardia, un desierto en las cercanías de una gran ciudad. Un generoso engrasado de poleas imposibilita cualquier rumor de la pesada cortina, que asciende simultánea y sincronizada a la caída del telón y que coincide, cuando el telón choca su borde contra las tablas, con el encendido de todas las luces, incluidas las candilejas, sin que se haya producido cambio alguno desde la perspectiva de la escena, puesto que (pero tampoco desde la perspectiva de la sala, debido al profesionalizado murmullo silente) el telón no deja pasar el susurro del Apuntador, ensayando la primera fase, que, entre bastidores, la Dama Joven, encorsetada y con medias de malla color carne, memoriza a flor de labios, al tiempo que se apagan todas las luces, incluidas las candilejas, sube el telón y, simultánea y sincronizada, la cortina de —falso— damasco rojo va descendiendo hasta que...

Retrato ecuestre bajo un cielo que se nubla

—Gracioso caballero, sabio jinete, prudente équite, Ixión permita que te quiebres las antiparras, al tiempo que las costillas, contra ese polvoriento suelo sobre el que tu figura mancilla el paisaje.

—El paisaje —dijo— es bastante feo de por sí.

—Que tus lindas acrobacias, aborto de yegua, nos regalen la asistencia a sonados y solemnes funerales.

—Estás celoso —dijo en seguida.

—Mucho, Hipodamia.

—Peor. Hasta cansado de tus celos, como harto de envidiarlo tanto.

—Siempre ha invadido, y cuando menos podía sospecharse, aquella actividad en la que los demás, con esfuerzo y mediocridad, supervivíamos. Cultura, ciencia, finanzas, sociabilidad, atuendos, países exóticos, movilidad de cargos, esos han sido sus trofeos en aquel momento que él eligió cuando menos debía sospecharse, probablemente a causa de sus más viscerales carencias, pero con tan resplandeciente resultado que las motivaciones se enterraban bajo el peso de la púrpura. Maldito el día...

—Ayer.

—... que decidió la equitación, porque mañana provocará corvetas y balotadas, y pasado, si como es de sospechar ha elegido ejercer de macho a sus cuarenta largos, a la jineta te cabalgará a ti, zorrita boba, ése a su vez elegido por la más dispendiosa Providencia. Y ahora, cuando descabalgue, aquí vendrá a borrarme con la pertinencia de su serena altanería, a fascinarte bajo toneladas de hielo, compostura...

—Inteligencia.

—... y esa forma de inteligencia, que le permitió leer a Platón en v. o., enconar, depredar, fustigar, renunciar, extirpar, interceptar, hastiar, desconocer la basura de las emociones y el cenagal de mis ansiedades, comprarse los mejores chalecos de casimir. Desapareceré en cuanto se siente a tu lado, como si tú estuvieses aquí para parecer que tú te sientas a su lado y yo, que desde la cuna mido treinta centímetros menos, para parecer que ni existo.

—¿Existes?

—Gracias a él, porque si sobre ese hípico displicente se cumpliesen mis deseos, una vez retirados los crespones negros, me disolvería a falta de objeto de resentimiento. A no ser que también se odie hasta después de la muerte.

—Una compensación te queda y es que me quieras tan idiotamente como jamás a él se le ocurriría. Resultas tan bajo, exiguo, ordenado, temeroso y torpe, que jamás él, incapacitado para considerarte, sabrá gustar el desprecio, ni siquiera te agradecerá que nos lleves en tu coche ahora, que indudablemente va a romper a llover.

—Tampoco es tan agradable —dijo, nada más sentarse a su lado, antes de tomarle una mano entre las suyas— ni creo que merezca la pena arriesgar los huesos. ¿Estais deprimidos por estos nubarrones?

—Me largo —dije, y, levantándome, aunque ni él ni ella percibían ya si me levantaba o continuaba sentado, me largué a través del bar a encerrarme en los lavabos, para, suicidado en diversas formas, salir con el resignado propósito de buscar el coche y conducirlos a la ciudad; pero entonces llovía y ella, más hermosa que nunca, trotaba en círculo, empapada, rezumantes de tensión sus músculos y su excitada algarabía, mientras que él, desbaratado por vez primera en su vida, la contemplaba desde el resguardo de la marquesina, estrenando ceguera, al considerar suyo aquel cuerpo que no lo sería, puesto que yo corrí entre el diluvio, galopé tras ella, la derribé al barro y en mis brazos —su piel inasible confundida con su vestido— rodamos juntos, reímos, si bien ya ella se entristecía de ser una mujer normal, sentada tras un hombre normal —yo— y un hombre portentoso; una lamentable mujer constipada y con la piel a ronchas, camino de la ciudad, en mi automóvil.

—No había por qué desequilibrarse tanto a causa de un simple aguacero.

—Perdona —le dijo ahora a él, al derrotado.

Y no cabía duda de tal derrota, porque me abofeteó (que casi nos fuimos a la cuneta) cuando, reproduciendo el tono de la voz de ella, yo dije:

—Perdona, centauro.

A esta hora, en que el jardín yace asfixiado bajo la panza del sol, en que el silencio cruje, el cuerpo de la muchacha no proyecta sombra alguna sobre el sendero, por una de cuyas márgenes discurre la reguera de tejas, ahora seca. Desde la alberca, la reguera flanquea este camino, bruscamente gira en ángulo recto y lo corta, se desparrama en un haz de canalillos por los bancales, obliga a un salto, gracioso y mecánico, de los pies de la muchacha, que se detienen. En este lugar del jardín, la casa en un extremo y en el opuesto el cenador —en la zona de las parras— permanecen invisibles. La muchacha otea —pero tiene los ojos cerrados— los escalones de piedra que salvan los dos niveles del jardín, la alberca, las insoslayables y estrelladas figuras poligonales de los canalillos, que delimitan aún más las palas de madera para la distribución del riego. A la caída de la tarde, en esta parcela del jardín, el agua mastica (o resopla, o jadea), mientras que a esta hora, como escayolados los árboles, los parterres, las flores, el aire, los ruidos que roen el silencio, la muchacha ha abierto los ojos y su mirada, paciente, con esa irónica paciencia de quien busca lo que sabe próximo, escudriña la verde placa vegetal, demasiado ardiente.

Desde este lugar no es posible ver la casa ni el arruinado cenador —en la antigua zona de las parras—, suponiendo que la mirada —pero la muchacha, que busca, tiene los ojos cerrados— aceche de un extremo a otro, sobre la ladera de césped, que une los dos niveles del jardín, la jaula que encierra la pista de tenis, los árboles y los macizos de flores, escayolados por la aplastante luz, el trampolín azul, el rincón de los secretos, la pérgola. La muchacha ha caminado unos pasos, salta, con una cierta gracia mecánica de sus piernas, de su cuerpo sin sombra, la grieta que divide el sendero y se detiene, mirando sobre la verde placa vegetal que a esta hora es el jardín, donde los colores ardientes del mediodía se reflejan como en un espejo. Aquí, a la caída de la tarde, el agua silba (o escupe, o jadea) en regulares círculos.

En la rigidez del aire quemado sería difícil averiguar si la muchacha busca un objeto, a un ser vivo, a una persona, con esa lentitud, tan sabia como irónica, que impulsa sus movimientos hacia la zona baja del jardín. Aún faltan unas horas para que se desentumezcan las ramas de los árboles —ahora escayolados—, para que el agua disgregue este único bloque de aromas, para que el aire recobre una transparencia que restituya las distancias y su capacidad transmisora de sonidos. Exclusivo movimiento en este espacio, el cuerpo de la muchacha se desplaza incansable hacia ese objetivo oculto, adivinado, inerme, incrustado en la pródiga espesura del jardín para molestia de ese joven cuerpo —ahora en las hinchadas aletas de su nariz unos poros se abren—, piadosamente intruso en un territorio del que, siendo dueño, no forma parte.

En estos dos jardines —que es el mismo jardín—, a esta hora sin tiempo, ni edades, la muchacha (que finge buscar —y son dos las muchachas, aunque turbiamente semejantes— una pamela olvidada en un banco del cenador, una flor amarilla que enaltezca un jarro de flores en el centro de la mesa, un frasco de aceite antisolar, la señal de una cita al crepúsculo, un perro ofendido, la improbable aparición de una nube —por muy diminuta que sea—, la constatación de una figura en un frontis de azulejos) ha colocado sobre sus cejas una mano, ha separado sus labios, como modulando un nombre —que no se ha oído— y que no es otro que el de ella (o el mío, en un mediodía lejano), puesto que también ella, oculta en el rincón de las celindas, odia a estas horas ser arrancada hacia el comedor y sus ritos de esta paz salvaje, que me protegía de la mirada de la muchacha y le enseña a ella aquella inconformidad sin sombras, aquella rigidez en la congelada quietud de un jardín asfixiado que yo supe y olvidé.

Concierto sobre la hierba

El partido, celebrado anoche en el Magno Estadio, había despertado, lógicamente, una enfebrecida expectación. Antes de entrar a detallar las incidencias del encuentro deben resaltarse las magníficas condiciones acústicas de que disfrutamos los doscientos cincuenta mil espectadores y los incalculables millones de televidentes.

Prometedores preliminares

Los equipos saltaron al césped portando cada jugador de ambas selecciones un ramo de rosas —para obsequiar al señor colegiado— y —para sus respectivos auxiliares en las bandas— dos ramilletes de siemprevivas. Durante las protocolarias ceremonias de rigor, las decenas de miles de melómanos que atestaban los butacones de terciopelo de las tribunas, puestos en pie, ondearon con perfecto sincronismo, primero, las banderolas con los colores de la selección visitante; después, las de nuestra propia selección. Numerosas pancartas aparecieron en este momento, loando todas ellas las virtudes deportivas de nuestros rivales y sus valores culturales;

«Loor a la patria que vio nacer a Homero y a Beckenbauer», «¡Animo!, ilustres discípulos de Newton y de Iribar», «Dante, Dante, Dante», eran algunas de las leyendas que, en letras doradas, pudieron leerse en medio de vivísima emoción. Se guardó un minuto de silencio en memoria de los sabios desaparecidos recientemente y, a continuación, el director de nuestra Enorme Orquesta Sinfónica, emplazada en las gradas de preferencia, señaló con su batuta el comienzo del partido y de la «Fireworks Music», suite de Haendel, que era la primera obra programada.

El penalty que el árbitro no vio

Desde los compases iniciales pudo comprobarse que el objetivo esencial de la selección visitante consistía en dominar el centro del campo, con la finalidad de enviar, bombeados, balones a las alas. El dispositivo de nuestra defensa se mantuvo firme. No obstante, aun bregando como leones, nuestros muchachos se encontraron desbordados por la precisión geométrica del juego oponente, al primer toque, y por la endiablada velocidad a que eran sometidos, de modo tal que, hasta el primer tiempo (Adagio. Allegro spirituoso) de la Sinfonía núm. 36 en «do» mayor, KV 425, «Linz», de Mozart, mediada ya la primera parte, puede decirse que nuestros chicos no comenzaron a catar cuero. Diversas incursiones en el terreno contrario fueron frustradas por felices intervenciones del guardameta, el cual, mediante un largo saque de puerta efectuado en el minuto treinta y seis, envió el esférico a su extremo izquierda, quien, internándose y con terreno libre por delante, dribló a los siete jugadores que guarecían nuestro campo, penetró caracoleando en el área grande y, coronando así una jugada individualista al antiguo estilo, lanzó un chupinazo con la zurda, de exquisita escrupulosidad en su factura, que salió rozando la cepa del poste izquierdo, al tiempo que nuestro cancerbero se lanzaba en palomita hacia el palo derecho. De inmediato, nuestro lateral izquierda, a la carrera, acudió al árbitro para respetuosamente exponerle que en la anterior jugada el balón había sido desviado por su brazo y ante el portal, por lo que solicitaba se aplicase el penal correspondiente, en castigo a una falta que ni el auxiliar de la banda ni el propio señor colegiado habían podido advertir. A tal petición se sumaron los restantes jugadores y, desde el foso, nuestro seleccionador, sus ayudantes y el masajista. Puesta la pelota en el fatídico círculo blanco y conforme el delantero centro visitante se disponía a ejecutar el máximo castigo, la sección de cuerda de nuestra Enorme Orquesta Sinfónica marró unos cuantos compases, más atenta sin duda a lo que sucedía en el terreno de juego que al pentagrama. Fallos de este jaez, en presencia de la crítica internacional, sólo pueden ir en detrimento de nuestra reputación.

El gol de la igualada

Conseguido este primer tanto, mediante un chut ante el que nuestro portero hizo la estatua, nuestros jugadores se lanzaron al ataque, sudando a modo la camiseta, y habrían conseguido el empate en una jugada magistral —y fortuita— de toda la delantera, a no ser porque en el instante en que nuestro interior derecha se disponía a tirar a puerta, con un ángulo magnífico, percibió que el guardameta contrario, casi desvanecido de placer sobre las redes, escuchaba, en un éxtasis inoportuno, el Minuetto de la antedicha mozartada. Nuestro interior derecha se detuvo, alertó con gestos al portero, se recobró éste precipitadamente de su deliquio y detuvo el disparo de nuestro jugador, que —la verdad sea dicha— se la envió a las manos. El estadio se pobló de banderolas, aprobando tal acción. Y con el resultado de 0-1, adverso a nuestros colores, llegamos al descanso, durante el cual en el marcador luminoso se proyectaron diapositivas de cuadros de los más famosos pintores, distracción muy del agrado de la hinchada, que, en el entretanto, reponía energías, como es usual, con canapés de caviar y sorbos de champagne. Los altavoces difundieron poemas simbolistas y los vendedores ambulantes de libros agotaron sus existencias. Puesta de nuevo la pelota en movimiento, en los primeros «Carmina burana», que entonaban arrolladoramente los componentes de nuestra Desaforada Coral, llegó el empate en una jugada sin peligro aparente y que pilló en las nubes a la selección visitante. El público, en pie, ondeó las banderolas con los colores de nuestros rivales, animándoles a que superasen semejante fallo. Y un cuarto de hora después, mientras gozábamos una delicadísima ejecución del «Canto del Adolescente», de Stockhausen (en una modélica realización electrónica, original de nuestro campeón de los pesos pesados), la selección enemiga se adelantó en el tanteo, poniendo al rojo vivo el match.

Bochornoso incidente

Nuestros muchachos, que recibirían como prima en caso de victoria unos cursillos gratuitos de Lógica Matemática, reemprendieron un juego abiertamente ofensivo, con constantes lanzamientos a puerta, que llevó la pasión a los graderíos. Pasión de tal entidad que ocasionó el primero de los desagradables incidentes de esta segunda mitad. Un grito (sí, ¡un grito!) estentóreo de un incalificable aficionado resonó en el Magno Estadio. El árbitro elogiaba a uno de nuestros defensas una tijereta de caballero, la línea media visitante grababa en sus grabadoras particulares la Cantata del Domingo 14 después de la Trinidad «Jesu, der du meine Seele», pieza que había seguido a lo de Stockhausen, y nuestros delanteros atendían a un grupo de niños de las Escuelas Primarias, deseosos de autógrafos y fotos con los campeones. ¿A quién, pues, iba dirigido ese nefando «¡¡Majaderos!!» que atronó en el silencio de nuestro Magno Estadio, en las conciencias, sobre todo, de los ciudadanos espectadores? ¿Hasta cuándo, preguntamos a nuestras autoridades educativas, se tolerará en nuestras canchas tan bochornosa incivilidad?

La pana

De inmediato, la Enorme Orquesta Sinfónica, a petición del público, interpretó un Réquiem y, como la violencia desata la violencia, he aquí que nuestro defensa central entró de plantillazo a un delantero contrario, dejándole revolcado en la hierba y a merced del agua milagrosa de las asistencias. El estadio se pobló de banderolas reprobatorias. Nuestro central, de hinojos, sollozando amargamente, arrastrándose a los pies del árbitro, suplicó ser expulsado y, como consecuencia del libre indirecto con el que sancionó el director de la contienda tan execrable jugada, los nuestros se vieron en la necesidad de reparar el trancazo de su compañero permitiendo que llegase a las mallas el tercero de la tanda. Que rápidamente subió a cuatro, para continuar con un baile a los muchachos que ni que los maestros tocasen los «Valses nobles y sentimentales», de Ravel, de cuya mentada coreografía nos llegó el quinto de la serie y, ya en las postrimerías del encuentro, el sexto, encajado el cual quedaron segadas irremisiblemente de raíz, en esta fase preliminar de eliminación planetaria, hasta las más locas y forofas esperanzas de acudir al campeonato intergalaxias. Ejecutándose, como es de ley, la Sinfonía número 45, «de los Adioses», de Haydn, en una meléе a la salida de un córner, volvió a marrarla la Enorme Orquesta Sinfónica, provocando tal congoja en la maltrecha moral de nuestro equipo la emocional pifia tonal de la sección de flautas, que nuestros ases acabaron por perforar su propia meta. Y mientras nuestros jugadores paseaban a hombros al trencillas, los maestros abandonaban sucesivamente sus atriles, los espectadores —fortalecidos de deportividad— los asientos y sólo flotaba en la limpia atmósfera nocturna del Magno Estadio el sonido de dos violines, pensábamos, con una irreprimible dosis de orgullo herido, que jamás habíamos recibido aquí, en Marte, una zurra de tales proporciones. Pero, sobreponiéndonos, nos precipitamos a los vestuarios con el fin de felicitar a los terrícolas por este 1-7, que los clasifica a ellos para los intergaláxicos de Venus y nos deja a nosotros en la cuneta y sin oír más música al aire libre durante el presente curso deportivo.

El celebérrimo Explorador, a quien nadie lograba fastidiar tanto como un periodista, se decidió, por vez primera en su vida y fiado en su inconmovible fama, a decir la verdad, aun a riesgo de que aquella pavesa de informadora granujienta, que le torturaba desde la hora del café, sospechase que estaba siendo engañada. Cuando él creía que la entrevista finalizaba, a la pregunta —bellaca—

—Dígame, señor Explorador, ¿qué motivo concreto le impulsó en su juventud a recorrer sin tregua las más ignoradas regiones del planeta?

contestó:

—Un chiste.

—¿Un chiste? —consideró delicado reiterar la entrevistadora.

—Un chiste acerca de una petición de mano.

—¿De una petición de mano?

El celebérrimo Explorador, superando la sólita náusea que sólo un ejemplar de la misma especie puede provocar a su prójimo, cerró y abrió los ojos pacientemente.

buscó sobre la mesa su bolsa de tabaco de pipa y, resbalando su salacot hacia la nuca, condescendió a explicar:

—Espero que no le sea desconocida la inquietud que inocula olvidar a medias un chiste que recientemente nos han contado. En una persona, como yo, privilegiada por una memoria sin fisuras, ese inconcebible olvido puede determinar una existencia. La mía, desde luego, así quedó determinada hace cuarenta años, cuando, al despertar en mi habitación de Punch Palace, en Escocia, no logré reconstruir el sucedido que la noche anterior y ante la chimenea de la sala de armas había juzgado saludable narrarnos el Mayor Maimed, uno más de los invitados al week-end de los Duques de Punch. Las horas del alba, durante las que intenté recordar, poseído por la soberbia de mi autonomía mnemotécnica, resultaron funestas. Indudablemente tres elementos estructuraban el chiste. Los recordaba: un cartero, una petición de mano y un movimiento final, en el que precisamente radicaba la supuesta gracia de la historieta. Pero, aunque poseía estos tres elementos, me era imposible combinarlos de una manera adecuada. Incluso, créame, conseguí chistes mucho más hilarantes que el maldito que había contado el Mayor Maimed, pero jamás el auténtico. Al sonar la campana para el desayuno, bajé exhausto, casi patético, y mi infortunio no hizo sino acrecentarse con la noticia de que el Mayor había partido aquella madrugada misma para el Continente.

—Y usted, infatuado por su autonomía —supuso la chica—, no preguntó a los otros invitados.

—Si había bajado decidido a que el propio Mayor Maimed me repitiera el infernal cuentecillo, deberá conceder que no tenía otra alternativa, por muy estúpida que pareciese, que importunar a mis anfitriones y al resto de los invitados. Unos no habían escuchado al Mayor, otros habían olvidado también y sólo Lady Punch insistió en una versión de alucinante inexactitud, que por cortesía admití como buena. He de confesar, y no creo que merezca reproche alguno si considera usted la situación en que yo había caído, que llegué a interrogar a la servidumbre, confiado en esa costumbre secular, que les corroe, de registrar por entero las conversaciones de sus señores. En aquel caso los criados, ni a prueba de soborno, habían oído nada. Me impuse olvidar, desechar tan irritante episodio, y el martes, de regreso a mi despacho de Londres, reconocí incondicionalmente que no podría ni anudarme una corbata, ni atacar una pipa, mientras no oyese de labios del Mayor Maimed el chiste.

—Y partió usted en su busca.

—A lo largo de cuarenta años y por todos los países, comprendidos los más salvajes —confirmó el celebérrimo Explorador, hasta con un ápice de asombro por la repentina sagacidad de la reportera—. Sin resultado alguno.

—¿Sin ningún resultado? —volvió a repetir la muchachuela, recuperando su innata tendencia a enmascarar con una fingida sordera su estulticia real.

—Todavía no he encontrado al Mayor y, por tanto, como hasta usted misma entenderá, todavía no he conseguido reconstruir aquel chiste.

El chiste que el Mayor Maimed relató al que luego sería celebérrimo Explorador durante una velada en la sala de armas del castillo de los Duques de Punch hacia la segunda década del siglo era éste:

> —Míster Smith —anuncia el cartero—, traigo una carta para usted.
>
> —Gracias, Tom. Se tratará probablemente de la respuesta a mi petición de mano —y míster Smith, cogiendo la carta con la mano izquierda, se la coloca bajo el sobaco derecho.

—Parece inconcebible —suspiró la infeliz, no atreviéndose a declarar tajantemente que era inconcebible.

—No, no lo es. En cuarenta años de exploraciones, con un único y secreto objetivo, he aprendido los ilimitados contornos de la imprecisión humana. Todo desierto, cualquier extensión polar, la más gigantesca ciudad o el más impenetrable bosque, en algún punto del espacio acaba. La frivolidad, inconsecuencia y torpeza de nuestros semejantes, no. Cuando llegaba a la Tierra de Baffin se me juraba que el condenado Mayor Maimed había partido para Monrovia, donde, al desembarcar yo, se me aseguraba que unas horas antes había volado con destino a Punaka.

—¿Por qué viajaba incesantemente el Mayor Maimed? —interrumpió la encuestadora.

—A causa de su condenada profesión de Mayor del Imperio —masculló despectivamente el celebérrimo Explorador.

—¿No pudo dejarle una nota, mandarle un aviso, telegrafiarle o telefonearle su estricta necesidad de entrevistarse con él? —preguntó la chica, refiriéndose al Mayor Maimed.

—Además de todos esos imperfectos sistemas de comunicación que ha logrado usted enumerar, he grabado mensajes en los troncos de árboles que crecen en selvas inexploradas hasta mi descubrimiento, he lanzado botellas a las aguas de archipiélagos que no figuraban en las cartas de navegación, he ascendido a cumbres desde las que la luna se huele, horadado túneles, paseado ciénagas, padecido terribles infecciones —la voz del celebérrimo Explorador, indudablemente afectado por el crepúsculo, se agudizó—, combatido con serpientes, caimanes, agencias de viaje, barreras aduaneras, buitres, toros de España y panteras de Bengala. Mi cuerpo, como mostrarán esas fotos que ha tomado usted con destino al reportaje, siempre que no haya velado la película, se fue llenando de cicatrices, mutilaciones, huellas y surcos, algunas heridas que jamás se cerrarán. Este, señorita, el de mi piel, es el mapa de una existencia sin reposo ni compensación.

La demudada periodista temió que su interlocutor iba a arrancarse sus ropas excesivamente tropicales, a exhibir, en una furiosa enajenación, su cuerpo como símbolo de derrota. Pero el famoso trotamundos cogió con la mano izquierda la bolsa del tabaco, la colocó bajo el sobaco derecho y luego, con una mueca de sonrisa, recibió la pipa de manos de la muchacha, quien se la entregaba con esa precipitada amabilidad que, en su dudoso colegio, le habrían enseñado como la más adecuada, cuando se ha de ayudar a un manco celebérrimo y, por si fuera poco, amnésico Explorador.

Noticia acerca de los efectos trastrocados del Bien y del Mal en personas aquejadas por estas pasiones

Había alcanzado —incluso ya la rebasaba— esa edad en la que se dirían rotas las cadenas de la adolescencia y, esfumadas las brumas de la infancia, son ignoradas las admoniciones para una madurez aún no prevista con las que suelen los viejos importunar a los jóvenes. Entreveía, por tanto, el paraíso de la descuidada independencia y se preparaba a gustar los frutos de tan irrepetible edén, cuando la Vida —por decirlo con precisión— invirtió los términos de la suya.

De nombre Donato, a la dádiva de unos padres meritísimos unió las de un hogar sosegado, una niñez uniforme y un equilibrado carácter, lo que, con el sobreañadido de una descarada belleza de sus miembros todos, facilitó, como en un suspiro, el paso de los intuitivos esbozos a los primeros apuntes del natural. Acrecentándose regularmente la fortuna de sus progenitores, año tras año y desde los más tempranos pudo Donato frecuentar las mejor reputadas Academias, viajar en compañía de su ayo por aquellas naciones en las que la Pintura fue concebida y, adiestrándose sin pausa bajo la tutela de los maestros de su arte, rehuir la holganza, la disipación y las voluptuosidades bien de la amistad, bien de la carne, conglomerado éste que ha dado en llamarse bohemia y es para muchos —errados o pervertidores— etapa imprescindible en el aristado aprendizaje de cualquier educando. Algunas músicas, paseos bucólicos y lecturas escogidas colmaron los asuetos de Donato y, cuando otros todavía se empecinan en los zascandileos y prospecciones existenciales, vio nuestro catecúmeno canceladas sus obligaciones con la edad agreste. Liberado de la esclavitud de un oficio ganapán, gracias al ingenio industrial paterno y a las maternas inversiones bolsísticas, afanóse nuestro Donato, mediante la asiduidad, en conseguir, sin descuidar las menesterosas técnicas de taller, el alado soplo de la inspiración. Y bien pronto, he aquí que consiguiólo aquél a quien desde ya justamente podremos llamar Artista.

En la quietud de los días levemente ondulados por nimios acontecimientos, sintióse Donato poseído por tal arrolladora fuerza creativa que acabó por dar con él en la notoriedad y favor generales, y ello en esos años mozos que duplican el sabor del éxito sin impurezas. No obstante, en la soledad de su estudio, que apenas abandonaba para saciar sus frugales necesidades, Donato era corroído por el tedio. En el bostezo incesante fundamentaba nuestro Artista la fábrica de su inagotable invención pictórica, pues siendo ésta como espejo de su imagen interior, ¿qué otros horizontes se la velarían? Mecido en la modorra de un país en período de postguerra, ya que no el inexistente público comprador, tasaba en alta estima la crítica aquellas figuras y colores de diabólica perfección que nacían de las ardientes sierpes de los pinceles de Donato.

En esto, una joven, bajo el atributo de protegida de la señora madre de Donato, llega a la ciudad, es acogida como doncella, aficiónase al aseo del estudio del Artista, tómala éste como ocasional modelo y, en una tarde decembrina, amparados en las sombras del súbito crepúsculo, ábrense ambos por vez primera a los torbellinos del placer. Ya tenemos a nuestro Artista inmerso en el piélago del que hasta entonces venturoso nudo de circunstancias habíanle exonerado. Y así, y durante meses, Lucelina (que éste es el nombre de la garzona) frecuenta en la noche el estudio de Donato y Donato, espoleado por repentina calentura, abandona el estudio jornada tras jornada, creyendo, el desgraciado, encontrar en el variopinto mundo exterior el auténtico venero de su inspiración. Su imagen interior, ay, emborrónase durante madrugadas regidas por el deliquio, en el transcurso de tardes enceguecidas por los goces de su recién estrenada idolatría. ¿Experimentó Donato algún presagio de los avatares que se avecinaban? En las últimas jornadas en que aún sesteó, antes de hacerlo con Lucelina, por los elíseos prados de la inanidad y la brega, ¿sospechó Donato la inminente pérdida de su imagen interior? Enigmas del alma humana...

Envenenado el artista por los vapores vitales, de cuya vaporización la más letal resultaba aquella emanante de la concuspicente piel de Lucelina, concibió el arriscado proyecto de contraer nupcias con su amante. Más que informada casi por adivinación, la señora madre de Donato viene a conocimiento de semejantes relaciones y, todo es uno, cae fulminada en su lecho (del que ya no se levantará). En el entretanto, Donato, a quien la memoria borra inmisericorde las suaves dunas de su juventud dejándole inerme ante las escarpadas y estériles sierras de sus inclinaciones, concítase con los más inconformistas colegas, únese a revolucionarios de afición y, para corona de tal cuadrito, triunfa en los círculos sociales, se le ensalza a las categorías remuneratorias, se le condecora, mima, adula, invita, disputa.

Será Lucelina la que, asaeteada por las premoniciones que su condición femenina le dicta, acelere los trámites del himeneo, a los que Donato se presta sin complacencia (falto de tiempo también para tales argucias). En su postración la señora madre de Donato ha sabido de estas premuras y he aquí a una agonizante reclamando junto a su lecho de muerte al hijo amado y supuestamente unigénito, para revelarle un nefando secreto concerniente al linaje de Lucelina, uno de esos chismes tan tremebundos que hasta el más dicharachero de los artistas sabe que se llevará consigo a la fosa.

Fallecida la señora madre, reducida Lucelina a manceba perpetua, el mundo a los pies de Donato, ¿qué falta a nuestro Artista en su rutilante existencia que no sea la aparición de la propia Olga Federica? Nacida en cuna aristocrática, jamás mujer ninguna unió a un cuerpo (1) de cortesana más refinado cerebro, insaciabilidad menos loable. Divorcio tras escándalo, escándalo tras riqueza, la vida de la aventurera Olga Federica entrecrúzase con la de Donato en el álgido instante en que éste no sólo ha perdido su imagen interior, sino que lo sabe y, encima, le importa una higa.

Ya no se aburre Donato, ya palacios, cacerías, automovilismo, regatas, saraos, joyas, orgías, ocupan su ser por entero. Ya quedan atrás las horas solitarias y las gélidas fiebres de la creación. Ya a más exorbitante precio mayor maldad artística caracteriza sus telas. Ya no sabe pintar Donato. Ya Donato es feliz.

—¡Oh, desventura! ¡Oh, contradicción sucedánea, acongojante insolvencia de la especie! ¡Oh, pérfida trama, que de un Artista ha hecho un Hombre y en el Hombre ha aniquilado al Artista, ¿dónde, ¡¡dónde!!, mana la depurada esencia del Arte, en qué círculo sin espacio ni tiempo se preserva al Arte de la pasión?! —así, en un estudio que por su limpieza y orden denota la poca frecuentación, clama Lucelina, desertada y adiposa, y al unísono, desde el cieno en el que se revuelcan, Olga Federica se abigarra y ríe, crápula, Donato.

(1) Espléndido.

... mientras tanto y en otros lugares...

So pena de muerte, periódicamente el hombre ha de fugarse de la realidad. Hablando de muertes: Acababa de volver a la ciudad; entré en el hotel; amodorrado el conserje de noche —todo iba bien— respondió entregándome una llave, unida mediante una fina cadena a un triángulo de plástico (sería) y con los bordes redondos, donde leí la cifra —239—, la cifra hechizada; y luego, el ascensor, el pasillo, la puerta, las tinieblas, que me cubrían en tanto me desnudaba, la cama y aquel témpano, que mis brazos rodearon —¿por qué?— durante unos instantes, los suficientes para sentir esa gelidez opresora que ni en brazos de las estatuas había experimentado; témpano que al día siguiente y en primera plana lo rotulaban LA BELLA ASESINADA. Me descolgué por la tubería de un patio de aireación; ni puedo recordar cómo llegué a la calle.

Desde hace algún tiempo resulta muy difícil dormir en un hotel. Antes, en cualquier ciudad, casi podía asegurarse que las habitaciones del segundo piso se encontraban desocupadas. ¿En cualquier ciudad? En esta ciudad, quiero decir, ya que ahora pienso que se trata siempre de la misma ciudad. Por el Museo. Actualmente existe un mayor riesgo de fracaso, una probabilidad mayor de dormir (no dormir) a la intemperie. La especie a la que pertenezco (a la que creo pertenecer), la llamada especie humana, está incapacitada para vivir en la vigilia; llega a subsistir sin comer, administrando esa droga que es el hambre, pero periódicamente ha de abandonar este mundo, zarpar al del sueño, regresar. El hombre ha de fugarse de la realidad, ya lo he dicho. O muere.

En otra época (más habitable, como siempre fue el pasado) alguien me enseñó las reglas del oficio. Ni aun entonces, joven, menos apesadumbrado, me era posible dormir con las estrellas —o las nubes— por dosel. Una regla de oro: Apariencia adecuada; de persona rica, se entiende. Aplomo. Han de desecharse hoteles lujosísimos y también los más ínfimos. Es preciso no intentarlo antes de la medianoche. Corrección, naturalidad, gestos controlados, escasas palabras. Sobre todo, solicitad una llave mediante la pronunciación teórica de tres cifras, de las que, a lo sumo, únicamente la última suene inteligible. Si el conserje de noche confiesa no haber oído, jugando a una sola puesta, pronunciad claramente un número concreto. Nunca huid a la carrera si el procedimiento falla, por dignidad, aunque la dignidad no sea requisito técnicamente esencial. Dejad hecha la cama y el lavabo limpio si se tiene éxito.

¿Quién diría que algo tan simple pocas veces da resultado? Y, sin embargo, en algunas ocasiones —es tan largo el invierno...— sí resulta. Gracias a este sistema, he dormido en numerosas camas, he conocido sobresaltadas madrugadas, camareras delatoras, rostros idiotizados por la sorpresa, mañanas exultantes, en las que un hartazgo de reposo nos gratifica con energía juvenil, dominadora, un poco inútil también, es cierto. Quizá nadie haya estafado más horas de sueño que yo a la industria hotelera de esta ciudad.

¿De varias ciudades? Cualquier traje, incluso de pana, se arruina en un vagón de carga. Además, que se trata de dormir, no de viajar. Y, encima, de viajar sin rumbo, con el rumbo que los demás imponen. Cuando no se consigue la llave de una habitación de hotel, el menos malo de los dormitorios es un vagón de mercancías —no repleto, a ser posible—, aunque, de repente, comience a rodar y siga interminablemente, y suba, y se desvíe, y machaque, y baje, y rodando llegue a una ciudad —siempre llegan— nueva, cuya estación parece una estación desconocida y desconocidas las calles, las plazas, las avenidas, los monumentos, el puerto, los jardines, en la que, no obstante, se termina por descubrir el Museo, y el Museo, siendo el mismo, nos obliga a reconocer que, después de haber devorado durante días y noches kilómetros y kilómetros de vía, el tren retornó a la ciudad de la que había partido. Con todo —la fatiga, la sed, la claustrofobia, los diferentes vientos que castigan las mal unidas tablas del vagón, la engañosa aparición de luces, los relámpagos, las arrugas de la ropa y la suciedad—, preferible esa cama ambulante a las alcantarillas, donde hay demasiada vida para dormir, o a los salones de espera de los aeropuertos, esos otros nidos de las ratas acechantes, atareadas en comprar (hasta venderse) y en vender (hasta desecarse).

Tampoco es frecuente, cuando el conserje de noche nos ha alargado ya la llave, ir a caer sobre un cuerpo yerto, al que nuestros brazos estrechan durante unos instantes y del que nos arrancamos, con el espanto en el alma, porque nada probablemente, en esta especie humana, aterroriza tanto como disponerse al sueño y abrazar un cadáver. La Bella Asesinada es quizá la más acosante figura de mi álbum de recuerdos, ese libro que sólo entreabro al sol, sentado en el banco de un parque. He dormido despierto; me han despertado niños, fontaneros, bomberos; alguna noche se diluyó escuchando las quejas de una mujer solitaria; he encubierto a ladrones, ayudado a fugitivos, puesto en fuga a amantes clandestinos; he conocido la humillación, me he despreciado, he permanecido anhelante (en mis primeras incursiones) a la espera de todos los males quiméricos, pero jamás, puesto que un hombre debe dormir, había decidido abandonar, hasta aquella noche de la Bella Asesinada. Pobre muchacha... Su fotografía es —se comprende, espero— la más confortadora figura que conserva mi memoria y ella, la mujer que he amado —de alguna manera—. Pero ni el amor, ni la muerte, a diferencia del sueño, son cotidianos.

Y cotidianamente, con ese vahído constante que el hambre produce o disipado, si las mil industrias para alimentarse de lo que descuidan los otros dieron fruto, desde muy tempranas horas hay que buscar el lugar del sueño. En verano cabe elegir los grupos escultóricos que rematan algunos de los edificios de todas las ciudades (al menos de ésta, la del Museo). Alcanzarlos, a la caída de la tarde, a esa hora en que los roedores abandonan sus fortalezas y se retiran a sus guaridas, no presenta insoslayables dificultades. Desde abajo, ¿quién imaginaría el laberíntico refugio que ofrecen esas pomposas y un poco ridículas fábricas, que el ser humano erige en honor de unos mitos, tan banales como los símbolos que los ensalzan? Parece como si el artista hubiese sido poseído por esa nerviosa albañilería, que en toda obra de encargo trata de disimular la urgencia por el cobro, la ausencia de espontaneidad. Tenderse bajo una cuádriga resulta pueril, cuando racimos de divinos cuerpos gigantescos, escudos como lomos de ballenas, descomunales senos o túneles que son narices, brindan al escalador de semejantes portentos sus superficies, refrescantes en las noches calurosas, nunca en las frías madrugadas, tan gélidas como aquel pecho en las tinieblas de la 239. Así, entre los muslos de Ceres, asido —soy propenso al vértigo, sobre todo en ayunas— a una lanza aquea y a resguardo de un chubasco bajo rayos jupiterinos del tamaño de mojones, he pasado algunas noches y, quizá por influjo de mi decorado dormitorio, he vuelto en esas noches a otros tiempos de esplendor o —nadie podría averiguarlo— a sueños de esplendor que tuve en otros tiempos.

Los templos los deseché por sus aromas nirvánicos. No puedo malgastar mi sueño, ese tesoro que no todas las noches consigo, con ensoñaciones. También rechacé los inmensos recintos deportivos, cuyas gradas vacías a la luz de la luna se llenan de no sé qué presencias vociferantes —ya se sabe—, que producen pesadillas. En alguna ocasión, dueño de un palacio ruinoso o de una abandonada mansión, he sentido con una intensidad insoportable esa lacerante nostalgia —a la que antes me refería refiriéndome a los aéreos grupos escultóricos— de otras edades, de otra existencia, que ni a mí mismo me autorizo a evocar. Habitaciones de hotel, vagones, estatuas, son mis lugares predilectos, sin duda porque para ganar un sitio en ellos he debido correr menos peligros y derrochar menos esfuerzo. Y el Museo.

Unas palabras sobre el Museo. Edificio de noble planta, que ha asimilado sin detrimento los tres estilos que durante dos siglos impusieron su traza, se encuentra radicado en una de las más amables zonas de la ciudad. Un bosque, pabellones científicos, laderas de césped perpetuo, preservan a esta notabilísima pinacoteca de los estruendos, aglomeraciones y poluciones de la gran urbe. Efectivamente, el Museo es nombrado en todo el mundo culto y, sin sujetarse al ritmo de las estaciones, acuden a visitarlo multitudes de los más variados y lejanos países. En sus salas y galerías la muchedumbre de visitantes admira lo que en absoluto sería exagerado definir como el más enorme depósito pictórico del universo. Su catálogo (aún incompleto) relaciona una ingente acumulación, urraqueada durante cientos de años, de la pintura de todos los tiempos, contándose innumerables obras maestras, amén de miles de cuadros atribuidos a los genios menores. Dotado de muy eficientes servicios auxiliares (telégrafo, salón de belleza, de conferencias, sauna, venta de diapositivas, guías políglotas), el Museo abre sus puertas, ininterrumpidamente, desde el alba hasta el ocaso, siendo su entrada gratuita para senadores, estudiosos, ancianos y funcionarios.

A diferencia de los hoteles, nunca he amado los museos. Nada comparable a ese tiempo de la media mañana, cuando, después de un copioso desayuno servido en la habitación, balanceando la llave, llega uno sobre la moqueta hasta el ascensor (o desciende por el centro de la marmórea escalera alfombrada), recoge el correo, visita el invernadero, hojea unos periódicos y, tras un ventanal, apurando el tiempo de enfrentarse con la ciudad, se ve cruzar por el sendero de sombras móviles a esa anémica señora, cuyo saludo es una delicia. Para no hablar también del comedor rutilante, el ceremonial suntuoso de la cena. Eso, para mí, es un hotel, la confirmación de una brillantez efímera y ajena, pero cuyo encanto se fundamenta en su inconstante fluidez. Dicho de otro modo, un museo constituye todo lo contrario de un hotel.

Pero el Museo, este interminable edificio que siempre aparece por mucho que yo crea hallarme en otra ciudad, ha sido mi albergue nocturno durante tantos años que algunos cuadros, hoy en las salas destinadas a los clásicos, los he conocido relucientes de barniz. Insisto en que la facilidad es la determinante de nuestras predicciones. ¿Cómo, si no, habría llegado yo —no a amar, eso no— a frecuentar, a estimar de alguna manera titubeante, estas distancias, que la vista no domina, estas cúpulas de luz, que enceguecen, los quebrados pasadizos en los que los cuadros de ambos muros parecen fundirse, las salas de caprichosos trazados, la Gran Galería de los Museos? Nada más fácil que entrar —gratuitamente—, descansar en los bancos circulares de cualquier rotonda, observar el tedio de los celadores, unirse a un grupo de rezagados, retrasarse como interesado por alguna pintura (de pequeñas dimensiones preferiblemente), desviarse por algún portillo, agazaparse en algún rellano y, a la puesta del sol, ganar la sala de Arte Primitivo, en la planta superior, por donde nunca un guardián nocturno ha efectuado ronda alguna. Allí, contra una rejilla de la calefacción (que irá enfriándose en el transcurso de la noche), en el vano de una de las altas ventanas, arropado incluso en la pesada cortina, sobre el parquet, dormir glotonamente, sin recelo, arrullado por un lejano tam-tam que en ninguna parte suena. Al amanecer, después de utilizar el más próximo de los lavabos, bajar una o dos plantas, detenerse ante una pintura (de grandes dimensiones preferiblemente) y esperar a que el primer grupo de visitantes me absorba, me conduzca algunos metros en el anonimato y me deposite en los aledaños de alguna salida propicia. ¿Cómo, aun siendo enemigo de todo lugar inmóvil, resistirse, en horas de desánimo o de pesimismo, a la llamada de esa morada de reposo? Por otra parte, al no estar muy dotado para la comprensión de la pintura, pocas incitaciones pueden distraerme de la alerta permanente en que el intruso, hasta el de sueño más pesado, pasa sus noches. A cambio, también una desventaja: la fantasmagoría.

En un hotel siempre algo suena, rechina, alienta (incluso en la propia habitación), timbrea. No es rara una premonición acústica —o aromática— del peligro que se avecina. Hasta si uno, al acostarse, abraza a una Bella Asesinada, dispone de una alarma suficiente para no dudar en la conveniencia de huir. En cierto modo, el ajetreo, la selva de la incertidumbre, la inadvertibilidad, la indeterminación, nos facilitan la conciencia de estar vivos. Por el contrario, un único olor —eso sí, anonadante— rezuma el Museo. Y un silencio sin fisuras, esa clase de silencio que hace retumbantes los latidos de nuestras vísceras, la corriente de nuestra sangre, el aire, cuya salida regulamos en los pulmones como Eolo las ubres de los huracanes. ¿Por qué, cuando el hombre ha conseguido ya enlatar la música, no se programan —desde el ocaso hasta el alba— mecanizados conciertos en confortables auditorios? Quizá la música, como los trenes, como los hoteles, no sea susceptible de esa congelación de los colores y de la piedra esculpida —salvo la que ha sido izada a cielo abierto—; quizá —todo lo referente al Museo me obliga a meditar— dos potencias compatibles rigen la vida y el ser humano, con su torpeza de incipiente escolar, ha creído conocer exclusivamente una de esas dos familias de artificios. Sea como sea, con los años, principalmente después de mi macabra noche nupcial en la habitación 239, la sala de Arte Primitivo fue convirtiéndose en mi más expeditiva alcoba. Hasta la última ocasión que en ella pernocté.

¿Noche? Sí, pero ninguno de los fenómenos, que, perteneciendo a ambas esferas, coordinan el sueño con la realidad, me avisó de que amanecía. Mi última mirada, antes de que mis sentidos se transformasen en esas branquias que posibilitan surcar las líquidas atmósferas de Enypnion, había sido para un sol procazmente amarillo, destellando sobre unas dunas, y la lanza clavada en la arena, como el primer reloj que midiese el tiempo del desierto. El cuadro me era conocido, porque su insolente sencillez me permitía analizarlo, incluso deleitarme en el elemental juego de los colores, que patentizaban, simultáneamente, la impericia y el talento de su autor. Al despertar, había cambiado la luz de ese astro artesano. Y es que su modelo, abalanzando luminosidad por el hueco de una ventana, de la sala de Arte Primitivo, incendiaba de matices la granulienta superficie, corregía la impotencia del pintor y, con esa impudicia de lo natural, privaba de sentido al paisaje de dunas. Disminuido yo también, tardé en comprender. De pronto, me puse en pie, corrí alrededor de la sala, escapé por un pasillo, atisbé por una lucerna, descendí a la planta inmediata, anduve girando sobre mí mismo, quizá grité. Era pleno día y el Museo estaba vacío.

¿Clausurado por vacaciones? ¿A causa de una huelga de los empleados? Existen situaciones específicas, que invalidan todas las justificaciones razonables, en igual medida que la razón rechaza, cuando domina ella, las leyes de la sinrazón. Repito, nunca me han gustado los museos, pero nunca tampoco me había encontrado atrapado en un museo vacío y la primera sensación —lo aseguro—, que nos estremece, es la certidumbre de que la ciudad ha desaparecido. Algo en el estilo de la isla desierta y, sin embargo, absolutamente asfixiante. Mi primera decisión —puede que todavía transcurriese la mañana, ese tiempo para las decisiones— fue negarme a regresar a la sala de Arte Primitivo. En la confluencia de ambos astros sobre las dunas y la lanza enhiesta intuía yo la explicación de la soledad del Museo. Ahora subrepticiamente, más como un prisionero en un intento de fuga que como un cazador furtivo, recorrí varias salas y galerías, desmesuradas, fijadas en un enigma apacible, desprovistas de aquel embriagante aroma habitual. He de confesar que una exaltación, impropia de mis achaques y de mi edad, me dominaba, un vértigo de prepotencia, que coexistía con el asombro, la incomodidad, el miedo. La verdad, sólo miraba al suelo.

Cuando penetré en la Gran Galería de los Maestros, alcé la vista. Quizá fuese mediodía. Uno u otro sol habría absorbido a su contrario y la luz chorreaba no sobre las telas, sino sobre la frágil trama que ella misma babeaba. Mis ojos no alcanzaron a divisar los extremos de la Gran Galería. Sobre mi cabeza, la cristalera abovedada refulgía cruelmente. Me apoyé contra un muro. En el inmenso territorio persistía aquel remedo de eternidad, aquella nada de un sarcasmo mortífero. Y, paulatinamente, un suspiro se propagó.

Las figuras comenzaron a desprenderse de las superficies coloreadas. En silencio, desde los cuadros más altos a los más bajos, descolgándose, toda imagen de ser vivo recuperó ese movimiento que, en alguna época lejana, debió de tener y, en muy poco tiempo, los huecos en blanco infectaban, como una lepra —diseminados en los paisajes, absolutos en los retratos—, aquellas composiciones seculares. ¿Recuerda alguien la manera viscosa en que una figura abandona el cuadro y se desplaza por el espacio tridimensional? Ante todo, sucede que las diferencias de perspectiva provocan una aberrante diversidad de tamaños. Y, luego, ese lentísimo y constante desplazamiento, sin rozar el pavimento, circulando incesantemente, originando la gesticulación. Entre ellos —monarcas, caballos enanos, superlativos perros, mínimas damas, desbordantes carnes de odaliscas, arrugados campesinos, ranas, hileras de soldados, ciervos y jabalíes, rodantes manzanas, diosas, faunos trotones, ¡centauros!, alcabaleros, una sirvienta entregando una carta a una rubicunda a la espineta—, menos amenazantes que en su plana existencia de las superficies, pero intimidatorios y sagaces, entre aquella muchedumbre silente, esperé horas y horas —temiendo siempre un roce, una caricia— la inevitable aparición de ella, yerta sobre las tinieblas. Olía a telas ajadas, a cueros, a metales enmohecidos, a esos andrajos de la púrpura y del damasco, que únicamente el hedor de los animales anulaba, a veces. Aplastado contra el muro, aguardando incesantemente la proximidad de una mano —o de una garra—, aspirando el breve viento que las alas de las águilas movían, oraba por una repentina caída de la luz, que los aniquilase, por el buen sueño, por esa aparición de un cadáver —no apareció— que los dispersase, cuando ante mí, colgado de la pared, se detenían, me contemplaban, sonreían como necios, parecían susurrar la satisfacción —o el regocijo— que les causaba aquella quieta figura de un anciano de ojos silvestres e insomnes.

Mientras (de nuevo en el mundo de las ratas insaciables) giran las ruedas sobre los carriles, mientras este tren me conduce a una ciudad desconocida (y acongojadamente confío que no sea, una vez más, la ciudad del Museo), en tanto voy royendo un mendrugo, me pregunto por cuáles grietas del tiempo logra siempre el pasado infiltrarse, para desbaratarnos, y sueño que duermo y duermo y duermo, sin más cuidado que no despertar.

Nunca más viajaremos a las Islas

> Ya no había isla para dormir en toda la vieja tierra, ni amigos ni mujeres para acompañarse.
>
> JUAN CARLOS ONETTI

Una combinación de largojuán, Wolfgang Amadeus y anticiclón de las Azores, en dosis convenientemente desmesuradas, con un fondo de vaporosa promesa de felicidad nocturna, y ¿qué mejor Eldorado?, ¿qué más incitante carrera de Indias?, digo yo, ¿qué mayor dádiva para un tipo cuya diferencia del cerdo —si alguna había— radicaba sólo en la higiene moral del marrano? Por lo que troté a encoloniarme. (Hora: las de la tarde mediada.)

Un doble roce de mejilla sobre mejilla, unos segundos de mutua contemplación, motivada más por histrionismo que por la necesidad de reconocimiento, y en ruta a la habitación adjudicada, cargando el pobre cerdo con maleta, maletín y bolso de viaje, mientras ya Adminículo abría ventanas, se asomaba al espejo, husmeaba el rancio polvo, acariciaba la colcha e interrumpía su parloteo, porque el puerco maletero le estaba anunciando:

—Bueno —le anuncié—, tendremos algún que otro invitado.

—¿La sabia piernilarga? —quiso cerciorarse Adminículo, y lo preguntó como distraída por la súbita preocupación de quien no recuerda si incluyó en el equipaje su mejor vestido.

—No, ésa no —le aclaré generosamente—. En todo caso, cenaremos sin etiqueta alguna.

—¿Y si no es ésa...?

—Quizá sea ésa —concedí—. Reconoce que no puede resultarme fácil dirigir tus pensamientos.

—Ahí te dolió —disparó, rauda, Adminículo.

Quien, vuelta a la máscara de su ser, deshacía maletas, correteaba, se adueñaba de los espacios, mientras yo salía, más diligente de lo normal, a infundir el té y estructurar la pâtisserie. (Hora: la del té un poco anticipado.)

(Hora: la de la agonía del crepúsculo.)

—He oído comentar —recomentó Viernes— que se encrespó de tal manera el cotarro que nunca más volveremos a las Islas.

—Mira, sabia —le recordé—, y eso que tú nunca estuviste.

—Abandona esos posos de alcohol y cenizas, que te ponen amarilla la memoria, y recuerda cuando llegamos.

—Llegué de noche. Llovía. ¡Qué gente tan poco apercibida para esperar bajo la lluvia! Mis piernas, y fíjate que aún no me había afectado aquel aire de barro, se pusieron a temblar, como se tiembla antes, unos instantes antes de comenzar a temblar.

—¿Las piernas?

—Y las otras vísceras. Luego aspiré y, desde entonces, tanto me metí aquello en las glándulas nasales, que huelo siempre que quiero.

—Quiere.

Olí. Viernes se levantó y vino a comprobar que no hacía yo trampa. Cumplida la inspección, se diría que satisfecha, se apartó un trecho, pero no se tendió de nuevo, probablemente para que pareciese un discurso, sin pistolas, su discurso; que fue el siguiente:

Viernes (con convicción): ¡Volveremos!

—Viajaremos, se dice. Pero no, aunque volvamos.

Precavida, Adminículo, de túnica alba, clausuró la persianería. Para que no oyesen los grillos; fundamentalmente, por si, de verdad, nos escapábamos antes de la cena a las Islas.

—Islas de Juan Fernández... —entonó, zarzuelera, casi desmadrada ya, y el porcino de mí, a aquellas horas, no había sugerido todavía que nos quedásemos de náufragos.

—¿Sería mucho pedir que la una a la otra le ayudase a extender los manteles?

—Bebed, hermosos, bebed —nos indujo, anafórica, Adminículo, que, entre paréntesis, disfrutaba de un ánimo soterradamente isleño—. Y mentid lo que no tuvisteis tiempo de mentir en las últimas dos horas con tanto insular el ambiente.

—Te está pidiendo un boca a boca —dijo con la suya Viernes.

—Ni en sueño —replicó Adminículo, abusando de su fonemática persuasión de gruesos labiazos.

—Rica, cuando te pones de tierra adentro... ¿Quieres seguir tú, terrorista de pacotilla? —inquirió de mí, que, olvidado de mis torpes designios, seguir era lo único que anhelaba—. Ibamos por descripción de las Islas.

—Gracias. A todos, en alguna ocasión difícil, nos purificó el cuatro de tecla y ripieno del como von tapia. Pues bien, las Islas, que casi no tienen norte, se aclaran a levante con esa Desbordada Belleza del otro tres, la trompa de concertino.

—Del niñito sujeto a las faldas de papá Leopoldo —aclaró Viernes.

Adminículo, dispuesta a toda función, sin excluir la eficacia, voló a resucitar el mentado 447 (o 495, o 417, o 412) del kolosal katálogo del keñor K. y encallamos, a la escucha, ¡ké karajo y kómo no!, si éramos los dos únicos continentales auténticos de aquel tríptico improvisado (por mi parte, desde hacía tres semanas), Viernes tal cual que en su patria, que lo era, y Adminículo, cuando la repercibí a la altura de los más sabios fraseos intermedios, a punto de lágrima contenida, sigilosísima, como quien, habiendo hecho rodar la armonía, se ha sentado en el borde del butacón con el borde de las nalgas y llora como una comemierda la nación que no supo conservar como mujer, por esa isleta de la que no se habla, a la que se integra, por la que no se firma, en la que no se goza, y encima Adminículo (realmente, es que se cuenta y no se cree), hija (hija, no nieta) de dos congos, justificación de todo sollozo (sollozaba ya por los postreros surcos), pobre Admi, jamás tan esclava que en aquella instantánea por ella provocada, rangée en el borde de la Kultura y en el filo del butacón. (Hora: unos minutos antes del infierno.) Y Viernes, esquiando por la Moldavia.

—Al Sur, como todo es Sur, limita ilimitadamente con el archipiélago de las Ninfas.

—Ese rumbo lo tomó usted a trasmano, mi grumete —se carajeó Adminículo, más entonada con la noche a medida que ambas transcurrían—. Al Sur, el archipiélago de la Desolación.

—Las Desoladas quedan más abajo, justo allá por el caminito, las hojas muertas y en plenas caderas de Carmen Miranda.

—¡Cómo se me conoce usted, mi almirante, la mar océana! —decidió vitorear Viernes, que adivinó mi necesidad de estímulo.

Así que, estimulado, propuse a mis damas:

—Chicas, habréis ya intuido el objeto de mi convocatoria, a pesar de vuestro recelo por el teatro de aficionados. No negadme vuestra complicidad, ahora que me llegó la edad de no volver a bajar el telón. ¿Aceptado?

Peor que el silencio, sus sonrisas. Peor que sus muecas risueñas, imaginar los futuros diez años, día a día, insomnio a insomnio. Peor que no poder imaginar lo que no existe es sentir lo que no puede imaginarse. Y lo sentía. (Hora: la del crepitar de las llamas.)

—Ni pareces bien nacido —logró arrancarse Adminículo—. Ya ni lo aparentas, cerdito desdentado.

—¿Y al Oeste? —prosiguió Viernes, asiéndose a un madero.

—¿Dónde? —pregunté, momentáneamente por las estepas.

—En las Islas.

—Al Oeste, la libertad. ¿Sois capaces aún de recordarla? Esa conformidad de la piel con la armazón ósea, que denota la ausencia del miedo, aquel suplemento de virilidad y su correlato de descuido, aquella solemnidad jocosa, aquel agradecimiento cotidiano a los muertos por tardes semejantes, aquel crepúsculo de bombillas ciegas, aquella playa, aquella cervezota alcoholizada en la playa. ¡Madre!, nunca volveremos a interpretar una comedia tan bella. Y con tanta sinceridad.

—Por defender la libertad golfa.

—¿Yo? —preguntó Viernes, dándose por aludida.

—No —aclaró Adminículo, toda ella noche ya y su túnica por luna.

—¿Las Islas?

—Pero ¿de qué islas habláis vosotras, capitanas?

—Él...

—Acabáramos —exclamó Viernes, cuando Adminículo empezaba.

—... es la golfa; él, que defendió la libertad, después de haberla gozado y sin conocerla, y tanto se apresuró a defenderla que la estranguló. Como a mí —añadió, desdemónica.

—Yo a lo mejor estoy estorbando —pareció que había dicho Viernes, y es que lo había pensado tan alto que sonó.

—¡Eso es la libertad! —rugí—. Aquello que se extravía —definí, inspiradísimo— para no perderlo. Lo que se atesora para el siglo de mañana. No caigamos más en la tentación de existir y, por eso, os ruego a vosotras, Viernes, Adminículo, Islas mías, que aceptéis los papeles. Yo seré el director.

(Hora: de 5,10 a 6,20.)

Ni rastro del corrosivo perfume a caimán de Viernes, evaporada la fantasmal túnica de Adminículo, ese divino don de la suspensión emocional se licuaba en las botellas, en los acordes, derramaba los primeros ácidos del recuerdo (cuando las decisiones se confundieron con el futuro), anticipaba el primer sabor del desconsuelo. ¿Quién más desdichado que el desguarnecido de una malevolencia que los demás (las demás) han transmutado en necedad? ¿Quién más inerme que aquél (yo) que, confundiendo la nefasta clarividencia con la estrategia, olvida las órbitas de las mentes ajenas, cataloga un eclipse como un maremoto? ¿Y qué desgracia más inabarcable cuando, además, suena la campanilla de la entrada, añadiendo al dolor la inoportunidad? Era el dueño del hotel.

—Llegaron con escasa diferencia de tiempo y ambas con maletas que mordían ropas, suplicantes ambas de un techo, una hamaca, la mesa de billar, la yacija de la servidumbre, para convertirse simultáneamente, al comunicarles que el hotel estaba vacío, en dos altivas figuras, arrogantes y perentorias. Ninguna suite le pareció bastante a la una, tampoco a la otra; una y otra obligaron a abrir el bar, a calentar las cocinas, a desempolvar los horarios del ferrocarril y Mrs. Viernes puso en actividad la lavandería para remendar unos jirones, que únicamente usted pudo causarle. Ni en la semana de los conspiradores, ni cuando la convención de los bandoleros, ni siquiera en los días de los peregrinos a Katmandú, que hubimos de despiojar los divanes, nunca el hotel fue sometido a tanta prueba. Vencidas, al fin, por el sueño, antes de que pudiese registrar sus efectos (como usted, tartajoso pero concluyente, me había ordenado por teléfono), estallaron, al unísono, los timbres y, acto seguido, descendieron, hicieron descender sus equipajes, abonaron los gastos y, montando en el cabriolé, azuzaron al caballo, dormido aún, aquejado probablemente de peste caballar. Y ahora, señor, ¿qué hacer, dónde encontrarlas, cómo exponerse por estas nieblas del alba y en qué vehículo? Máxime, que está usted aún más derruido que cuando telefoneó a la medianoche.

—Inútilmente maquillado sólo.

El caballo pastaba en los rosales, liberado de la flexible carga del cabriolé, y Adminículo, boca abajo, y Viernes, boca arriba, dormían en la cochera sobre un tapiz de heno podrido. Entonces (8 h. 45 m.) supe, con esa desgana de los augurios sorpresivamente realizados, que mi designio se había cumplido. De modo que logré alcanzar la cama, desmoronarme y despertar ahora, cuando, con el sol en lo alto, el chasquido de las placas partidas contra las rótulas ha terminado de astillar mi sueño y me ha conducido —paso a paso, a causa de los grilletes— al desván, en el que ambas —tía y sobrina— tajan discos incesantemente, arrojan las dos mitades por el ventanuco al patio trasero y allí, rociando con licor el creciente erizo de bakelita embetunada, el dueño del hotel, a quien han encadenado por el tobillo a una columna, acondiciona la inminente pira de cadencias, largos, adagios, voces. ¿Quién es Viernes, quién Adminículo, de esas dos mujeres enturbantadas, embatadas, empantufladas, de esas dos idénticas furias, indistinguibles en su maníaca destrucción?

—Despertarán al señor, despertarán al señor, despertarán... —se oye aullar en el patio.

Y lo cierto es que, aun soñoliento, desasosiega admitir que ayer mismo conjurase yo la presencia de esas dos arpías, que han tomado posesión de mi hogar y lo están limpiando de tierras prometidas, arenas espumosas, cadáveres de ébano, carátulas y palmeras, para erigir sobre la música incendiada y junto al mausoleo de la revolución (¿o de la soledad?) una nueva decoración para una vida nueva.

El día que Castellet descubrió a los Novísimos o Las Postrimerías

No un fin de semana regido por una concreta ocupación —u obsesión—, sino uno de esos fines de semana agusanados de cosmogonía y roídos por la abstracción era el futuro próximo que a J^0 se le presentaba. Pero también para J^4 (con quien J^0 creía haber hablado a media tarde) semejante aridez componía su programa vital. Y, desde luego, para $J^{\$}$ y su nueva chica —negra—, y para J^2, seres todos ellos (a la nueva chica de $J^{\$}$, en verdad, J^0 apenas la conocía) se diría que condenados a arrastrarse los fines de semana por las fosas oceánicas de la esencia a la espera de sacar cabeza los lunes, si es que los lunes hay ciudadano capaz de emerger. Razón suficiente (la de la inmersión) para que J^0 hubiese optado por dejarse caer por allí, con la esperanza de que le servirían esa copa previa a la cena de cuando uno ha decidido —sigilosamente— no cenar.

—Explícamelo —pidió Miriam, mientras le preparaba whisky tal, que J^0, entre cuyas defensas no se contabilizaba la ingratitud, pensó que le explicaría hasta las heces de su personalidad—, porque yo no entiendo que se te pasen los cuatro primeros días de la semana preparándote para escribir durante los tres últimos días de la semana, y luego los tres últimos días de la semana reposando para poder escribir la semana siguiente.

—No es fácil de explicar, querida Miriam —contestó J^0, honrado de naturaleza.

—Por ejemplo —ejemplificó Miriam, que no solía escuchar al prójimo—, ahí tienes a Jotacuatro que publica dos libros por año.

—O más —quiso precisar J^0, pero permaneció silencioso, absorto en el cálculo, mediante el sistema métrico decimal, de la estremecedora distancia entre los coturnos de Miriam y el borde de su microfalda.

—O el mismo Jotaseis, con sus artículos, sus panfletos, sus guiones y sus poesías. Si es que hace poesías, que nunca recuerdo cuál de vosotros es el que las hace. No me mires las piernas hasta que venga algún otro.

J^0 cerró mansamente los ojos y preguntó:

—¿A quién esperas?

—Espero que menos de diez, porque he preparado sólo cena para diez.

—¿Por qué te has molestado, mujer? —dijo, por el placer de oírse frases hechas, J^0.

—Jotados y Rufa han avisado, lo que quiere decir que seguro Jotacuatro, que no se separa últimamente de Jotados y de Rufa. Y La Lola del Montseny. Y Jotadólares...

—Por cierto...

—... que es tan divino y luego me manda rosas, si se porta mal.

—... esa chica nueva de Jotadólares, la...

—Y Jotaocho, que se está enamorando de mí desde el martes. De menú, gachas cabreras y lubina grillée. De modo que ya lo sabes, por si no te gusta. Y déjame que vaya a maquillarme, que repugno.

Cuando J^0 abrió los ojos, el salón estaba vacío. Más allá de la terraza, algo, que J^0 clasificó, para no complicarse astronómicamente la velada, como el lucero vespertino, comenzaba a lucir, anunciando los encuentros, el pleno, las conversaciones encabalgadas, a la chica nueva de $J^{\$}$, alguna riña o alguna pasión, presagiando las tinieblas y el consiguiente terror a los luceros del alba. J^0 se deleitó a sí mismo imaginándose con intrepidez suficiente para una huida, muy cobarde, a una tétrica sesión cinematográfica, adobada de cuantiosas y tétricas patatas fritas a la inglesa. Y entonces sonó el teléfono.

El timbre del teléfono obligó a Miriam a enjugarse las lágrimas por el procedimiento de tragárselas. Miriam, que ninguna necesidad experimentaba de embadurnarse el rostro, había abandonado a J^0 en el salón y se había retirado a su boudoir con el fin de sollozar un rato en soledad, antes de que los Jotas y las chicas invadiesen el apartamento, aquel cuartel general (o, según hora y demás circunstancias, cuartel de invierno, balneario, cenobio, restaurante, gabinete psiquiátrico), que era su casa, ya que ella recibía bien y, respecto a las chicas, a ninguna les provocaba mayor inquietud o rivalidad por su probada celeridad en cambiar de amante. Llorando, pues, ante el espejo y a ojos desorbitados, con complacencia y también con el presentimiento de que la noche que se les venía encima no habría de ser normal, Miriam se tragó las lágrimas y acudió a la llamada.

J^0 se hallaba junto al chisme, como calculando en qué instante resultaría discreto levantar el auricular. Cuando Miriam descolgó, sonó el carillón y, conforme le participaba la telefonista que conferencia de París, le ordenó ella a J^0 que fuese abriendo la puerta.

—Pero ¿quién de París? —preguntó, remolón J^0.

—Parece que Georges Dupont —informó Miriam, cuyo ceño fruncido denotaba esa concentración mental de quien se dispone a arrancar en lengua foránea—. ¡Ah, hola, Paulette!, ¿cómo andáis por ahí?

El carillón insistió.

—Pásamela, que quiero hablar con ella —solicitó J^0.

—Bien... Bien... Estupendamente... ¡Oh!... Espero que no sea grave... —Miriam, sin tapar la rejilla del auricular, preguntó a J^0—: Veux-tu ouvrir, espèce de salaud?!

Al retumbar el tercer carillonazo, J^0 dio entrada a Rufa, a J^2 y a J^4, a los que en el mismo vestíbulo informó de que Miriam parlamentaba, en madrileño, con Paulette Dupont y sobre asuntos de extrema gravedad.

—Eso es que ha decidido abandonar a Georges —dictaminó J^4, especialista en hecatombes conyugales.

—Hijo, quién lo diría... —dijo Rufa, precipitándose hacia el salón.

—Tú, bonita, ni preocuparte, ¿entiendes?... Ni la más mínima preocupación... Aquí nos tienes a nosotros... Espera que encuentre el bolígrafo y tome nota...

—Telefonea desde París —creyó conveniente J^2 aclarar a J^0, en el momento en que volvía a sonar el carillón de la puerta.

—En francés, que te será más cómodo... Tú, cielo, dímelo en francés...

J^0, aunque sin chaleco de mayordomo, abandonó el salón, recorrió el pasillo, atravesó el vestíbulo y abrió a J^8, que penetró vestido por entero de tejidos manchesterianos e interesándose por la anfitriona.

—Está hablando con Paulette, que se ha separado de Georges Dupont y llega en el tren de la mañana.

—La iré a esperar yo, que soy el único que tiene un coche presentable —anunció J^8, camino del salón.

Desde el umbral, antes de regresar al vestíbulo, donde campanilleaba de nuevo el carillón, J^0 vislumbró a Miriam, rodeada de sus invitados y anotando la hora de llegada de Paulette.

La Lola del Montseny, toda de azul, se despojó de sus pieles azules, de sus guantes azules y de su bolso azul, y, fijando sus azules ojos en los azabachados y diminutos de J^0, le exigió audiencia inmediata.

—Es que Miriam está hablando con Paulette Du...

—Escucha, plumífero; no estoy dispuesta a tenerme que ir yo sola a las tantas y que no me arranque el motor y a pelearme con todos los ligones borrachos del barrio, y que me tenga que defender un sereno, y luego acostarme de día sobria, caliente y asqueada. Así que a las doce en punto dejas el vaso, te encuentres como te encuentres, y me llevas a mi casa.

—De acuerdo, Cenicienta —asintió J^0, impaciente por regresar al salón.

Donde La Lola de Montseny preguntó, al pisar la primera alfombra persa, con quien hablaba Miriam, justo en el momento en que pasaba a usufructuar J^8 el auricular y Rufa, J^2 y J^4 se arremolinaban en torno a Miriam, para leer la pregunta que la tal había anotado, en traducción castellana, y que, después de que J^2, Rufa, J^4 y La Lola del Montseny hubiesen conferenciado sucesiva y pajareramente con Paulette, J^0 pudo leer y rezaba así:

«¿Qué día descubrió Castellet a los Novísimos?»

—No lo sé —dijo J^0.

Y estuvo a punto de preguntárselo, nada más abrir (puesto que había vuelto a tañer el carillón), a quien suponía $J^{\$}$ y su chica negra, pero que resultó ser una anciana, con una pamela impropia de su edad, en busca de una timba con fines benéficos. J^0, tras haber ayudado a la vieja a encontrar la puerta del garito, expulsó del vestíbulo, donde ya se había colado, a una gata, frágil y morena. Cuando, por fin, logró recuperar su whisky, el salón hervía de decisiones.

—Pero ¿se han separado o se han reconciliado? —preguntaba La Lola del Montseny, rememorando quizá coqueteos del último verano con Georges Dupont.

—¡¿Separado?! —gritó Miriam—. ¡¿Separado, y son la pareja más unida que conocemos?!

—Eso no es mucho decir, hija —masculló La Lola del Montseny, acoquinada.

—Siempre he mantenido que, en todas las partes del mundo, lo que buscan es idiotizar a las criaturas —dictaminó J^2, sin perdonar ocasión de subvertir oralmente la Institución—. ¿Quiere alguien aclararme qué pretenden planteándole semejante pregunta a una niña de cinco años?

—De cuatro —rectificó Rufa—. Pero valiente niña...

Un silencio espeso, aprovechado para reponer líquidos, se abatió sobre los allí reunidos. Desde la terraza llegó, con un soplo de brisa, un olor a noche incipiente. Rufa y J^2 habían decidido acurrucarse en brazos la una del otro, lo que hacía avanzar el tiempo a una hora, que no era, y a unas cantidades, que nadie había aún consumido. J^8 suspiró y el aroma de noche temprana fue sustituido por un penetrante hedor a lavanda y a brezos. El silencio, pensó J^0, comenzaba a ser de novela de las Brontë.

—Peor sería —dijo J^0— que la niña de los Dupont quisiese ser Emily Brontë.

—Mira qué majo —arguyó La Lola de Montseny—. Y mucho más horrendo si intentase ser Gabriela Mistral.

—Estoy seguro —afirmó J^4, famoso por su incertidumbre inveterada— que esa literaria criatura, que acabará con toda su familia de seguir así, es la pura reencarnación de doña Emilia Pardo, una de las hembras que a mí más miedo me ha dado siempre.

—Ya empezamos... —empezó Rufa—. Escucha, Jotacuatro, deja en paz a las antepasadas y tengamos nosotros también la fiesta machista en paz. Más catastrófico es su hermano La Foudre. La niña Dupont lo que quiere es ser Gustave Flaubert y sólo Gustave Flaubert. Y ahí está el meollo del conflicto y la cruz que llevan encima Georges y Paulette, porque no hay duda que Gustave Flaubert era un reprimido, un cantamañanas y una desdicha.

—Sea como sea, debemos averiguar qué día fue ése y telefonearles.

—Exacto, Jotados —dijo Miriam—. Paulette me lo ha pedido y yo me he comprometido a que antes de que la pequeña entre mañana en el colegio, nosotros averiguaremos qué día descubrió a los Novísimos Castellet. Para eso —añadió Miriam, repentinamente atemorizada por la magnitud de su compromiso— sois todos escritores.

—Ahora veremos cómo sales de ésta —se regodeó La Lola del Montseny, dando fin a una ginebra con leche templada.

—Todos nos hemos responsabilizado —dijo Miriam—. Todos.

—Yo, no.

—Tú, Jotacero, también. ¿O es que serías capaz de dejar a los Dupont en la estacada?

—Que lo miren en el Larousse.

—Ya lo han mirado y no viene.

—Pues veremos, veremos, cómo sales de ésta —remachó La Lola del Montseny, a quien Miriam en faldita sumía en el abismo de la histeria—. Una cosa es agenciarles una criada extremeña a los Dupont y otra resolverle los embrollos científicos a su hija.

—Eso es verdad —dijo J^4.

—Eso es una pamema —Rufa, desprendiéndose ilesa de los brazos de J^2, corrió hacia unas estanterías, rebosantes de cerámicas—. ¿Dónde están los libros?

—Los he quitado —murmuró Miriam.

—Pero ¿dónde los has puesto?

—¡Ay, Rufa, no lo sé! Los he quitado, porque en un salón con libros todo el mundo termina por levantarse a hojear libros y bastante tengo yo con recoger vajilla, copas y ceniceros por las mañanas para, encima, tener que colocar todos los libros que habéis desordenado por la noche. Además, me deprimen; vivir entre libros es vivir entre nichos.

—O sea, que se los has vendido al trapero.

—Da lo mismo —pasteleó J^4—. Jotadólares lo sabrá.

—Por cierto —comentó J^0—, hace tiempo que no se ve a esa chica coloreada, que Jotadólares exhibe en sociedad.

—Los he puesto en el cuarto de los trastos.

—Ven conmigo, Jotacero —mandó, coquetuela y sargentaza, Rufa.

—En el Diccionario de la Academia no lo van a encontrar —pronosticó J^8, al abandonar Rufa y J^0 el salón— porque la última edición es anterior a lo de los Novísimos y, además, el de la Academia no se ocupa de esos asuntos.

—Tendrían que hacer uno un poco enciclopédico y un poco consuetudinario —propuso J^4—. Tú, Jotaocho, que te codeas con tanto personaje influyente, deberías sugerirles que lo hiciesen y en fascículos encuadernables.

—Yo he oído —comunicó La Lola del Montseny— que en la Academia hay un fichero o algo así, secreto, pero que muy secretísimo, donde está todo el mundo fichado. Quizá ahí venga lo de ese día que necesita averiguar la niña Dupont.

—Lo único que puedo recordar de ese condenado día es que llovió mucho —matizó J^8.

—¿Quién te ha contado a ti lo del fichero secreto, rica? —preguntó Miriam hacia el espacio nimbado de azul, que ocupaban La Lola del Montseny, sus azulados pechos y sus prominentes pómulos azules.

—¿Llovió?

—Me enteré la tarde de la recepción de doña María Moliner, para que te enteres tú, hermosa —respondió adecuadamente La Lola del Montseny—. Lo tienen en una cámara acorazada, en los sótanos.

—¿Queréis dejarnos hablar a nosotros? —preguntó J^2—. No recuerdo que lloviese.

—Yo, sí —dijo J^4.

—Te das cuenta, ¿eh? —dijo J^8—. Llovía torrencialmente, como el día de la muerte de Carlos Riba, que parecía el fin del mundo.

—El día del fin del mundo no llovió —dijo J^2—, fue el día del diluvio universal.

—Pues llovía —insistió J^8— y nosotros estábamos tan felices, como solíamos estar por aquellos años, que daba gusto...

—¡Cómo nos solazábamos...! —añoró J^4—. Ni nos dábamos cuenta de en qué país vivíamos...

—... y era una auténtica delicia, todo era delicioso, hasta la censura aquélla tan censuradora, y te repito, Jotados, llovía, pero seguimos debajo de los toldos y alguien vino y dijo que la radio acababa de revelar que Castellet había descubierto unos Novísimos, los primeros.

—Sinceramente —confesó J^2—, no puedo recordar que aquel día lloviese. Y me extraña que la radio diese la noticia. No es el tipo de noticias que daba la radio en aquella época.

Sin que nadie hubiera advertido su llegada, como caídos del Olimpo, aparecieron en el salón, precedidos por J^0, que sonreía enconadamente, $J^{\$}$ y Adminículo. J^0, después de servirle una copa a Adminículo, hubo de salir a la terraza a respirar. Allí, suspirante, recibió J^0 la compañía de Miriam.

—¿Sigue buscando ésa?

—Sí, Rufa sigue buscando.

—A ésa le encanta revolver las casas ajenas.

—Mujer... Hay que averiguar en qué fecha fueron descubiertos los Novísimos. Rufa lo hace de buena fe.

—No seas pánfilo, Jotacero.

—Trato de no serlo, Miriam, pero es dificilísimo.

—Ya lo entiendo, no creas. ¿Tanto te gusta, cuitado, esa conquista despampanante?

—Más que tú.

—Es mucha mujer para ti, Jotacero.

—¿Por qué la tiene que llevar a todas partes?

—Para que sufras, cariño. Pero yo que tú no sufriría.

—Se dice pronto, Miriam querida... La veo y quisiera que Jotadólares se muriese.

—Se morirá.

—Gracias, guapa.

—Cuando queráis cenar, lo decís y preparo las gachas.

Dentro, en el volumen de luz y humo al que Miriam había retornado, se oía a $J^{\$}$ corroborar las hipótesis de la Lola del Montseny referentes al fichero. En el futuro, si ahora no lo confiaba a la memoria y anotaba los datos pertinentes, J^0 escribiría el relato —a modo de apólogo— de los acontecimientos de aquella noche, que finalizarían con la chica de $J^{\$}$ y él, al fin, solos. Y para entonces J^0 estaba seguro de que sabría describir el terciopelo suavísimo de la piel de Adminículo, siempre unida a la suya —en la ficción—. A J^0, mientras tanto, le sabía la boca a caña de azúcar, pero como si tuviese la caña atravesada en la garganta. La risa de Rufa sonó a cristalería rota y la voz de $J^{\$}$, en el laberinto de las otras voces repentinamente jubilosas, convocaba a J^0 a la empresa común.

—Querido Jotacero, debemos organizarnos o esa niña entrará mañana en el liceo sin los deberes hechos —expuso $J^{\$}$, mientras Adminículo, trazando pequeños círculos con la cerilla, humaba un habano—. Han resultado inútiles nuestros esfuerzos. Algunos recuerdan que llovía y que fue aquélla una jornada preñada de acontecimientos, que entonces nos parecieron nimios, pero que, con el tiempo, se adveraron decisivos —con sus enjundiosos labiazos en morrito, húmedos y succionadores, Adminículo prendía el habano—. Nuestra Lola del Montseny pretende hacernos creer que uno de los Novísimos forcejeó salazmente con ella y ya no recuerda más. Rufa cree recordar que Jotacuatro estaba ebrio, lo cual no es mucho —Adminículo le pasó el habano encendido a $J^{\$}$—, y nuestra particular Milena...

—Miriam me llamo —dijo Miriam— y no Milena, coñe.

—A propósito —propuso J^2—, ¿alguien sabe el teléfono de Max Brod?

—¿Qué necedad se te ha ocurrido ahora? —preguntó $J^{\$}$.

—Por si hay precedentes. La literatura, como la burocracia, es una cuestión de precedentes.

—Y nuestra particular Felice —prosiguió $J^{\$}$, tan parsimonioso como inmune a las interrupciones— insiste en que nos encontrábamos fuera de la ciudad cuando, a saber en qué laboratorio o en qué praderío, los Novísimos fueron hallados por vez primera. Mientras tú jadeabas en la terraza, hemos consultado la parva bibliografía de que se dispone en esta casa y hemos realizado varias llamadas de consulta. Nadie sabe nada y, lo que me alarma más, a nadie parece importarle carajo la investigación. No obstante, hemos conseguido comprobar que, efectivamente, en la Academia se custodian documentos secretos y alguien de la Escuela Meridional nos ha sugerido, a *grosso modo,* el Archivo de Indias. Jotacinco, Jotanueve y la Ramera Ilustrada se han movilizado con innegable entusiasmo. Como también hay que cenar, se acordó...

—Has acordado tú —puntualizó La Lola del Montseny.

—... que Jotados y Jotaocho emprenderán en seguida el asalto a la Academia, provistos de sopletes oxiacetilénicos para la apertura de la cámara acorazada. Simultáneamente y previa reserva de los pasajes, Miriam, Jotacuatro y yo volaremos a la ciudad del Archivo, donde ya ha empezado a examinar infolios una patrulla de la Escuela Meridional. Rufa, La Lola del Montseny y Adminículo permanecerán aquí con la doble misión de controlar las comunicaciones y operar, llegado el caso, como fuerzas de refresco. Tú harás la cena. Por tanto, ¡en marcha!

—Pido la palabra.

—No nos entretengas, Jotacero.

—Una previa cautela de procedimiento, Jotadólares. Miriam, ¿trasladaste correctamente y exclusivamente en sus términos la pregunta escolar?

Con ejemplar hostilidad, le amonestó Miriam:

—Tú limítate a no olvidar la composición del menú.

—Gachas y lubina —recordó J^0—. Por si se alarga lo del asalto, ¿no os convendría llevar una cantimplora con whisky?

—¡Meritísima ocurrencia! —aplaudió J^2, corriendo a avituallarse.

—Amores míos, considerad que aquí quedamos nosotras pendientes de vuestra suerte —proclamó La Lola del Montseny, sin ceñirse en una enseña, ni blandir antorcha—. Ahora, eso sí, tampoco nos tengáis toda la noche con el teléfono en vilo.

—Vosotras, tranquilas —la sosegó $J^\$$—. El asunto se muestra endemoniadamente complicado, algo del estilo de averiguar el día en que uno ha de acabar y ser juzgado. Pero cumpliremos la misión y que se nos tenga en cuenta.

—Jotadós, corazón —dijo Rufa, arremetiendo hacia los brazos de su amado, con riesgo de derramar la cantimplora en la que éste cataba las provisiones—, sólo te pido una cosa: ¡Cuídate mucho!

Por fin, la doble columna salió de estampida en dos viajes de ascensor; Rufa opinó que era llegada la ocasión de retornar los libros a las estanterías y J^0, ocupando la cocina, cambió su jersey por un mandil y se dispuso a freír unos huevos y unas morcillas.

—En el teléfono una voz de hombre derrengado pregunta por Epifania y que cuándo van a terminar. ¿Tienes tú algo que ver con semejante complicación?

—Pregúntale si doña Epifania salió con pamela en la cabeza y, de ser afirmativa la respuesta, que no se impaciente, que aún queda partida.

—Hijo, Jotacero —se maravilló La Lola del Montseny—, lo sabes todo.

Sin embargo, J^0 se sentía sumamente idiota, enfermo de intemperancia y víctima de esa irritación depresiva, que es característica de la impotencia o de la convicción de la propia e irremediable estupidez. Había ya logrado encender una llama de gas y, fascinado por el colorido del invento, decidió apagar los tubos fluorescentes, sentarse en un taburete y extraviarse por los monótonos lodazales de su imaginación. Tal recogimiento duró poco, puesto que, injuriándole a causa de las tinieblas, e iluminando impúdicamente el recinto, llegó Rufa a participarle que J^8, desde una cabina pública, notificaba haber sido quebrantadas las defensas del caserón académico. Que qué le parecía. J^0 confesó que le parecía de perlas y que no tardarían las morcillas. No obstante, se entretuvo en hacer nada, salvo ir ingiriendo algunos tragos, y al aparecer Rufa de nuevo, se sobresaltó. Los de la ciudad del Archivo de Indias, después de aterrizar en tal lugar, microfilmaban pergaminos y, aunque la felicidad que rezumaban impedía oírlos con claridad, ella —Rufa— opinaba que algo, algo decisivo, habían hallado. Antes de que Rufa regresase al puesto de comunicaciones, apareció La Lola del Montseny, inquiriendo, en primer término, a qué se debía que J^0 estuviese en mandil y con una sartén en la mano; segundo, a quién pertenecía una gata que maullaba en la terraza, y, por último, que J^9 había telefoneado para decir que ni Castellet, ni Benveniste, ni siquiera don Marcelino Menéndez, habían descubierto a los Novísimos, que a los Novísimos todavía no les había descubierto nadie.

—Jotanueve es un trostko y un abusivo —determinó Rufa.

—Pues bien simpático que resulta... —replicó La Lola del Montseny.

—Te resultará simpático a ti, La Lola del Montseny, porque es un macho, aunque yo creo que no mucho, pero no tiene ningún derecho a sabotear el esfuerzo de tantas personas soltando carajadas.

—Hija, Rufa, contigo no hay quien dialogue.

—Conmigo, maja, de lo más fácil, con tal de que no se me cite a ese santanderino, que es que no lo resisto.

—¿De quién hablas? —preguntó La Lola del Montseny, azul y bellísima.

—De don Marcelino Menéndez —aclaró, compasivo, Jotacero.

—No me suena de nada que fuese de Santander. Bueno, Jotacero, que vengas tú a echar a la gata, que a Adminículo y a mí nos dan terror las gatas, porque luego siempre están en celo o esperando y son peligrosísimas.

—¡ ¡Ni lo intentes! ! —bramó Rufa.

—Pues o la gata o yo.

—No hace nada —contemporizó J⁰—. Y, además, no puede estar en celo, teniendo en cuenta que esta noche no hay luna.

—Faltaría más... Animalito..., una gata catalana más digna de respeto que alguien que yo conozco... Como se entere Miriam, que la tutela, no vuelves a pisar esta casa La Lola del Motseny.

Rufa abandonó la cocina y La Lola del Montseny, aparentemente abatida, se sentó en el borde de una mesa. J⁰, desde el taburete, colocó la sartén en el fregadero y una mano en las azules rodillas a su alcance.

—Esto de las literaturas únicamente trae disgustos y rencillas.

—Sí, bonita, eso trae.

—Mira tú qué noche nos está dando la flaubertiana niña Dupont, cuando podíamos seguir todos juntos, aburriéndonos tan ricamente. A ti, Jotacero, que eres un ángel, ¿no te parece que tengo razón?

—Que te sobra, linda.

—Bueno, eso me lo dices ahora, porque mis rodillas te gustan de delirio.

—De delirio.

—Pero no me trates como mujer-objeto, Jotacero.

—Jamás, La Lola del Montseny, cometería yo esa descortesía.

—Por favor te lo pido, Jotacero, que no sabéis vosotros, cuando me tratáis de mujer-objeto, cuánto objeto me siento.

—Me lo imagino.

—Se me quita hasta el sueño y es como si tuviesen que sacarme brillo. Tú Jotacero, engañas, porque pareces pacífico.

—Un poco bobo.

—Desde luego, guapo. ¿Qué les autoriza a dejarte en la cocina, solísimo, mientras ellos se largan por ahí a corrérsela? No pases de las rodillas. Bobo perdido, desde luego.

—Jotadólares es un tanto mandón, ya sabes.

—Yo, te lo aseguro, porque no me interesa salir, que una se lo tiene muy vivido lo de quemar la noche de tugurio en tugurio y de cenáculo en cenáculo, pero a mí tenía que haberme dejado en la cocina...

—Tú, La Lola del Montseny, eres distinta.

—No creas, yo también soy un poquitín pacífica, Jotacero.

—¡Qué va...! Listísima eres tú, La Lola del Montseny.

—Cuando tú lo afirmas, Jotacero... ¡Ay, qué nochecita...!

—¡Un cable! —anunció Rufa—. Que el almirante trampeó y que arribarán inmediatamente.

J⁰ retiró sus manos de las azules colinas en que sesteaban, recuperó la sartén y escoltó a sus visitantes hasta el pasillo, desde donde se oía repiquetear el teléfono con frenesí. Luego, apagó el gas. Las manos le olían a playa una mañana de sol, y con dinero. Poco a poco, J⁰, mientras se adormilaba, iba siendo muy desventurado, desmesuradamente funesto, hasta el punto de que decidió poner la cabeza bajo el grifo y mudarse al salón, en parte porque comenzaba a resultar obsceno permanecer allí al acecho de la chica de $J^{\$}$, en parte porque le perturbaba que en la última hora ninguna de ellas hubiese traído noticias.

Con arreglo al elemental sistema de dejar una única lámpara encendida, habían conseguido una penumbra escalofriante. Rufa en un diván, las otras dos en unos butacones, parecían dormidas. J^{0} observó muy de cerca sus rostros relajados y se demoró sobre el de la chica de $J^{\$}$, hasta que aquella noche inmensa a la que se asomaba le provocó vértigo. Sentado en la alfombra, escuchó el ritmo alterno de las tres respiraciones y, de pronto, se descubrió dudando si en veinticuatro horas sólo habría sido capaz Castellet de descubrir a los Novísimos. La memoria se le modelaba en elásticas formas y oía, en la memoria, voces agudas, endecasílabos informulados, conceptos que fueron ideas, un rumor peculiar, olvidado desde que vivió en el seno materno, y que no era sino el rumor de la sangre fluyendo por las venas del vientre de su madre. La chica de $J^{\$}$ estaba descalza y J^{0}, arrastrándose por la alfombra, se llegó a depositar en el reverso de los dedos de su pie derecho un beso casi invisible. Se sintió mejor, con renovados bríos para seguir buceando en sus recuerdos y en provecho de la Pequeña Dupont (que un día sería mujer y disfrutaría de unas rodillas tan parabólicas como las de La Lola del Montseny, excepto que cumpliese su vocación de ser Gustave Flaubert). Algo, más que alguien, se movió en la penumbra. J^{0}, temblando, descubrió (eran como dos luciérnagas) que los ojos de la chica de $J^{\$}$ le observaban. Y, a continuación, la gata catalana saltó y se enroscó sobre la alfombra. J^{0} acarició el negro pelo de la gata y, después, le dio a oler su vaso de whisky. Brilló un efímero resplandor y J^{0} comprendió que eran los dientes de la chica, que quizá había sonreído.

—Parece una gata sabia —susurró J^{0}—. De poder decir lo que sabe, no tendría yo que estar adivinando cuando fui Novísimo, si es que lo fui alguna vez.

Adminículo se levantó del butacón y la columna de tinieblas, que era su cuerpo visto desde la alfombra, se desplazó hacia una de las botellas. Luego, acuclillada, más cerca de J^0 que de la gata, vertió en un platillo un chorrito de whisky y permaneció a la espera. La gata bufó y —J^0 lo habría jurado— escupió en el vaso de J^0; a lentos pasos, rodeó el platillo y, con ávidas lengüetadas, sorbió hasta la última gota. Adminículo, ahora con absoluta evidencia, sonrió, J^0 se puso en pie y la gata, tras una frenética danza acrobática de mueble en mueble, rompió dos cerámicas y desapareció por la terraza.

—Y encima entiende usted de felinos —se admiró J^0.

Pero la vociferante sirena telefónica, en unos segundos, iluminó la habitación, despertó a las durmientes, expulsó a Adminículo y, en palabras de J^5, participó a la retaguardia que regresaban indemnes y victoriosos, todos, incluida la Ramera Ilustrada.

—Si quieres —propuso J^0, nada más desaparecer Rufa a embellecerse— te acompaño a tu casa.

—¡¡¿Ahora?!! —rugió La Lola del Montseny—. ¡¿Precisamente ahora?! Jamás aprenderás, Jotacero, con esa birria de carácter pusilánime.

—Lo decía por lo de los fantasmas borrachos que te acosan.

—Cerdo.

—La Lola del Montseny, tú misma...

Pero J^0, abandonado por la última de las centinelas, se encontró dueño —para nada— del salón, aprendiendo en propia carne cuán poco sirve que nos gusten los seres a quienes no queremos, o Infiernos de la Incomunicabilidad, que así proyectaba, de acordarse, expresarlo en su próximo libro. Ni la gata. Por lo que, al sonar el teléfono, J^0 huyó a la carrera hasta la cocina, donde Adminículo abría latas, surtía bandejas, lustraba vasos y, haciendo la tercera voz, salmodiaba el himno de acción de gracias, que desde distintas habitaciones entonaban La Lola del Montseny y Rufa.

J^0 se refugió en el lavadero cubierto y allí, asfixiado por los aromas bestiales que en tal cubil se evaporaban, fue oyendo la llegada progresiva de los investigadores del Archivo, de los asaltantes de la Academia y de la tropa de refuerzo, a saber: la Ramera Ilustrada, J^5 y J^9, todos los cuales ocho recién venidos eran aclamados por las tres damas con las que J^0 —y sólo ahora percibía la inanidad de su noche— había pasado la noche.

No por un especial o curioso fenómeno acústico, sino por la simple potencia de las voces, J^0 quedó informado de las triunfales consecuencias de ambas expediciones. En el fondo de la banda sonora crujían papeles de seda, puesto que los expedicionarios habían traído regalos como botín, al tiempo que ya se templaban un par de guitarras y las primeras castañuelas ensayaban sus repiqueteos. J^0, sacando fuerzas de ansiedad, abandonó el lavadero y se guareció tras unas cortinas en el dormitorio de Miriam.

De los trofeos obtenidos, el más valioso, en estimación de la Ramera Ilustrada, era un codicilo dictado en la agonía por un pirata normando, quien atestiguaba la frecuencia y sencillez con que en aquellos siglos se atravesaba el Atlántico (por motivos de incompatibilidad con las Justicias europeas, mayormente), antes de que el almirante determinase tirar de la manta haciéndose el encontradizo, el sorprendido y el descubridor. Rufa apostilló que ella había sospechado ya en párvulos que —genoveses o no— de los hombres puede esperarse cualquier jactancia.

J^2 y J^8 habían copiado la lista de futuros académicos, que, convenientemente descifrada en el taxi de regreso, proporcionó la grata nueva de incluir entre los inminentes inmortales a J^4 (por grafómano, supuso J^0) y el morrocotudo portento de contar, entre los escribanos con méritos, a La Lola del Montseny (J^0 creyó desvanecerse). Sobre el bullicio prevalecía el persistente aullido de la que ya se daba por electa y recibida. Y en el instante en que J^2 se ofrecía a J^4 para escribirle el discurso de ingreso a cambio de su voto, J^0 vio penetrar en el dormitorio a la dueña del mismo, quien llegaba desvistiéndose y acabó en puro desnudo, casi acorde con lo que fue auténtico desvanecimiento de J^0.

Cuando despertó, J^0 estaba tendido en un diván del salón y el paladar le sabía a azahar y a hiel. Sobre una de las mesas, Miriam, en bata de cola, taconeaba alguna especialidad flamenca. El resto de la jarana palmeaba descompasadamente, bailaba, libaba, jipiaba o, en forma de Rufa, se acercaba a la yacija y, apartándose un manojo de claveles reventones de la frente, se interesaba por la salud del indispuesto.

—Mejorando —suspiró J^0.

—Hijo, qué susto nos has dado...

—El que me he llevado yo, Rufa.

—Miriam jura que ella no intentó hacerte nada.

—Por eso mismo. Lo estamos pasando bien, ¿verdad, Rufa?

—De convulsión, Jotacero. ¿Te sentaría otra copita de coñac?

—Quizá. En seguida me levanto y os entono unas livianas.

—Olé, Jotacero.

—Espera, Rufa. ¿Averiguaron, por fin, qué día descu brió Castellet a los Novísimos?

J^0 no sólo no captó la respuesta de Rufa, sino que, arrastrado por la vorágine, formó corro, en cuyo mágico centro Adminículo rumbeaba, alborotada y mimbreña, fuliginosa a no pedir más, mientras $J^{\$}$, de corifeo, y de bongoseros, los restantes Jotas aullaban a lo dantesco:

«Chi siete voi che contro al cieco fiume
fuggita avete la pregione etterna?»
diss'el, movendo quelle oneste piume.
«Chi v'ha guidati, o che vi fu lucerna,
uscendo fuor della profonda notte
che sempre nera fa la valle inferna?»

Temiendo otra lipotimia, J^0 se escabulló y, desde el teléfono de la cocina, esperó pacientemente a que alguien se despertase chez Dupont.

—Qu'est-ce qui répond? —preguntó J^0, cuando un ronquido respondió.

—Je suis la bonne, monsieur.

—¡Ah!, Venus Carolina Paula, disculpa que no te haya reconocido. Yo soy el señorito Jotacero. Me he atrevido a despertarte, porque se trata de algo ineludible. ¿Conoces el sitio donde guarda la Pequeña sus deberes escolares?

—Sí, claro, en el cabás.

—Pues saca del cabás el cuaderno de deberes y léeme qué pregunta le han puesto para la clase de Literatura Clásica; o Moderna, da lo mismo. ¿Lo sabrás encontrar?

—Señorito —recriminó Venus Carolina Paula—, que París la ha espabilado mucho a una...

—Rápido que está amaneciendo.

—Por aquí, aún no. Voy en un noveas y vuelvo, ¿eh?

Un silencio repentino se desbordó desde el salón y J^0 sintió que levitaba.

—Señorito...

—Dime, Venus Carolina Paula.

—Viene en francés la pregunta. Usted, señorito, ¿entiende el francés?

—Despacito, sí.

Con acento pacense, Venus Carolina Paula silabeó:

—Dans quel petit castel de la Catalogne ont-ils été amenés les monacalistes?

—¿Seguro, Venus Carolina Paula? ¿Seguro que ésa es la pregunta?

—Segurísimo de toda seguridad, señorito, que una conoce lo que se trae entre manos desde que sirve a una familia como ésta. Y, además, no hace falta que se agiten ustedes, que la niña ya escribió la contestación.

—Pero... Pero es una pregunta de Geografía Eclesiástica...

—Y tanto... ¿No sabe usted, señorito Jotacero, que a la niña la tienen prohibida la literatura por su manía de ser Gustave Flaubert? Corderita mía, ahora lleva un mes que se encuentra como más mejoradita mi Pequeña. ¿Manda usted otra cosa? Pues a seguir durmiendo. Y dele mis saludos a la señorita Rufa. Y a doña Miriam también, que se las recuerda.

—De tu parte, Venus Carolina Paula.

Al entrar J^0 en el salón, encontró una epidemia de actitudes expectantes. Determinó encender un habano y sobrecargar la tensión ambiental, pero un impulso de sus vísceras le forzó a mentir, en consideración a una turbia fraternidad.

—Fue el catorce de febrero de...

—¿Llovía?

J^0 asintió solemnemente en silencio, cerrando los ojos para mayor sacralización, de modo tal que no vio cómo se le venía encima y, cuando abrió los ojos J^0, Adminículo ya le había besado y se incorporaba al resucitado jolgorio, lo que, en principio, entristeció a J^0, ya que un beso a ciegas y sin aviso da lo mismo que proceda de la persona amada que de La Lola del Montseny, meditación que, transmutada en materia literaria, calculó en dos párrafos exiguos, o sea, media cuartilla. Pero o bien un maullido en la terraza o unas ganas de vivir escandalosas o una clarividente desgana artística (o quizá los tres fenómenos, porque en ese instante los tres se conjuntaron en una sensación de alivio) transformaron a J^0 en un tipo que está contento y que se une a unos tipos que están contentos, descuidados de apólogos y de milesios, y algo conscientes de que la noche alguna vez tendría que consumarse y, con o sin Novísimos, llegar el día en el cual todos se encontrarían definitivamente tranquilos y muy sedentarios, pero que mucho.

3. Cuentos contados

Ambrosio, el guarda de material, que se encontraba —dormitando— en la garita de vidrio junto al túnel de la Estación VI-Terminal del ferrocarril suburbano, oyó, cuando frente a él pasaban los vagones tercero y siguientes, el alarido de Julio. Las escasas personas que aguardaban en la Estación VI-Terminal corrieron, al ver correr al guarda de material. Como la entrada de aquel tren perturbaba la regularidad del servicio, el jefe de la Estación VI-Terminal comprobó la hora —unos minutos después de medianoche—. El tren se detuvo al extremo del andén y, en el silencio repentino, resonaron las carreras del guarda y de los que esperaban. El segundo alarido de Julio obligó al jefe a recordar, como si hubieran transcurrido años desde que en su somnolencia lo oyese, que había oído un grito anterior. El guarda de material se detuvo, al llegar a la cabeza del tren, y palideció. Alguien a su espalda gritó también. Julio, al otro lado de la puerta, el rostro aplastado contra el vidrio, se debatía en contorsiones histéricas. El ayudante del jefe siguió a éste, después de haber ordenado por teléfono el cierre de los accesos al ferrocarril. El guarda de material se arrancó de la contemplación, cuando la calma impuesta a sus pasos por el jefe se transformó en una precipitada carrera.

Los monos llenaban el vagón. La mayoría de ellos permanecían relativamente tranquilos, en los asientos o colgados de las barras asidero. Pero el sosiego disminuía en los monos cercanos a Julio. Entre él y los animales quedaba un espacio libre, que la amenaza de sus actitudes acortaba. Los que se hallaban en el andén oyeron golpear las puertas de los otros vagones y desviaron su atención de Julio y de los monos.

Los viajeros de los vagones segundo y siguientes reclamaban airadamente que se abrieran las puertas. El ayudante del jefe indicó a Julio que accionase la palanca de apertura. La indicación terminó por imponerse a los descontrolados nervios de Julio, y cuando maniobró la palanca y el aire comprimido silbó, el ayudante del jefe y el guarda de material le arrastraron al andén. Durante unos segundos las puertas estuvieron abiertas, mientras los monos cesaban en su algarabía y giraban las deformes cabezas hacia aquellos repentinos huecos. El ayudante preguntó a gritos si quedaba algún viajero dentro de los vagones y, sin esperar la respuesta, introdujo el brazo, accionó la palanca y retiró la mano celéreamente. Al instante de haberse vuelto a cerrar las puertas, los monos se lanzaron contra ellas.

El tren posterior pidió vía libre y el ayudante movilizó a todo el personal del ferrocarril que se encontraba en el andén, con excepción del jefe, que permanecía junto a Julio, para desenganchar el vagón de los monos y empujarlo a la zona de maniobras. En medio de estas operaciones apareció el conductor del tren, explicando que había sido vergonzosamente expulsado de su puesto en la cabina por unos monos y arrojado entre los raíles, por lo que una vez que el tren le hubo pasado por encima, allí estaba, sin que le importasen los magullamientos sufridos, sino el hecho de que aquello le hubiese sucedido precisamente a él. El jefe de estación, que trataba de apaciguar el alterado ánimo de Julio, se unió a las lamentaciones del conductor, con lo cual fueron tres empleados los que se abstuvieron de apartar el vagón de los monos a vía muerta y desviar a otra el resto de la composición.

Desaparecidos los monos en el túnel fuertemente iluminado, las personas del andén esperaron con curiosidad la entrada del tren que persistía en sus pitidos. Cuando se detuvo, se abrieron las puertas y descendieron los ocho ciudadanos que en él habían viajado, los del andén sufrieron una patente decepción, en parte compensada por la oportunidad de poner en antecedentes a los recién llegados. El ayudante regresó con el rostro sudoroso e informó al jefe que los monos quedaban en el vagón poseídos de un gozo frenético, que se negaba a describir.

Julio, que había dejado de temblar, se había puesto ahora rígido. El ayudante entró en la garita del jefe. Más allá de las luces, los chillidos crecieron.

—No sé cómo vamos a regularizar el servicio, mientras continúen gritando tan desconsideradamente —dijo el jefe de estación.

—Tendrán hambre. Es muy posible —pronosticó Ambrosio, el guarda de material— que tengan hambre. Y para calmar monos hambrientos sólo hay un remedio.

—¿Cuál?

—Darles de comer, señor jefe.

El segundo tren partió en la dirección opuesta sin viajeros. El jefe de estación hizo suya por enésima vez la queja del conductor:

—Y que sea en mi turno, precisamente en mi turno, cuando tengan que llegar esas repugnantes bestias hambrientas...

Con la mano derecha cubrió la rejilla del micrófono y le explicó a ella que dos horas antes, cuando ambos se encontraban en la fiesta, había sobrevenido un incidente en la Estación VI-Terminal del ferrocarril suburbano. Ella dejó ceder el antebrazo sobre el que se apoyaba y su cuerpo reencontró la muelle tibieza de la cama.

Su siempre ocupado esposo —en asuntos de trabajo— continuaba perorando por el teléfono y el sueño la acariciaba y se retiraba en intervalos de tiempo paulatinamente más cortos.

—Le repito que es de la competencia de la Oficina General... Lo lamento, créame que lo lamento... ¿Se ha dado aviso al señor director gerente?... Sí, claro, sí, pero mi misión se reduce a indicarle qué oficina tiene la competencia, según estatutos... No soy más que el asesor jurídico, señor mío... ¡Ah!, sobre todo que no intervenga la prensa... Inicien el expediente y yo emitiré mi dictamen... Sí, bueno, sí, ya estábamos acostados, pero... Sobre todo, que no intervengan los periodistas...

En el túnel iluminado los monos continuarían con sus chillidos, que, naturalmente, no alcanzaban hasta el dormitorio.

El presidente de la Asociación «Pro-Animales-Plantas-Minerales» anudó el cordón de su batín, encendió la lámpara, abrió la carpeta que contenía el presupuesto vigente de la Asociación y examinó las consignaciones para alimento de animales desamparados. Su hermana le trajo una taza de té. No había forma ningún año de que el presupuesto se cerrase nivelado, por culpa de tanto desamparado y tanto desaprensivo. Su hermana aprovechó para darle un refrigerio al jilguero.

Cada vez que Julio hablaba de ello —y únicamente hablaba de ello— recuperaba los temblores. El chofer de la furgoneta le palmeó un hombro.

—Anímate, muchacho, que ya estás en tu casa. Y olvídalos a los simios.

Cuidó de no despertar a su mujer, que gruñó unos suspiros. Se fue desnudando con lentitud, sin entender cómo, con la mano agarrotada a la palanca de apertura había tardado tanto tiempo en percibir la indicación del ayudante en jefe. Sentado en el borde de la cama, se descalzó —en el túnel iluminado continuarían los monos sus chillidos —y temió que, ni con los ojos cerrados, dejaría de ver aquellos ojillos apesadumbrados, los pelos sucios, las ronchas de piel rojiza, sus torpes amenazas, sus cuerpos indistintos, promiscuos, anhelantes y humillados. Con asco y rencor los sentía, sin entenderlo, sus hermanos extrañamente olvidados.

El director gerente, que pasaba aquel fin de semana en el campo, se trasladó a la ciudad en compañía de su secretaria. Los empleados atestaban el andén y le abrieron paso hasta el legañoso jefe de la Oficina General, quien le informó inmediatamente de la nueva circunstancia acaecida unos minutos antes y que, como era de rigor, constaba ya en el expediente recién incoado.

—Eso es lo de menos. Lo que quiero saber es si el vagón estaba desinfectado.

El interpelado titubeó.

—Lo estaba, señor —afirmó el ayudante del jefe de estación, desde tres filas atrás de empleados—. Yo mismo comprobé en los momentos iniciales la existencia del certificado, pegado a uno de los cristales del vagón, y la pertinencia de su fecha.

—Gracias. Afortunadamente las autoridades sanitarias quedarán frustradas. Es eso lo que me preocupaba. No que se hayan apagado las luces de los túneles.

—No se puede confiar —matizó el jefe de la Oficina General— de la integridad del certificado, señor, dado el estado rebelde de los animales.

—Me permití, señor director gerente, fotografiar ese documento.

—Al parecer, empleados subalternos muestran más diligencia que algunas jerarquías. Y ahora, queridos amigos, inspeccionemos el motivo de esta imprevista reunión.

Las linternas se encendieron y el director gerente y su secretaria fueron ayudados a descender a la vía. Los haces luminosos excitaron a los monos. La algarabía estalló ensordecedora y la comitiva se detuvo unos veinte metros antes del vagón.

—¿Se han tomado las medidas nutritivas necesarias?

El director gerente dispuso que, con las consiguientes

prevenciones, se procediese a la apertura al público del ferrocarril. Amanecía cuando volvió a su automóvil.

—Temo que el Consejo no sepa qué hacer. La nueva emisión de acciones coartará su escasa capacidad de iniciativa —dijo a su secretaria.

Los monos, cuyos chillidos no se oían allí, parecían calmarse.

Julio despertó a la hora de la comida y, durante ésta, permaneció mudo a las preguntas de su mujer. Los periódicos silenciaban lo ocurrido en el ferrocarril. Julio, al salir de casa, respiró hondo el aire de la tarde soleada. Se dejaba ir, casi como si pasease, rehusando ordenar sus pensamientos.

En la Estación VI-Terminal nada, en apariencia, indicaba lo acaecido. Unos compañeros comentaron que, al día siguiente, los altos directivos procederían a una detenida visita.

—¿Les han dado de comer? —preguntó Julio.

Los monos serían alimentados dentro de unas horas. Julio, apoyado en la garita del jefe de estación, fumó sin pausas a lo largo de la tarde. No quiso trabajar, ni acercarse al túnel —la luz seguía apagada— cuando colocaron un vagón junto al de los monos, para que sirviese de observatorio a los altos directivos que, por lo que Julio escuchó, adelantarían su visita de inspección.

Era noche cerrada y en las calles parpadeaban los luminosos. Julio, de tanta tristeza, se encontró muy fatigado.

Las linternas perforaron caminos de luz en las tinieblas. Se instalaron en el vagón y un foco iluminó bruscamente el de los monos. Al instante, todos vieron las manchas negras o pardas, inmóviles sobre los monos, encaramadas en sus cabezas o en sus hombros. Alguno de los monos se movió, como en un espasmo, y las manchas adquirieron unos velocísimos movimientos.

—¡Ratas! —gritó la secretaria del director gerente.

Los hombres se estremecieron. Al fin, habituadas las ratas a aquella luz cegadora, persistieron en sus rapiñas sangrientas.

—El último morirá antes de media hora —dictaminó el especialista.

—De todas maneras..., el alimento... acaba de llegar.

—Ya es inútil. Monos enloquecidos. Una especie interesante. Retiren los cadáveres lo más pronto posible y conservando los ejemplares que no han sido totalmente despedazados.

—¿Podrá fotografiar desde aquí el certificado? —el fotógrafo asintió y el director gerente explicó al ayudante del jefe de estación—: Nunca estorba duplicar las pruebas.

De una barra paralela al techo del vagón se desprendió, exánime, un mono. Otros chillaron aún, alborotando la sistemática voracidad de las ratas.

—Señores —entonó el más superior directivo—, les felicito por la discreción con la que se ha llevado este detestable asunto.

—¿Clausuro el expediente, señor director?

El ruido del tráfico sonaba amortiguado en la zona de maniobras. En la húmeda penumbra del túnel, el director gerente asintió:

Clausúrelo. Sin responsabilidades y con ascenso del ayudante del jefe de estación.

Los monos, ya casi silenciosos, quedaban atrás.

A la madrugada llegaron las mujeres de la limpieza. Recién lavadas, con las carnes tempranamente despiertas, no cesaron de parlotear hasta que se encontraron en el vagón de los monos. Pareció como si una negativa fuese a formularse. Luego, en cumplimiento de sus amplias e indeterminadas funciones, las mujeres baldearon el vagón, previamente desratizado la noche anterior por una cuadrilla de mercenarios.

Cuando, un día más, el suburbano se abrió al público y Ambrosio, el guarda de material, se sentó en la garita de la Estación IV-Terminal, sólo quedaba de los monos un levísimo aroma a sangre vencida.

(1958)

Esto tenía que acabar así. No podía ser de otra manera. Y no habrá sido por falta de advertencias. Ultimamente, de tantas como le había hecho, ni pensaba en ello ya. Por ejemplo, cuando decidió no trabajar en la fábrica de tubos fluorescentes.

—Yo no puedo trabajar por obligación —me dijo—. No estoy hecho para eso.

—Está bien —le respondí—. ¿En qué quieres ocuparte?

Como es natural, se quedó callado. Yo le previne que, si a los diecisiete años no se trabaja por obligación, se acaba mal.

Pero me puse a pensar en ello y creí que el chico podía tener razón. Casi todos los hombres odian su faena. Yo mismo. Hasta aquel día no lo había sentido. Por tanto, decidí que él no llegase a los cincuenta años para descubrir que odiaba su trabajo. Le di otra oportunidad.

—Estudiar no quieres, ser obrero tampoco; ¿has pensado en algo?

Estaba de buen humor y me sonrió. No cabía otro

remedio que aguantarle. Trajeron el postre y ella se partió un gran trozo de queso.

—Aún no.

—Tienes diecisiete años.

—El mes próximo, dieciocho —intervino ella; y los dos se miraron.

—Prueba en el comercio.

—No me gusta que mi hijo sea tendero —se apresuró a desgraciarla, con su habitual tendencia a interponerse, como si yo estuviese en contra del muchacho.

—Ya veremos —dijo.

Y se fue al cine. Se cerró la puerta y ya no quise contenerme la ira. A partir de aquella noche, ella y yo no volvimos a tratar el problema. Gritarnos, escupirnos frases, eso sí. Pero desde entonces me quedé completamente solo —nunca había estado muy acompañado— respecto al chico.

—He pensado ser militar —me soltó una tarde, entrando en mi cuarto de trabajo.

—¿Militar? ¿Ir al servicio o hacerte oficial?

—Ingresar en la Academia, naturalmente. Aún no sé en cuál. En la del Aire, me gustaría a mí. Pero quizá renuncie. Por mamá.

Me bajé del taburete, me limpié los dedos en el trapo y le puse una mano en la nuca.

—Si no resististe en la fábrica, ¿cómo supones que vas a aguantar la disciplina?

—Es distinto —dijo—, la disciplina está hecha para hombres. Lo de la fábrica —dejó la mirada sobre el tablero y los rótulos— es para esclavos. Además, tú siempre has querido que hiciese una verdadera carrera.

—En eso tienes razón. Pero piensa que es de mucho sacrificio y poca paga.

—Un teniente gana bastante para vivir. ¿No te lo crees? Pregunta a...

—No necesito preguntar a nadie. Por otra parte, los militares están hechos para la guerra. En una guerra no te librabas del frente.

—Igual que si fuese civil. Y con la diferencia de que iría de oficial y no de revientabotas.

Se largó, me senté a seguir con los rótulos y me vino el recuerdo de los fríos, los piojos, las hambres, los miedos y las angustias que pasamos en el treinta y ocho por tierras de Teruel. Al menos, no sería el revientabotas, rompecodos, tragaórdenes, que era yo. Que el muchacho pensaba que era yo.

En una semana no se volvió a hablar del asunto. Cuando lo hizo, fue para ratificarse en su decisión.

—Si no vas a soportar el gasto —concluyó—, dilo ahora y busco otra cosa.

Como estaban delante su hermana y su cuñado y él me conoce bien, aprovechó la circunstancia para dejar caer lo del dinero. Yo que, aunque la chica y su marido no se hubieran encontrado presentes, habría dicho lo mismo, le dije:

—Estudia, ingresa y no te preocupes de más. Para el dinero aquí estoy yo. Dinero tengo yo para hacerte militar o para hacerte ingeniero.

Se sonrió y no quise mirar a los demás, porque me arenan la sangre con sus sonrisas. A ellos les daría yo mis noches —todas— y mis días —sin faltar uno— de estos últimos treinta años para que viesen si un hombre, cuando ha llegado, tiene o no derecho a enorgullecerse. Sus sonrisas...

En octubre me pidió dinero para los estudios y yo comencé a dárselo. Tenía el convencimiento de que aquello no resultaría, pero pagué. Casi me engaña. Casi me estaba creyendo que era un tipo normal. Pero nada. Mejor dicho, lo de siempre.

—Mira —empezó aquella mañana—, no te pongas nervioso. Sobre todo no te pongas nervioso.

—Tú explícame dónde ibas estas últimas semanas a la hora de clase.

—Eso es lo de menos.

—¿Lo de menos?

—No me interesa el ejército.

Bebí un sorbo de café y me tragué la bilis.

—¿Por qué?

—Hay que estudiar más de lo que creía. Y unas materias que no me atraen. Podría seguir, si quisiese, pero no quiero. Tengo que encontrar algo que me vaya. Si una cosa no me va, terminaría siendo un cualquiera. Y no estoy dispuesto a ser un cualquiera.

—¿A qué estás dispuesto ahora?

Ella, también en bata, entró y se sentó, dispuesta a intervenir.

—No se debe obligar al muchacho —intervino ella— a hacer algo que sólo le va a dar para malvivir.

—El aseguraba que un teniente...

—Estaba equivocado —me interrumpió.

—Y lo de la guerra, y lo de los esclavos y los señores... ¿Qué de todo eso?

—Ha reconocido su equivocación. No puedes pedirle más. A su edad no es fácil hallar lo que se busca.

Comprobé que había tiempo, antes de salir para la empresa. Y, si tenía tiempo, iba a aprovecharlo para dejar al descubierto de una vez toda aquella basura de equivocaciones. No quedaría para luego el aclarar quién era el dueño de la casa.

—A éste no le va a ser fácil nada, porque éste es un maldito vago.

—Oye, padre, será mejor, como te he dicho, que no te dejes llevar por los nervios.

—Un vago y un sinvergüenza —le encaré—. Me estás robando el dinero y los sudores que el dinero me cuesta, y, lo que es peor, tú eres de los que terminan en la cárcel.

—No te pongas así.

—Padre, sin insultar. Si tanto te duele tu dinero, no me lo des.

—Pues claro que no. ¿Qué te habías creído?

—¡De ninguna manera, de ninguna manera! —gritó ella—. Cuando se tienen hijos, no cabe volver la espalda. Es muy cómodo...

—Te callas.

—A madre no te permito que la hables en ese tono.

—¡En el que quiero! Búscate pronto algo que te dé

para comer. Si en dos meses no traes algo —miré el reloj—, en esta casa no sigues. Búscatelo.

—De acuerdo.

—Mientras yo pise este mundo —dijo ella—, el muchacho vivirá con nosotros.

Me desquiciaba que, para mayor incomprensión, ni se percatasen de que llegaría retrasado a la empresa.

—Sales tú con él, si continúas animándole en sus chulerías y chuleándome a mí.

Me cogió de un brazo. Ella se tapó la cara con las manos, pero acechaba la puerta, por si la criada espiaba.

—¿Quieres oír lo que a ti te pasa, padre? —preguntó, casi en un susurro—. Que tú has salido de la nada y tienes un piso de cinco habitaciones, lleno de asquerosos muebles coloniales; un empleo por las mañanas y trabajos particulares por las tardes; dos trajes, un puñadito de cédulas y la certidumbre de que nunca vas a tener más. Pero a mí, entérate, me repugnan tus muebles, tu poquito de dinero, tu satisfacción y que no sepas que sigues en la nada, que no has salido, padre.

Encima, no comprendían que tendría que coger un taxi y mentir en la oficina. Y lo que es a mí no me ha gustado nunca pegar, ni nunca, por lo que recuerdo, había pegado a los chicos. Cada uno somos como somos y, en la mayoría de los casos, no hay justificación. Casi a ojos cerrados. Con furia, sin método, a herir, a tratar de cambiarle con aquellos golpes la configuración de su cara de chulo, a ver si así le cambiaba la configuración del alma.

Ella se puso a chillar. Me fui, cogí el taxi y trabajé toda la mañana. Me quedé a comer en un restaurante. Por la tarde, frente al tablero, estaba incapaz de tirar una línea.

Cuando a los pocos días le crucé en el pasillo —ellos comían a otras horas— llevaba unos esparadrapos en la frente y en una mejilla. Ni siquiera mirarse era fácil. Después, pasó el tiempo.

Ella me arrastró una noche al dormitorio del chico. Abrió la puerta y nos quedamos en la oscuridad.

—Escucha —dijo.

Al principio no oí nada. Más tarde, a la luz de la calle que entraba por el balcón, le vi inquieto, como si roncase o riese o tuviese tos.

—Bueno, ¿qué le sucede? ¿Está enfermo?

Hasta que no se metió en la cama y cruzó las manos sobre el embozo, no contestó:

—Bien sabes tú que no está enfermo.

A la mañana siguiente comprendí que todo aquello tenía su parte de teatro y que algo me preparaban. Como así fue. Unos días más tarde me dijo que quería ser delineante.

Se levantaba casi a la hora de sentarse a la mesa; después de la comida, se iba al bar, a jugar al dominó; él y sus amigotes se reunían en casa de alguno —nunca en la mía— a escuchar música de negros; bebían. Por la noche, al cine, a bailar, otra vez al bar o de putas. En esos ambientes la gente es lista. La gente que vive de esa forma no tiene dificultad para engañar a los que trabajamos diez u once horas cada jornada. Y él me engañó otra vez.

Le enseñaba dibujo. Por las mañanas asistía a clase con un compañero mío y por las tardes los dos, casi en silencio, trabajábamos en casa. No se le daba mal e incluso parecía gustarle. Mi compañero me tenía al tanto y le había cogido afecto al muchacho. Me lo elogiaba alguna vez delante de otros amigos, y a mí me volvía la alegría, la tranquilidad.

Le daba dinero. Era lo justo. Trabajaba y trabajaba bien. A los dieciocho años un hombre, para ser tal, ha de acabar a una hora y salir por ahí, a distraerse. Si no, se pudre neurasténico.

Me enteré —en el barrio todo se sabe— que andaba con Rosario. Cuestión de esquina sin farol, de tapia o portal o desmonte, pensé. Que ella fuera lo que fuese —lo que decían que era—, no cabía negarle la hermosura de la cara y un prodigio de cuerpo. Pero, claro, yo estaba engañándome.

—El chico quiere casarse.

—¿Con ésa?

—¿Qué tiene de malo?

—¿Y qué de bueno, salvo lo de fuera?

—Tú has oído a la envidia.

—Yo lo que sé es lo que veo, y la veo demasiado guapa para casarse con ella.

Me miró despacio y entendí que aquello me lo debía haber callado. Porque ella va siendo ya vieja y, aunque nunca me ha querido bien, es cierto que me ha tenido la ropa limpia, las comidas a su hora, los gastos al céntimo, que me ha sido fiel. Con aquella mirada, lenta y perforante, bastó para estar en desacuerdo respecto al matrimonio del chico.

Yo se lo dije el primer día que entró en casa.

—Atiende, muchacha —no me mordí la lengua, no—. Ahora, por fin, éste parece que va para hombre. Pero puede que diga que quiere ser delineante para encandilarme, porque sabe que siempre he deseado que tenga mi profesión. Yo a ti no te puedo asegurar nada. Yo salvo mi conciencia advirtiéndotelo.

—Pero ¿qué? —me preguntó Rosario, con tanta seriedad que sería fingimiento.

—Que éste es de los que tienen madera para acabar entre rejas.

Todos se rieron con ganas y me llamaron viejo, cazurro y agorero. Brujo agorero. Aquel día eché de menos no tener una querida, una tía cualquiera con la que poder hablar sin miedo.

La suya le empecé a pagar a él. Su entretenida —que yo no tenía— se la mantenía yo, porque —entre su madre y Rosario le quitaron la delineación de sus sesos de mosquito— volvió a levantarse cerca del mediodía, a salir, a no parar, a fumar mejor tabaco que yo.

—No sé cómo puedes tragar el humo de esas estacas —me decía (aún) cuando, sin darme cuenta, le alargaba la petaca.

Y lo mismo que me anudé las tripas y fui a la iglesia y los casamos, me apreté los intestinos más y a vivir todos juntos y a gastar en telas para Rosario lo que nunca se había gastado para mi propia hija. Aquello no podía durar y no duró. Otra vez, los gritos, las discusiones, las comidas solitarias. Se marcharon y no a golpes, porque ellas dos se interpusieron.

Con las malas llegan, para compensarnos, las cosas buenas. O quizá uno encuentra siempre un asidero para seguir viviendo. Me dieron una nieta y ése fue mi asidero.

Ella nunca estaba en casa y supongo que se pasaba las horas en la de los chicos. Yo, de no haber sido por la cría, me habría ido a otra ciudad.

Un día me telefoneó a la empresa, y como me cogió desprevenido (que si no, ni me pongo al aparato), le dije que bueno, que fuesen a comer y se hablaría. Ya sabía que andaba en lo de la construcción y estaba seguro de que resultaría una ventolera más. El nunca había oído lo que ese negocio pueda ser. El, a decir verdad, no sabía nada de nada. Presentí que me pediría dinero y acerté.

—No, oye, eso no. Tienes tu hogar, según dicen, tu mujer y tu trabajo, aunque esto último es para dudarlo. Eres menor de edad, pero libre. O sea, que a mí no me pidas.

—Puede que usted no haya comprendido —dijo Rosario—. Se trata de un apuro momentáneo. Cuestión de unas letras que vencen mañana y de las que mañana mismo no se puede responder. En todo negocio ocurre.

—Lo he comprendido a las mil maravillas, nuera —llevaba un vestido brillante, como de cristalitos—. Lo llevo comprendiendo desde hace muchos años.

—Pero... —fue a insistir ella.

—Déjelo, padre. No es para hacer causa de un disgusto. Usted no tiene ese dinero —trataba de encelarme— o no lo quiere dar. Y ya está. Yo no sé —miró a su mujer y a su madre— de dónde voy a sacarlo, pero será de alguna parte. Y que no haya riña.

Y no la hubo hasta que se marcharon, él, con sus zapatos de ante, su camisa blanca, su mechero francés, y ella, ceñida, perfumada y enjoyada, un par de figurines.

Se despidieron muy fríos, haciéndose los mártires. Carajo. Y entonces empezó ella.

—Ni un billete te pidió al casarse.

—Tenía su sueldo. Más de lo que habría dado a otro, si otro me hubiese hecho falta. Esquivarán el bache, no te preocupes.

Pero estaba visto que ella no buscaba la paz.

—Soy su madre y sé mis obligaciones. Ya me estás dando a mí ese dinero.

—¿A ti?

—Porque me corresponde. El dinero que entra en una casa, si no hay separación de bienes, es de ambos esposos. Me lo ha explicado un abogado el otro día en casa de tu hijo. Te pido, pues, mi parte.

—¡Cállate!

—Más adelante ya se arreglarán las cuentas y se verá quién debe a quién.

—Dile al hijo de puta del abogado que venga aquí a pedirlo. Y añade que, últimamente, y por lo que recuerdo, has estado comida y vestida por mi dinero. Y no por el del chico.

—Pues prefiero el dinero de mi hijo.

—¡En la cárcel! Y tú llevándole la tartera los días de visita. Ahí terminará, ya me has oído.

Salió de la habitación, la escuché revolver de una habitación a otra y se marchó con un par de maletas.

Todo me tenía muy cansado y únicamente el trabajo me distraía. La nuera y el chico, con la abuela por delante, se fueron de veraneo y dejé de ver a la nieta. Hacía calor y por las noches me sentaba, en pijama o en camiseta, frente al balcón abierto y fumaba en la oscuridad. Luego, me iba a la cama y seguía buscando dónde estaba mi culpa.

Ella regresó a los dos, dos meses y medio, pero como si siguiese fuera. Ni se habla, ni se discute, ni apenas nos vemos. A mí ha dejado de pedirme dinero para sus cosas. El del diario de la casa se lo dejo cada semana bajo un Sagrado Corazón, que tiene en su dormitorio.

Y ahora que he acabado de afeitarme, apagaré las

luces, me pondré el abrigo e iré a casa del muchacho. Esto tenía que acabar así. Yo me aplastaré en un rincón y menos mal si está levantada la niña.

Pero no. A la niña la tendrán dormida, porque a esas fiestas suyas no permiten a los niños. A esas fiestas que ellos se organizan para ellos y en las que sólo en champaña y emparedados gastan más de lo que una familia honrada necesita para vivir un mes. Estarán el muchacho y los que son como él, sus mujeres, que parecen sus queridas, sus criados y, a la puerta, sus automóviles. Todo rezumando dinero fácil y sucio. Ni siquiera lo pensaba en los últimos tiempos de tan dicho como lo tenía. A lo mejor es que me estaba narcotizando con sus constructoras y sus aires de triunfo. Pero sigue cada vez más cerca de la cárcel. Así se lo repetiré en la primera ocasión que tenga.

(1959)

Primeras diligencias

El muerto, tieso y bien peinado, se hallaba en el umbral de la chabola.

—Oiga usted, así, de lloriqueos, no vamos a ninguna parte —dijo el inspector.

Al muerto le habían desvalijado y olía ya, dándole un hedor más a la madrugada del suburbio.

—Bueno, pues cuando quieran —suspiró Eugenio—, este servidor se echa a dormir.

—Usted a esperar callado —ordenó el municipal Teodoro.

—De modo que el difunto se llamaba Alberto.

—Sí. Alberto. Mi Alberto.

La señora del turbante sollozaba y los pechos parecían rodarle bajo la blusa.

—No adelantaremos nada, mientras usted no se calme, mujer.

Los otros dos municipales confraternizaban con los escasos y pacientes espectadores.

—Para mí, lo que son las sorpresas de la vida, aquí el silencioso se llamaba Renato. Como yo matarlo no le he matado, o sea, que si no hay impedimento, me tumbo un rato.

La mirada del inspector quedó vacía sobre el rostro de Eugenio. Alguien cantaba hacia el centro del poblado. Eugenio entró en la chabola, pasando sobre el cadáver con esmero y compostura. Al sentarse en una de las sillas de anea, que había sacado el municipal Teodoro, a la señora del turbante se le apaciguó la congoja y le resaltaron los muslos.

—Además —dijo el inspector—, que si se presenta algún familiar, la madre pongo por caso, será mejor que no la encuentre junto al difunto.

—Pero si le estoy velando a su hijo...

Tiró del borde de la falda y reanudó el llanto. Desde el Este se desparramaba la luz y la sombra única del poblado comenzó a fragmentarse, al tiempo que los olores —picantes— y los ruidos crecieron en una especie de absurda unanimidad. El grupo de espectadores, inmóvil a unos quince metros de la chabola, aumentaba. De repente, aparecieron los primeros chiquillos, la pareja de municipales despertó de su apatía y se percibió, en el espesor del aire, que el día sería caluroso.

—Me gustaría saber cuánto nos hará esperar todavía el poder judicial.

—Sí, señor —dijo el municipal Teodoro.

Por las manos del muerto corrían moscas nacidas allí tres días antes.

—Bien está que nadie lo haya visto, pero supongo que ladrarían los perros y que los chicos habrán correteado por aquí o, al menos, que lo tenían que haber olido.

—Nunca se sabe, señor inspector, qué es lo que se está oliendo en el momento pertinente.

—Es indudable que el cabrito que lo despachó no tuvo mayor preocupación por ocultar su cuerpo.

—También es verdad, teniendo cerca la hondonada. No querría molestarse en abrir un hoyo. Para enterrarlo —aclaró el municipal Teodoro.

—Y usted, ¿cómo ha dicho que se llama?

Contestó con una dócil premura, casi sonriente:

—Juliana —tenía húmedos los labios—. Pero mi Alberto me llamaba Nati.

—¿Por qué? —dijo Teodoro.

El inspector se decidió a encender el cigarrillo que colgaba de sus labios.

—Cosas de su carácter, ¿sabe usted? Mi desdichado Alberto, que gloria haya, era de una forma de ser muy así, jacarandosa y ufana. Siempre de chistes.

—Ya —comprendió Teodoro.

A los sollozos precedieron unos silbantes estertores.

—¡Ay!, pero qué cascabelero era mi Alberto...

Teodoro colocó la mano del consuelo —mitad sobre la piel, mitad sobre la blusa— en la espalda de la plañidera en funciones —sin título legitimante— de viuda.

—No se excite usted inútilmente, doña Nati —aconsejó.

El inspector entró a registrar por quinta vez la chabola de Eugenio y, al salir, los automóviles y la ambulancia llegaban al término del asfalto, bajo el edificio en construcción.

—Permanezcan aquí —dijo el inspector antes de alejarse.

—Y tan leído, tan caballero, tan limpio... Había tardes —hipó— que se duchaba dos y tres veces. Y hasta en invierno usaba desodorante.

—Un hombre —el municipal Teodoro le masajeaba los hombros con decreciente piedad— como se debe ser. Vamos, lo que usted se merece.

—A mí me adoraba con veneración.

—Oiga usted, señora —el municipal Teodoro temblaba, perdía consciencia de la realidad circundante, se había trasladado a un destino ilusorio—, parece que era joven su novio.

—¡Ay, sí, jovencísimo! Fíjese, cómo no iba yo a consentirle...

—Da más lástima, siendo tan pimpollo —dijo Teodoro, casi transfigurado.

—Terror es lo que me da pensar lo que va a ser de mí en el futuro que me espera —alzó la cabeza y les vio acercarse lentamente—. Pero ¿no me irá usted a meter una mano en las tetas delante de las autoridades?

—Usted dispense, doña Nati.

En la chabola de Eugenio sonó algo parecido a un trompetazo estridente o al estallido de un vidrio apedreado. Aún no había aparecido el sol y llegaron sudorosos. Juliana se levantó de la silla y el juez rodeó el cadáver.

—Veintitrés años —informó el inspector—. Sin antecedentes. Residía en un barrio céntrico, aunque frecuentaba estos andurriales, donde al parecer era conocido como Renato. Tenía a la mantenida, aquí presente, en uno de los pisos de esos nuevos bloques. Los bolsillos vacíos. Yo, salvo la mejor opinión del señor forense, opino que lleva tres días frito.

—El forense dirá —dijo el juez.

El forense se inclinó sobre el cuerpo, en cuclillas, al tiempo que el de la máquina le disparaba. El forense se balanceó en un equilibrio inestable y se apoyó en el estómago del muerto, mientras Juliana gritaba en los brazos de Teodoro.

—¿No se habrá acercado nadie? —se inquietó el juez, observando el inmóvil y tenaz grupo de espectadores.

—No, desde que los guardias y yo nos personamos, señor juez.

—¿Y a qué hora se personaron ustedes?

—Nada más recibir la denuncia. Serían las seis y cuarto pasadas.

—Usted es nuevo en la plantilla, ¿verdad? No tenía el gusto...

El inspector suspiró.

—Sí, señor juez. Y le aseguro que no veo el día que me pasen a defender la unidad de la patria. Son todos unos cabrones esos comunistas, pero es otro ambiente.

Cuando las manos del forense dejaron de palpar el cadáver, el de la máquina reanudó su trabajo. Verle tomar ángulos —y posturas— distrajo a Juliana, que permanecía ahora silenciosa y siempre sostenida por el municipal Teodoro.

En la chabola de Eugenio se repitieron los estruendos.

El forense, ya en pie, se quitaba los guantes. En la cerilla del inspector el juez acababa de encender un cigarrillo.

—Mal verano —dijo el forense.

—Yo —dijo el juez— nunca he necesitado más las vacaciones.

—A usted —el forense se sentó en la silla— es que le afecta mucho el calor. Como a mí.

Cuando el juez se dirigía a Juliana y ésta quedaba libre de los brazos protectores del municipal Teodoro, en la chabola de Eugenio se despeñó una avalancha tronante.

—¿Quién está ahí?

—El hombre que nos avisó.

—Tráigalo de inmediato.

Todos, menos el de la máquina, se apartaron. Eugenio salió cogido del brazo por el inspector.

—¿Qué hacía usted?

—Roncando.

—Eso sí que no le puedo decir.

—¿Dónde se encontraba cuando se perpetraron los hechos?

—Si se refiere usted a lo de este mandria, que algún puto, con perdón, me ha dejado a la puerta de mi domicilio para perjudicarme, tengo que referirle que he estado desde el pasado mes y hasta la madrugada de mi regreso, que ha sido hoy, de viaje comercial por una infinidad de localidades, manchegas mayormente, en todas y cada una de las cuales podrá su señoría verificar la honradez de mi declaración. Se lo juro.

—Oiga, no le dé usted el latazo al señor juez.

—Sí, señor, pero uno tiene que clarificar su vida. Como le decía, señor juez, esta noche, de regreso aquí, me he encontrado, muerto y en mi puerta, al marica éste.

—Piojoso, mala lengua, ¿por qué tienes que difamar de marica a mi hombre?

—Porque esa fama tenía, señora. Que rondaba a los anochecеres entre las barracas y andaba con unos y con otros, y tanto los unos como los otros resultaban ser por un casual los tres o cuatro maricones que en todo barrio, por decente que sea, hay.

—¿Y tu madre, desgraciado?

—Mi madre, señora, no era marica.

—Pues sepan todos ustedes que yo, que puedo preciarme por desgracia de haber conocido a muchos, jamás tropecé con un tío más macho que mi Alberto. A lo mejor, bragazas, el sarasón eres tú y ni te atreves.

El municipal Teodoro arrastró a Juliana, a punto de consumar su tentativa de agresión.

—¿Y qué más tiene usted que declarar?

—Señor juez, que yo no le he matado.

—Le voy a creer en principio, porque dormía usted como un bendito, lo mismo que san José de Calasanz, cuando en Roma fue injustamente acusado.

—Igual, su señoría.

El juez y el forense, seguidos por secretario, fotógrafo y amanuenses, se cruzaron con los camilleros. Calentaba ya el sol y por la carretera lejana y las calles próximas hervían brillos en el aire grasiento.

—Es decir —continuó el inspector, dando la derecha al juez—, que el llamado Eugenio nos telefoneó y, cuando fuimos a casa de la mantenida, la susodicha salía para misa. Luego, se ha tratado de localizar a la familia.

—Me suena a mí el apellido —dijo el forense.

—Por si se trata de quien se trata, toda reserva me ha parecido poca.

Sobre las chabolas descendía una nube de polvo —la primera del día— espeso, sombrío, ardiente. Algunas chimeneas humeaban y los municipales, desbordados, apenas contenían el avance multitudinario. La comitiva oficial fue rodeada y Eugenio se apoyó en una esquina de la chabola y comenzó a dormirse por segunda, tercera o sexta vez en el incipiente día.

—Ha actuado usted a la perfección, inspector —giró, buscando la negra chaqueta, moteada de caspa, del secretario—. Usted dirá, Ramírez, cuándo nos podemos ir.

El juez, sentado en el automóvil con las ventanillas y las puertas abiertas, firmó unos formularios. El municipal Teodoro acompañó a Juliana, que ansiaba quitarse el turbante y los rulos, y el inspector colaboró, contundentemente, a abrir paso a los camilleros. Hasta muy entrada la mañana, los últimos mozalbetes no se cansaron de reproducir, con arte monótono, las peripecias del drama.

Eugenio despertó a media tarde y desde el umbral, despejado, de su chabola contempló el pardo paisaje familiar, aspiró la cotidiana pestilencia, oyó los ruidos, el incesante griterío, ecos, palabras aisladas, que indudablemente comentarían el trágico final del señorito Alberto, y lamentó, sin necesidad de explicárselo, no haber sido él quien diese muerte a la Renata.

(1959)

> … como si cinco o seis personas tratasen de tejer un tapiz sobre el mismo telar, pero cada una de ellas quisiese tejer sobre el tapiz su propio dibujo.
>
> William Faulkner

Al salir Purificación, únicamente se oían los canalones del patio y el ansioso regurgitar del sumidero. Purificación, que había fregado con prisas la vajilla, se encontró libre antes que otros domingos, cerró la puerta con una cuidadosa lentitud y no taconeó hasta el rellano del piso inferior.

Matilde

Los aviones bajaban en picado. El aire sonaba a tela rasgada. Cuando los dependientes del abuelo cortaban las telas sobre el mostrador, yo cerraba los ojos. Ellos no pisaron nunca la tienda. Jaime nos gritó algo y me tiró al suelo. La tierra olía bien. Olía fuerte. Jaime mantuvo su mano en mi espalda, mientras los aviones se despeñaban cielo abajo, hacia nosotros. Ellos no pisaron nunca la tienda del abuelo. Durante los tres años de París, el abuelo siguió haciendo de las suyas. ¿Por qué tengo que llamar abuelo a mi padre? Los niños no son hijos míos. Primero, con las tijeras, y luego, con las manos, tris-ras, tris-ras... Como los aviones. Como... ¡Dios!, es el teléfono. Está llamando. Hemos pasado la última noche en casa de Jaime. Las cuatro. Hace media hora que nos acostamos. El teléfono. Jaime ha muerto. Si ahora me levanto y recorro el pasillo, oiré que Jaime ha muerto. Me he pasado la vida sacrificándome por los demás. Jaime ha sido mi único consuelo en estos últimos años, cuando ya no me quedaba ninguna esperanza. Mientras yo siga en la cama, Jaime seguirá vivo. ¡Dios mío!, ¿qué será de nosotros cuando Jaime ya no esté? De niña no me valía alegar que era la mayor y todo me lo cargaban a mí. Quieta hasta que alguno vaya a descolgarlo. Jaime, ¿te acuerdas del jardín de la torre? Tú también has cambiado, Jaime. Pero has sido siempre el fuerte. Aunque te casases con Dora. Estoy fatigada, tan fatigada... Ruega por mí a Nuestro Señor. Que Nuestro Señor te acoja en su paraíso, Jaime. Rezo va por el alma de mi hermano. No es posible. ¿Cómo no acuden esos descastados? Su mano en mi espalda. Soñaba con la tarde en que pasamos la frontera y el bombardeo nos tuvo pegados a la tierra. No volveré a ver moverse las manos de Jaime. Es inconcebible que ninguno se levante. Esperaré seis timbrazos más. Uno... Habrá que ocuparse de los lutos. Dos... El pequeño. Tres... ¿Se habrá despertado el pequeño? Cuatro...

Alberto

Y se muere sin tener una querida. Sería preferible, quizá, que muriesen Carlos o la tonta de Matilde. ¿Para qué ha servido Matilde en esta vida? Siempre preocupada por hacer ver que sufre. De niña era guapa. Mi primera hija. Quizá merezca vivir más que Carlos. Me irrita oír que Carlos y yo nos parecemos. Jamás he tenido su mal gusto, ni me he complacido en la mezquindad. Gustavo sí se parece a mí. La raza sale en la segunda generación. También mi padre fue un avaro. Sin una querida. Y sin llamarme a su dormitorio una sola vez. Convendría que continuase vivo. A los cincuenta años tuvo a Gustavo. Dora, sus hijos, su carácter... Bien caro hemos pagado que librase a la familia de la ruina. Aquellos años de París estuve a punto de sacudirme el yugo. ¿Por qué he tenido yo cuatro hijos? Me gustaba entrar con ella en el palco del Liceo. ¿Me gustaba ella? Mientras agonizaba, habrá hecho su último balance. ¿Le habrá sido favorable? Sin una querida, sin llamar a su padre una sola vez a su dormitorio, sin una sonrisa, sin un segundo de debilidad. Realmente sería más conveniente que hubieran muerto Carlos o Matilde, o incluso la arpía de Elena, a pesar de su hija. Tendré más dinero cuando hayan enterrado a Jaime. Hasta el aire será más claro al tirarle el primer puñado de tierra sobre el ataúd. ¿Y yo? ¿Sería conveniente que muriese yo? Si es que ha fallecido ya, esta tarde no podré ir al Círculo. Procuraré escaparme durante el rosario. Dormidos. Mis hijos y mis nietos dormidos. ¿Pretenderán los muy imbéciles que vaya yo a descolgar ese chisme?

Gustavo

Están durmiendo. Cuando el teléfono suena y no van a cogerlo, es que están durmiendo. Le dije a tía Matilde que no quería acostarme a la siesta. Y he estado dormido hasta que ha sonado. Anoche estuvieron en casa. Papá se muere, dice mamá. Esta mañana el abuelo y los tíos tenían ojeras. No quiero pensar en eso. Pedrito cree que yo soy el hijo mimado. Los hermanos de Pedrito son todos pequeños. El día que la prima Montserrat me llevó al circo le pregunté por qué mis hermanos son tan mayores. También se lo he preguntado al novio de Purificación. Si yo fuese mayor, no me habrían traído estos días a casa del abuelo. No quiero que se muera mi padre. La muerte da mucho susto. Es una cosa fría, que deja a las personas quietas. En el cine se muere un personaje y siempre llora alguien. Cuando es del Oeste, no. Me gustaría vivir en el Oeste. Que se muera el abuelo. Los viejos son los que deben morirse. No oyen el teléfono. Mamá lloraba esta mañana. A papá le tienen envidia.

Papá sacó de la cárcel al tío Federico. Una vez el tío Federico le pidió a papá dinero. Papá le dijo que a seguir comiendo la sopa boba en casa de su suegro. Si yo le contase al abuelo, cuando salimos juntos, todo lo que quiere saber, papá me pegaría. El abuelo anda siempre limpio. No quiero que se muera mi padre. Esta casa huele al abuelo. ¿Por qué no cogen el teléfono? Me voy a levantar, aunque me regañen. El pasillo largo. Al final del pasillo está papá. Muerto. Voy a llorar, voy a gritar, si no se levantan a coger el teléfono.

Elena y Federico

—¿Estás despierta?
—Sí.
—Es el teléfono.
—Ya oigo.
—Elena, será de casa de Jaime.
—Probablemente.
—Elena, quizá Jaime ha muerto.
—¿Qué podemos hacer tú y yo, si es así?
—Tendríamos que...
—¡Estate quieto, Federico!
—Pero era tu hermano.
—¿No estás harto de todo lo que te ha apaleado?
—El tenía su manera de ser, y yo, la mía. Jaime me ha ayudado en los malos momentos.
—Sólo en los pésimos. Y no por ti.
—No me importa lo que le impulsaba a sacarme del atolladero.
—Eras el marido de su hermana, y las porquerías deben quedar en la familia. Tienes miedo.
—No.
—Miedo a que tu hija y yo nos quedemos en la cama el día en que agonices.
—Elena, mujer...
—No te inquietes. Te cuidaremos. Jaime era distinto. Era un hombre fuerte, de los que hieren.
—Nunca te había oído hablar así de Jaime.

—Federico, no es por él.

—Ese teléfono...

—Tienes razón. Con los años se acomoda una a esperar, a pedir, a depender de los consejos, a anularse. No podemos ahora nada contra él. Ni a su favor. Por eso te ordeno que estés quieto. Que llame ella una y otra vez. Que no tenga respuesta.

—Pobre Dora...

—Esa advenediza, que vaya aprendiendo, ahora que le falta Jaime, que hasta Carlos vale más que ella.

—Elena, por Dios..., por Dios...

—Y cállate, cállate absolutamente. Quieto ahí. Estás en la cama, porque la noche última no has dormido velando a tu cuñado. Tú no oyes. Tú no eres quién para oír nada.

CARLOS

Cuando éramos niños, me pegaba. Padre tiene la culpa de todo. Es bueno que muera Jaime. Hasta que acabe este cigarrillo voy a pensar en la muerte de Jaime. Algún día viviré solo en esta casa, con dinero. La llenaré de mujeres. Jaime sabe lo de Purificación. Tarde o temprano habría acabado por decírselo a padre o a Federico. No debí exhibirme con Purificación. Quizá no nos vio. Le habría ordenado ya a Matilde que la despidiese. Ellos me desprecian. Una mujerona, una criada. Y que me continúe llamando de usted mientras goza. Les espanto. A esa histérica de Montserrat también. Estúpida. Me admiró años y años hasta que decidió que soy una basura. Claro que sueño demasiado. Y mi soledad me ha hecho el más feliz de todos. ¿Con quién irá esta tarde Purificación? Padre tenía que haberse impuesto. Dilapidó la fortuna. Vuestro padre nos ha puesto al borde de la miseria, hijos míos. Mi deber de madre es separaros de él. Viviremos pobremente, pero con dignidad. La vieja hablaba con ese tonillo de suficiencia, que ha heredado Montserrat. Jaime se opuso y les obligó a vivir juntos. Ella tuvo que aborrecerle. A mí me quería la vieja. He heredado sus debilidades, su prosopopeya. Pero yo soy más listo. Yo, a solas conmigo mismo, sé no sufrir. Ahora tendremos paz. Cada uno en su rincón, sin dependencias. Se acabaron las fiestas el día del santo de Dora. Cada uno con su parte. Ha sabido subir el cerdo. Delante de nosotros alardeaba de sus amistades. Delante de sus amistades alardeaba de nosotros. Que quedase claro que era el jefe. Durante la guerra fui feliz, en la embajada, como una larva. Podía imaginar que estaba solo en el mundo. ¿Con quién andará Purificación? Padre es el culpable de todo. Le quedaba únicamente la tienda y se largó a Suiza a comprarle unas joyas a mamá. Tuvo buena recompensa. Mi deber de madre es separaros de él. Ahora vendrán los funerales, los pésames, el entierro. Tengo que conseguir que Federico cargue con los trámites, con el papeleo. Llama, llama cuanto quieras, Jaime. Estás muerto y no tengo por qué dejar de fumar. ¿Qué tal sienta no poder dar órdenes? Tiene gracia que tú, Jaime, estés muerto.

MONTSERRAT

¡Oh, Ernesto, al fin llamas! Te he esperado demasiado. Días enteros sin olvidar. Paso por la Plaza Real y me quedo tiempo y más tiempo ante las tzantzas. Las palomas en las mañanas de primavera. ¿Recuerdas? Miro a lo alto, donde las palmeras se curvan. Aquella noche en Atarazanas, mientras tú recitabas tus disculpas, yo no podía dejar de leer el cartel. Era grotesco. En vez de escucharte o luchar o llorar, yo leía unas letras de colores. Todos estos años, cuando veo el anuncio, me vienen las lágrimas que entonces no tuve. Voyagez par-Reisen sie mit-Sus viajes. Pero al fin has llamado. Espera un instante. Te perdono todo. Fue el tío Jaime, que siempre nos ha dirigido. El tío Jaime está... El teléfono. ¿Qué hora es? El tío Jaime está grave. Nos quedamos anoche en su casa. Estaba viendo el anuncio de la agencia. Voyagez par-Reisen sie mit-Sus viajes. Las cabezas reducidas en el escaparate; las palmeras de la plaza; las mañanas de sol; el olor agrio a cerveza y mariscos. Nunca quise darme cuenta. Prefería ignorar que Ernesto no me quería y he tardado años en admitirlo. Pero le odio a él, porque sin él Ernesto tendría mi dinero y yo tendría a Ernesto. Monigotes torpes, mi padre, el abuelo, el sapo de tío Carlos babeando a las criadas o con aquella vieja por Sarriá. Tampoco ahora admito que Luis es un bobito, un fervoroso hijo del dinero de su padre. Pero tengo derecho a engañarme. Cuando se han pasado años sin un hombre, poco importa que el hombre que a una la soba sea una porquería. Luis dijo que iríamos a bailar esta tarde. Y ahora será ella, para anunciar que su marido ha muerto. El pobre Gustavo no ha tenido aún tiempo de odiarle. Iremos a su casa. Ojalá que por última vez. Necesito ver a Luis. No estoy dispuesta a que el muerto me jorobe la tarde. Mañana le haré creer a Luis que supe la noticia después de haber estado con él. Todos en sus cuartos y el teléfono aullando. Creía que Ernesto había vuelto, veía las letras del anuncio. Cinco años ya. Es demasiado. Pero aún espero. Y no quiero confesármelo. Soñaba que era él. ¿Y si fuera él?

Los timbrazos continuaban con una rítmica insistencia. En las pausas, el ruido de la lluvia llenaba la casa de una paz provisoria. Se oyó una puerta. Luego, únicamente las pisadas tuvieron realidad.

—Dime...

—Oye, soy Dora. He insistido porque imaginaba que estábais todos durmiendo.

—¿Qué ha sucedido?

—Tranquilizaos. Ha hecho crisis. El médico acaba de asegurarme que está fuera de peligro. Díselo a todos, Montserrat. Y seguid descansando, querida.

(1960)

Luna de miel sobre el cementerio

> Andare al confino è niente; tornare di là è atroce.
>
> CESARE PAVESE

—Pero ¿qué hacías? —dije, sin soltar el periódico.

—Ya lo ves…

(¿Cómo puedo ver a través de la madera de una puerta?)

—… estaba en el cuarto de baño. ¿Te molesta que escuche música?

Denegué con la cabeza y, autorizada por mi gesto y mi gruñido, bastó para que comenzase el Concierto de Brandeburgo en si bemol mayor. Resulta pasmoso que se descanse —o se disfrute— con algo tan inconsistente. Pero Toni parecía relajada y gozosa, los ojos cerrados, emitiendo una inagotable onda de perfume.

—Creí que habías salido.

—No —susurró—. Estaba en el cuarto de baño.

(Vaciando un frasco de perfume en tus axilas, en tus lóbulos, en las ingles y en las corvas. No es preciso preguntártelo.)

—Como no encontré a nadie —busqué las hojas deportivas con unos feroces crujidos de papel, milagrosamente más sonoros que el allegro—, creí que habías salido. Y que habías olvidado apagar las luces.

El apartamento no es grande —aunque sí espaciosas las habitaciones— y, después de dejar el periódico sobre la mesa del vestíbulo, deshaciéndome el nudo de la corbata había recorrido el pasillo, para entrar en el living, en el dormitorio, en el despacho, en la cocina y en el aseo de servicio. Ni disgusto, ni extrañeza, pero me provocó una lógica inquietud encontrar vacía —y derrochadoramente iluminada— la casa. En justicia, no había por qué suponer que hubiese salido. A esas horas siempre está más o menos dispuesta la cena, y Toni, más o menos aburrida. Me gusta que mi mujer espere, puesto que no regreso de una tertulia, ni de una revolcada con la amante que nunca tuve, ni de beber el alcohol que no bebo por una doble repulsión, física y moral. Toni lo aceptó siempre y siempre aguardó —a veces, en compañía de su amiga Concha— mi vuelta de la empresa. Es monótono, quizá, pero no más que diez horas de oficina. La vida conyugal debe fundamentarse, ya se sabe, en una equitativa distribución de las cargas.

—Te has perfumado. ¿Está preparada la cena?

—Casi.

(Tus eternos discos, limpios como no lo suelen estar mis zapatos.)

Descruzó las piernas, para seguir escuchando con los codos apoyados en las rodillas. Una interrupción, incluso mínima, le hacía cambiar de postura. Terminada la crónica deportiva, me demoré en una disimulada observación del rostro de Toni, encajado en el ángulo de sus manos. Cinco años de matrimonio no impedían mi asombro por su belleza, pero callaba, porque sé bien lo que puede dar de sí la expresión de esos sentimientos nocturnos.

Ni siquiera en aquel momento presentí nada.

Es decir, igual que cualquier otra noche, aquélla de comienzos de la primavera había abierto la puerta con mi llavín, había cerrado, arrojado el diario en la mesa y recorrido el pasillo hasta el living, de donde salí, ya con la corbata en la mano, hacia el dormitorio, despacho, cocina, zona del servicio, hasta acabar ante la puerta del cuarto de baño, detrás de la cual su voz había respondido con una entonación átona, de la que era imposible deducir su estado de ánimo. Y, luego, media hora más tarde, cuando había resuelto el crucigrama y Toni entró, vestida con su larga bata, detonantemente perfumada, su presencia me asombró. Había olvidado —y en los últimos cinco años nunca faltó— que era natural que estuviera en casa.

En un margen del periódico calculé unos precios y unos costos. Si Demetrio telefoneaba —y, convocada junta de socios para dos días después, fatalmente telefonearía Demetrio—, los timbrazos terminarían con aquella melopea saltarina, propiciarían la cena, las consabidas palabras y las consabidas costumbres, que, día a día, preceden al sueño.

—Te has perfumado muchísimo.

(Deberías saber que el exceso de perfume es repelente, nauseabundo, tan putrefacto como carne agusanada.)

Pero Toni, insólitamente, permaneció en la misma postura. Incluso, cuando el disco acabó.

—Seguro que Demetrio llamará. Pasado mañana tenemos junta y ya estaba nervioso esta tarde. Total, cuatro amigos sentados en la sala de reuniones... Pobre Demetrio. ¿No ha venido hoy Concha? Un día de éstos, mejor mañana, habrá que traer a cenar a Demetrio y a Nati. Había pensado que Concha...

(Su piel suave, que pronto se broncerá en la playa, sus labios húmedos, maquillados de color naranja.)

—... podría servir de pareja a Emilio. Así seríamos seis. ¿Estuvo la asistenta?

—Hasta un poco antes de llegar tú.

Inmóvil, Toni parecía escuchar la música. Que ya no sonaba.

—Puedo ayudarte. He terminado con el periódico.

—¿Qué dice el periódico?

—Nada de interés.

—Bien —suspiró, al tiempo que sus manos sobre las

rodillas le servían de apoyo e impulso—. No te muevas. Yo pondré la mesa.

Es justo que yo coloque el mantel, las servilletas, platos, vasos y cubiertos. En los primeros tiempos tuvimos una criada, pero rompía la intimidad y, sobre todo, enervaba a Toni. Suelo prestarle pequeñas ayudas, aunque Toni protesta y no comprende que vaciar los ceniceros, ordenar la tabla de quesos, sacar el cubo de la basura, me descansa de la jornada en la oficina. Ella, que detesta los trabajos caseros, si rehúsa es sólo por orgullo.

Toni acabó, mientras Demetrio me retenía aún en el teléfono. Renuncié a lavarme las manos, sinceramente molesto de haberla hecho esperar.

—Excusa —dije—. Está pesadísimo.

—¿Habéis decidido sobre la delegación de ventas en el Norte?

—Pasado mañana habrá que decidir. Gracias, basta de verdura. ¿No tienes apetito?

(¿Y si fuésemos al cine?)

—No puedo comer.

—Habrás merendado demasiado.

Al recoger la servilleta, que había resbalado, vi los muslos de Toni por la bata entreabierta.

—No he merendado.

—¿Dan alguna película divertida en un cine cercano?

(No querrá vestirse. Le irrita. Si por ella fuese, no llevaría ni la bata. A los dos años de casados empezó a cambiar. Ya no se parece nada a la de antes. Parece una estatua. La estatua griega de una ramera.)

—No sé —dijo Toni—. Ahora no miro los programas.

Las blancas cortinas del ventanal ondulaban ligeras. Toni desmenuzaba el lenguado en el plato. Bajo la lámpara brillaba el disco.

—Lo decía por distraernos.

—Prefiero acostarme.

(Retirarás el mantel, después del café llevaré la bandeja cargada, distribuiré los cubiertos en el fregadero, guardarás el disco, repasaré el crucigrama, me desnudaré, escucharé desde la cama ruidos de vajilla en la cocina, manar agua del grifo, chasquidos, puertas, pasos, el crujido de tu bata cayendo en el taburete, al fin te tenderás en la cama contigua, aplastarás el cigarrillo en el cenicero y me desearás una noche tranquila, dobladas las piernas ya y a punto de que comience el horrible silencio.)

Colocando los platos en el fregadero, proyecté hacer el amor con Toni. Pero había olvidado que, próximo el final de mes, era preciso establecer el presupuesto de la casa. Sentada de nuevo, frente a mí, prever los gastos y distribuir los ingresos —mi sueldo— apenas si nos llevó veinte minutos.

Le acaricié una mejilla. Toni sonrió.

—Estoy muerta —dijo.

—Pobrecilla... Trabajas mucho. Se puede aplazar la cena con Demetrio para la otra semana.

—Estoy completamente muerta.

En el diván, rígida, Toni fabricaba una sonrisa matizada por la indiferencia, la abdicación y una tentativa de afecto.

—Tendrás que ir a...

—Nunca más volveré a un ginecólogo. Ni a ningún otro médico. Sencillamente, he muerto.

(Tienes una noche difícil. Y hace sólo unos minutos, idiota de mí, planeaba que hiciésemos el amor. No permitiré que tus nervios me provoquen un insomnio. Ingenuo de mí.)

Pero, al levantarse sin cruzar la bata sobre sus piernas desnudas, en aparente dirección hacia el dormitorio, se detuvo junto al butacón y cogió una de mis manos.

—Estás helada. ¿No te encuentras bien? Claro, siempre medio desnuda... Toni, cariño, te agradecería que cuidases tu forma de vestir.

Sin ninguna sonrisa, insistió:

—He fallecido hace una semana.

—Hace una semana regresé del viaje por el Norte —dije tontamente.

—Exacto. A tiempo de asistir a mi entierro. Pero no quieres recordarlo.

(Sé que alguna huella en alguna oscura sima de mi

memoria... Pero no, debo considerar que estás nerviosa. Y agresiva.)

—¿Recordarlo? Tengo tu presencia. Y tu olor.

—Mi perfume.

—Y tu presencia.

Como si retirara el aire ante su rostro, abanicó una mano.

—¿Qué presencia?

Crispé los dedos en la bata.

—No niegues que puedo tocarte. Aunque te enterrásemos hace una semana. Y por cierto, ¿dónde?

—En el cementerio municipal. Siempre temí que incumplirías mi voluntad de ser quemada.

—De acuerdo, Toni. No discutamos.

—Cualquier día lo recordarás.

—¡Lo recuerdo! Nunca olvido nada.

—Crees que lo recuerdas.

Penosamente, comencé la relación:

—El lunes pasado lavé el coche, recogí en la tintorería un traje...

—Perdona que te interrumpa, pero ¿has cerrado el coche?

—¡No! —me levanté—. Y están dentro la cartera de documentos y la máquina fotográfica.

—Anda —dijo—, baja inmediatamente.

Es un barrio sosegado el nuestro, de largas calles arboladas, espacios verdes, edificios que no sobrepasan los cuatro pisos. Me gusta oír, cuando alguien lo dice, que vivo en un barrio residencial. Estas cosas —no habían robado los documentos ni la máquina— compensan los esfuerzos diarios y estimulan. Una pareja se besaba en un descapotable. Imaginé que podría no volver a casa y fácilmente me encontraría una hora después a cien kilómetros de la ciudad.

Las sombras de los muebles, de las puertas, mi propia sombra, tenían una nitidez y una consistencia tranquilizadoras. Como el rollo de película dentro de la máquina. Ahora, había dejado abierta la puerta y, desnuda, calzada, impúdica, se lavaba los dientes. Y fui yo quien me vi obligado a disculparme.

—Perdón. No he llevado aún a revelar las fotos que os hice a Concha y a ti en la playa.

—¿Vas a ducharte? —dijo—. Dormirías mejor.

—Me duché esta mañana. ¿Te acuestas?

(En los primeros tiempos no te habrías atrevido a andar desnuda y, encima, con esos zapatos. Como una foto de revista pornográfica.)

—He de recoger todavía.

Cambió de un pie a otro el peso del cuerpo y le temblaron las nalgas.

—No pareces estar muy muerta, Toni.

Escupió el agua, simuló contemplarse en el espejo, aunque sus ojos miraban en él mi rostro, y, con una cierta lasitud encrespada, exigió:

—No me hagas escenas.

Me desnudé a golpes, con una ira sistemática que la soledad alimentaba. Desde la cama, fumando un cigarrillo temblón, oía a Toni colocar la vajilla, abrir y cerrar el frigorífico, luego, el pausado taconeo de sus intolerables zapatos.

El recuerdo de Concha en la playa me hizo pensar que, si como ella misma afirmaba, Toni estaba muerta, mis relaciones con Concha tenían la posibilidad de variar. Y que aquella posibilidad alcanzaba no sólo a Concha, sino a todas las mujeres del mundo. Me dormí sosegado, esperando que Toni entrase en el dormitorio.

La luz del alumbrado público se estriaba a través de la persiana. No del todo despierto, supuse que Toni se habría levantado unos minutos antes. La frialdad acumulada en el hueco dejado por su cuerpo no era una pesadilla, como quizá el perfume humoso, amarillento, invasor, al otro lado del vidrio astillado.

Las agujas del despertador marcaban las nueve y cuarenta minutos. Precipitadamente recorrí la casa vacía. Sobre la mesa del living el desayuno dispuesto indicaba la reciente ausencia de Toni. En pijama, bebí el café, con la certidumbre de que jamás percibiría el olor de su cuerpo, únicamente su perfume. E inmediatamente, como una cita anotada en mi agenda, recordé que a final de semana en una oficina del municipio habría de firmar la escritura de compra de la sepultura perpetua de Toni.

En el tocadiscos seguía el Concierto de Brandeburgo, una prueba más de aquella desidia, o capacidad destructora, que ya manifestó Toni la primera mañana después del viaje de novios proponiéndome —porque afirmaba necesitarlo— que faltase al trabajo. En el fregadero se apilaba la vajilla sucia.

El agua fría de la ducha me volvió a mis más urgentes preocupaciones. Le obligaría a preparar para aquella noche —y con esmero— la cena, durante la que todos —excepto Toni, ya que, como insistía en decirme, estaba muerta— embromaríamos a Emilio. Me aclaraba, cuando, cegado por el escozor del jabón y por el agua que no acertaba a cortar, presentí la asechanza, pero ya era tarde. Toni había descorrido las cortinas de la ducha.

—¿Qué haces? ¿Por qué haces esto?

(Para aterrorizarme, para provocarme un infarto.)

—Creí que la ducha estaba libre.

—¡Ah, Toni, qué tonta justificación...! Hasta en el piso de al lado se oye el ruido del agua.

—Ya no oigo nada —dijo sonriente, con una pueril seguridad en conseguir el perdón de su falta.

Salté fuera de la bañera y me abracé histéricamente a Toni. Pronto sus manos, que helaban las gotas de agua resbalando por mi espalda, se quedaron yertas.

(Toni, te amo, a pesar de que no me es posible decírtelo, y la dificultad crece con el tiempo, sólo te ha faltado el cuchillo y la sangre habría salpicado las cortinas. Toni, asesina, disipadora, perezosa, altanera, insensible, impenetrable, desordenada, impúdica, asfixiante como tu perfume, Toni, amor mío.)

Dejé de besar las duras venas de su cuello, separé los dedos de sus pequeñas nalgas gélidas y me aparté. Con una ternura desmenuzada y minuciosa, Toni trató de reanudar el abrazo.

En el dormitorio acabé de secarme.

—¿Dónde has estado?

—En el parque —respondió, desde el cuarto de baño, su voz—. A la madrugada salí a pasear. ¿Estabas intranquilo?

—Confieso que algo, cariño.

—Llegas muy tarde al despacho, ¿verdad?

Hice subir el nudo de la corbata.

—Sí, condenadamente tarde.

Toni seguía frente a la ducha.

—Conduce con prudencia. Ahora, cuando tú te vayas, me ducharé yo.

(Para que, al desaparecer el perfume, yo no huela tu incipiente putrefacción. Toni, qué ingenua resultas, a veces, con tus pequeños trucos femeninos.)

La fastidiosa imperturbabilidad de sus momentos misteriosos teñía, sin embargo, aquella sonrisa irónica que parecía dirigir a mi camisa.

—¿Qué me miras?

Cerró los ojos para denegar con la resignación de quien no puede hacerse comprender:

—Nada. Hasta la noche.

En el laboratorio dejé el rollo, que había impresionado en la playa aquel día de reciente primavera en que Toni, Concha y yo nos sentamos en las rocas a imaginar toldos, bañistas, embarcaciones. El dependiente prometió revelar con prontitud las fotografías y yo le detallé la clase de papel y el tamaño en que deseaba las copias. De nuevo en el automóvil, recordé haber olvidado la cena proyectada para aquella noche, sin duda a causa del sobresalto que Toni me había proporcionado al descorrer de improviso las cortinas. Con indudable premeditación.

Demetrio, que esperaba impaciente, no sólo me entretuvo hasta la hora del almuerzo, sino que almorzó frente a mí en la cafetería, incansable con sus quisquillosos presagios respecto a la junta de socios. A media tarde sonó el teléfono.

—Soy yo. ¿Cómo estás? ¿Tienes mucho trabajo?

—Muchísimo. Y tú, ¿estás aburrida? Volveré a la hora de siempre. Vete de compras o al cine.

—Bueno —dijo, y le noté que sonreía con la sonrisa mala—. Hasta la noche.

Ya no pude trabajar. La inquietud, como una serpiente que me trepase las piernas, fragmentaba recuerdos —el precio del ataúd, las nubes redondas sobre la tapia del cementerio, unas huecas palabras de conmiseración— de un tiempo que aún no se había cumplido. Resistiéndome, mi mano derecha descolgó el auricular del teléfono. A los dos timbrazos escuché el floreado gorjeo, que en su juventud debió de adoptar como la más elegante manifestación de júbilo y que sonaba a maullido.

— ¡Qué sorpresa!

—Si tienes un rato libre, podríamos encontrarnos en un bar discreto.

—De lo más inconveniente. Proposición rechazada. Pasa a recogerme y me llevas al club de bridge.

—Necesito hablar contigo, Concha.

—Cuanto quieras.

—De Toni.

—Pobre.

Ni siquiera guardé los papeles en las carpetas. Demetrio me cazó en la puerta y tuve que prometerle que aquella misma noche le telefonearía con objeto de ultimar detalles de la junta.

Teatralmente maquillada, con un vestido de seda rosa —zapatos de finas tiras, del mismo color— y un chal de hilos dorados para cubrir o mostrar el abismal escote en el que marchaban instalados sus pechos, Concha atravesó la acera en una carrerita a saltos uniformes, que transmitían a su cuerpo un gelatinoso tembleque. Por fin, logró acomodarse ella y acomodar el chal en el asiento contiguo al mío. La tarde se acababa, acumulando nubes aceradas.

—Discúlpame que te haya sacado de casa así, de repente.

—Por favor, querido, no seas chiquillo. ¿Estabas en la oficina? ¿Cómo te arreglas? ¿Vas a vender el coche? Estás delgadísimo.

—Si no tienes nada que objetar, vamos hacia el faro.

(No me preguntas por Toni.)

—¿Te acuerdas de una vez que estuvimos cenando todos en aquel restaurante del malecón del faro? Pues lo han cerrado. ¿Te acuerdas tú? Emilio se marchó enfadado a media cena.

—¿Qué es de Emilio?

—Sin variación. De cuando en cuando, si me coge en un momento tonto, salimos.

—¿No se sobrepasa?

Concha rió en una perfecta escala dodecafónica.

—¡Ay, querido, qué buen humor tienes...! ¿Sobrepasarse?

—Es tonto.

—Eso no —dijo bruscamente seria—. Que me respeta. No todos los hombres son como tú.

—¿Como yo? Pero ¿qué tienes que decir de mí? Siempre te he respetado.

—Dejémoslo, querido. Tú eres distinto. Tú, con las mujeres, no tienes sentimientos, ni miramientos.

Concha montó una pierna sobre otra, trabajosamente a pesar de la etérea celeridad propuesta para lograr un grácil movimiento. Las calles, donde se encendían ya los anuncios luminosos, quedaban atrás. Deseé que Toni no hubiese muerto y gozar plenamente de aquella intimidad tibia, desprovista de sentido.

—... ese tipo de miradas, que dicen más de lo que una se ha atrevido a pensar. Y, encima, lo de la fiesta de cumpleaños de Toni.

—¿Qué fiesta?

—Lo has olvidado. ¿Ves cómo careces de sentimientos?

—¡Ah, sí! Estábamos los dos un poco borrachos.

—La única borracha era yo. Por eso, te aprovechaste. En cambio, Emilio se comportó como un caballero.

—Te casarás con él.

—¡Ay, no, de ninguna manera! Me da asco sólo imaginarlo. Y le aprecio mucho, mucho. Emilio le ves así, tan circunspecto, tan servicial, pues en el fondo Emilio no tiene el refinamiento que tenemos tú y yo, por ejemplo. Le gustan los sitios ruidosos, las comidas aceitosas, le gustan las cosas tal como son. El ideal de Emilio es tener una mujer que anduviese siempre desnuda. Sí, sí, aunque no lo parezca, el ladino ése es un degenerado y un patán. (Y tú, claro, prefieres las luces tenues, las sedas y las plumas, los susurros, los interminables preparativos.)

Mucho antes del faro detuve el coche, paseamos diez metros y nos sentamos en un banco. El mar estaba quieto y neblinoso.

—Concha, tú tendrías que casarte conmigo.

Le temblaron las mejillas y yo le acaricié un brazo.

—Un poco de decoro. Recuerda que si estamos aquí es porque tú querías hablarme de Toni.

Se apartó, me volví hacia ella. No sabía cómo decírselo, puesto que sólo había una manera de contarlo.

—Concha, la veo en todas partes.

—Mi pobre criatura.

—En el dormitorio, en la cocina. La oigo por el pasillo, hablo con ella, me telefonea, de repente entra en el cuarto de baño. En estos últimos cinco años su presencia me parecía tan obvia como la de un mueble. Ahora me acosa.

—Es normal. Te irritaba con frecuencia. Yo le aconsejaba, pero Toni nunca admitía consejos. Siempre tan poco práctica, tan...

—Concha —dije—, Concha, no me entiendes. Veo a Toni, vivo con Toni. Por favor, no atribuyas otro sentido a mis palabras. Incluso huelo su perfume constantemente, porque Toni está en casa. Necesito preguntártelo y que me digas la verdad.

—Tendrías que haberte ido una temporada fuera, al campo.

—Concha —cogí sus manos—, ¿ha muerto Toni?

Dijo sí escuetamente, levantó mis manos entre las suyas y las besó. Me arrojé sobre ella y ella sobre mi boca desprevenida. Recordé el color naranja de sus labios y, cuando el asunto empezaba a ser placentero, me separó súbitamente.

—Vámonos o me perderás —se centró el escote del

vestido y se levantó del banco, con una mano sobre la frente—. ¡Oh, es atroz!

No hubo otro remedio que seguirla al coche. Las farolas convergían sus luces paralelas en una lejanía de bochorno, pero la siniestra soledad del malecón devolvió a Concha su habitual locuacidad, tan útil como música de fondo.

Al frenar bajo la marquesina del club de bridge, Concha, que acababa de retocarme el nudo de la corbata, me miró, con una sonrisa que me recordó fulminantemente la de Toni aquella mañana en el cuarto de baño.

—¿Qué me miras?

—Tu corbata negra. ¿Haces las comidas con regularidad? Toma carne todos los días. Pero no por las noches. Por las noches debes tomar pescado. El pescado tiene fósforo y a ti te hace falta fósforo. Y vitaminas. Abandona el trabajo un par de semanas, hazme caso. ¡Ay! —con un cachete libró sus rodillas de mis caricias—. Estamos cometiendo unas locuras reprobables, querido. Yo debo reflexionar. Tu proposición me ha sorprendido tanto..., resulta tan precipitada estando ella aún... ¡Ah!, es terrible..., desgraciada criatura...

Después de depositar a Concha frente a su club, aceleré por las calles desiertas. Faltaban cinco minutos para mi hora de llegada habitual. Me pareció prudente borrar todo rastro naranja de los labios de Concha. Desde el vestíbulo llamé estentóreamente:

—¡Toni!

—¿Has vuelto ya?

Toni, junto al tocadiscos, con el rostro en el ángulo de sus manos unidas, escuchaba en silencio.

—Estarás muy fatigado —dijo, sin convicción—. He preparado las sobras de la cena de anoche. ¿Vas a ducharte?

Decidí leer el periódico, no disgustarme porque en veinticuatro horas no hubiera tenido ocasión de guardar el condenado disco, que destellaba bajo la lámpara. Terminada la sección deportiva, comencé el crucigrama. A mi espalda, sin que yo volviese la cabeza, Toni me hizo prometerle que me acostaría pronto. Pero no me levanté del butacón hasta que hube cubierto todas las casillas.

Desnuda sobre la cama, Toni tenía cerrados los ojos y las palmas de la manos pegadas a los muslos. Me desnudé despacio y, sin brusquedad, animado de una inmensa ternura, me tendí sobre Toni, que movió los párpados.

—Toni.

—La lujuria de la fatiga —rió con una ronca agresividad—. Es inútil. Tampoco cambiarás nada.

—Esta noche no te niegues. Lo que esta noche siento por ti, Toni, no es ese miserable amor que produce la convivencia. Ahora, sí, todo puede cambiar.

El timbre del teléfono sonó en la mesilla. Me arranqué del cuerpo de Toni, que bostezó, y fui a sentarme en el borde de mi cama. Demetrio comenzó reprochándome que no le hubiese telefoneado, tal como había prometido aquella tarde. Luego, Toni estaba ya dormida y yo tuve que aliviarme, de indigna manera, en la oscuridad moteada de minúsculas muecas de Concha.

Cuando desperté, estuve oliendo las sábanas de la cama de Toni. Era un aroma frío a tierra mojada, a barniz. No me duché. Elegí una corbata a rayas.

La junta nos ocupó la mañana.

—Bien —dijo Demetrio, una vez que nos hubimos sentado uno frente a otro en la cafetería—, así que el domingo cenaremos en vuestra casa con Concha y ese bendito de Emilio. Después, habrá que salir a juerguearse por los bares del puerto. Y por hoy me dedicaré a holgazanear. La vida es buena. ¿Has decidido ya?

—Tomaré carne. La lengua estofada, quizá.

—Yo —dijo Demetrio— lo mismo. Has estado fenomenal. Leías el balance y sonabas como una orquesta. Por cierto, promete no decirle nada, el domingo Nati y yo le llevaremos un álbum de discos a Toni.

—Ese regalo nunca la defrauda. Ultimamente se encuentra... —me interrumpí, con el vaso de vino a la altura de los ojos.

—¿Peor? Supuse que no sería nada de cuidado.

—¿Supusiste? ¿Cuándo?

—No te entiendo. Pensaba tomar otro aperitivo, pero nuestro hombre ha sido rápido —Demetrio retiró los brazos de la mesa—. No te inquietes, Toni es joven. Y, además, las mujeres exageran cualquier molestia, si no es que se la inventan.

Salvo la luz del sol en los ventanales, ¿en qué se diferenciaba aquel momento del mediodía lluvioso de treinta —o cuarenta— días atrás, durante el que Demetrio y yo habíamos mantenido ya aquella conversación sobre la salud de Toni? El teléfono del despacho sonaría una hora después y la voz de la asistenta diría que la señora se había agravado. La lluvia se escindiría en el parabrisas, Concha me abriría la puerta y la casa tendría el aspecto insólito, abrumador, de aquellas dos semanas que duró la agonía de Toni.

—Hace calor —dije—. Se nota que el verano se acerca.

Fui yo quien telefoneó, para oír los timbrazos regularmente repetidos que resonarían en las habitaciones vacías. Y la memoria, sin solicitación (Toni había pronosticado que yo tardaría en recordar), proyectaba sin pausa la enfermedad, agonía, muerte y entierro de Toni.

Ni aunque hubiese tenido un asunto urgente, habría seguido en el despacho. Conduje despacio, mecido en esa peculiar tristeza que deja un sueño feliz. El portero me entregó unos impresos. En el ascensor preparé el llavín, sin prisa.

Entré. Recorrí una por una las habitaciones y después me cambié de ropa. Nada más encontrar un libro de crucigramas, sonó el teléfono. Cuando acudí, cortaron la comunicación.

El aire quieto hacía pastosa la soledad, difícilmente soportable el silencio. Por fin, abrí su armario y hundí la cara en los vestidos de Toni, sumergí las manos en los cajones donde se amontonaba su ropa interior, embriagado por aquel complejo perfume, que agudizaba la angustia de mi inútil (para siempre) excitación. Llegué corriendo al teléfono, al sonar de nuevo.

—¿Ya estás ahí? ¿Te encuentras bien?

—Desde hace un momento —dije, liberado gracias a

su voz—. Me encuentro deprimido. ¿Cómo terminó tu partida de bridge?

—Siempre gano. Si estás deprimido, toma un estimulante. Yo, en cambio, tendría que tomar un anxiolítico. Ayer cometimos una locura.

—¿Ayer?

—Prométeme respetar la memoria de Toni en la que fue su casa y me acerco a hacerte un rato de compañía.

—La casa está imposible. Parece una tumba.

—Querido, a veces abrumas con tu mal gusto.

Ordené el armario de Toni, volví a cambiarme de ropa y, antes de que hubiera ventilado la cueva, Concha llamaba a timbrazos cortos y apresurados.

—Me ha visto el portero —entró, arrollándome.

—No tiene importancia.

—Es cierto, aquí huele mohoso. Sí, tiene importancia. Todo se habla y todo se sabe.

—Estaba ventilando. Siéntate —se sentó— y traigo algo de beber.

—Tienes mala cara.

—Pasaba un pésimo momento, cuando has llamado.

—Beberé lo que haya, con unas gotas de ginebra. E inmediatamente me pongo un delantal y te limpio la casa.

—Estás muy guapa.

—Adulador... —me dio un azote—. Si nunca te habías fijado en mí...

Aplacé la trampa de una conversación tan tediosa como imprescindible, largándome a la cocina, donde Concha me siguió dos minutos más tarde.

—Es terrible —dijo.

Mediante un hábil movimiento de los brazos, conseguí posar las botellas en la mesa y corresponder —con exceso— al abrazo de Concha. Asustada por dos minutos de soledad, permitió el descenso de mis manos a sus caderas.

—Me parecía estar viéndola junto al tocadiscos —dijo Concha, por el pasillo.

Busqué y, oprimiendo rabiosamente la funda que contenía los Conciertos de Brandeburgo, estuve tentado de romper aquel par de discos. Después de servir las bebidas, Concha dobló las piernas sobre el diván. Yo también me senté, frente a aquel fragmento de muslos de piel tersa.

—¿Entiendes ahora lo que es vivir solo en esta casa?

—Así no puedes continuar, desde luego. La propia Toni, acuérdate, unas tardes antes de morir decía que tú no deberías obsesionarte, que tendrías que rehacer tu vida. Pobre desdichada.

—No llores, Concha.

—Se me encoge el corazón, se me pone como una manzana arrugada. Decididamente tienes que mudarte a un hotel.

—Bueno..., quizá sólo me haga falta otra mujer.

—Pero no podemos casarnos en cuestión de una semana, querido. Además, yo... Comprendo que está muy bien situado y que te has acostumbrado a vivir aquí, pero habrá que decidir qué hacemos con mi piso. En cualquier caso, eso sí, compraremos muebles nuevos. Por lo pronto, para ti un hotel. Me da como repeluzno hacer planes, cuando su cadáver está aún caliente.

—Y, a veces, anda por el pasillo —dije, riéndome.

—¡Calla! Te prohíbo ese tipo de bromas horripilantes y groseras. Es indudable que ni la respetas a ella, ni me respetas a mí.

—Porque te deseo.

Chasqueó la lengua sardónicamente y descubrí un diente de oro que nunca le había visto.

—Estás raro, porque te pesa la viudedad. Pero ¿cuándo me has deseado tú? No nos engañemos, querido.

—Concha, desde que estabas probándote un vestido de Toni y un impulso involuntario me empujó a sorprenderte. Anoche tú misma recordabas nuestro primer beso. La prueba de mi deseo es que siempre me ha fastidiado Emilio. Sólo mi respeto a Toni, el amor que le tuve y mi propio sentido de la decencia, me impidieron manifestarte, Concha —me trasladé al diván—, que, además del marido de tu mejor amiga, también soy un hombre. Por desgracia, ya nada me impide confesarlo.

Se reía como si le hubiese hecho cosquillas, palmeándome las piernas, tan incongruente como atractiva. Por fin, eligió la sagacidad benevolente.

—Qué poco sabes del espíritu femenino —permitió que le cogiese una mano—. Las mujeres adivinamos, presentimos, disimulamos. Por si fuera poco, ese ángel que ya en vida fue tu mujer no tenía secretos para mí —le solté la mano—. Ni yo para ella. ¿Cómo no voy a conocer, y mejor que tú mismo, tus deseos y tus caprichos?

Decidí contrarrestar su superioridad informativa.

—Toni tampoco tenía secretos conmigo. Por ejemplo, me contó que en una ocasión Emilio y tú os acostasteis.

—¡¡Pero no sucedió nada!! —bramó—. Espero que esa cotilla fuese totalmente indiscreta y que también te contase que pasamos una noche blanca —Concha forcejeó espléndidamente contra su ceñido vestido de raso verde hasta lograr ponerse en pie—. Dime dónde hay un delantal, que voy a limpiar esta pocilga.

—Vuelve a sentarte, Concha —se sentó— y hablemos con sensatez. Admite que es difícil meterse en la cama contigo y que no suceda nada.

—Te parece difícil, porque tú eres una bestia lúbrica.

—Bien, de acuerdo. ¿Qué te contaba Toni de nuestros problemas conyugales?

—¿Cómo pretendes que traicione la confianza de una muerta? La verdad es que Toni no fue feliz contigo. A veces te tenía miedo y, por lo general, se quejaba de tus rarezas. Ella adolecía de poca imaginación y, tú lo sabrás mejor que yo, tampoco le sobraba femineidad. Toni, le decía yo, cualquier mujer reventaría de gozo porque su marido tuviese esa clase de manías.

—¿Le decías eso? —rodeé sus hombros con un brazo—. Concha, tú y yo nos entenderemos.

Me besó largamente, sin consideración, permitiéndome pensar en el espanto que le causaría a Concha una aparición de Toni en aquel instante, con la bata sobre el cuerpo desnudo, tal y como la noche anterior había estado sentada allí mismo. Vencí la cremallera lateral del vestido, y entonces sonó el timbre.

Aún me latía una vena en la sien, acompasada y dolorosa, después de haber cogido el sobre que me tendió el muchacho del laboratorio fotográfico. En el mismo vestíbulo saqué las fotos. En ninguna, perfectamente conseguidas por otra parte, aparecía Toni; sólo Concha y yo, o Concha y un espacio que mi técnica del encuadre nunca habría permitido.

Corrí hasta ella, me arrodillé y aplasté mi rostro en el halda tensa de su vestido. Concha comenzó a acariciarme la cabeza.

—Tranquilízate —dijo—. Tranquilízate, querido. Así no es posible vivir.

—Yo la quería mucho.

—Sí, a tu manera, pero da igual porque Toni ya no existe.

Era deslumbrantemente cierto, con la extraña certidumbre de lo evidente, con la liberadora felicidad, aún no aceptada por el temor de que, al poseerla, se desvanezca. Me quedaba una zona que iluminar y aquella inhabitual felicidad —tantos años sin sentirla, que tantos días me había costado admitir— sería completa. Levanté la cabeza. Concha sonreía con lágrimas en sus hermosos ojos, ribeteados de negro, de curvas y pesadas pestañas artificiales.

—Concha —pregunté—, ¿verdad que Toni me engañó?

—¡Oh, qué malicioso...! Sólo fue una bobada, una bobada de veraneo.

Ligero, casi aéreo y desbordante de energía, me senté en el diván, aprisionando a Concha entre mis brazos.

—No me dejes solo.

—Pero claro que no. ¿Quieres que improvisemos una cena?

—Naturalmente no es que celebre la muerte de Toni, pero ya que fatalmente se ha producido, debo reconocer que un cambio siempre reconforta.

Sacó mi mano de su escote.

—Eres astuto y tenaz. No es raro que te vayan bien los negocios.

En la cocina me permitió algunas exploraciones inéditas por su cuerpo, cuanto más íntimo más bello. No bebió excesivamente, pero estaba alegre y una pizca loca. Después de la cena recordó que debía telefonear a Emilio y, mientras mantenía una conversación ejemplar por su incoherencia y su vacuidad, resolví unos crucigramas, hasta que aproveché la indefensión de Concha con unas caricias que le provocaron chillidos y risas suficientes para alarmar a cualquiera, excepto a la anquilosada percepción de Emilio. Al fin, abandonó el auricular y en ésas o semejantes escaramuzas la medianoche puso término a nuestra noche blanca.

Concha se negó a que la acompañase. Prometí que cumpliría sus ininterrumpidas recomendaciones y sabios consejos.

—¡Ah!, y no olvides dejar la llave al portero, para que yo pueda llevarme las ropas de Toni. Será una obra de caridad distribuirlas entre muchachas necesitadas y, sobre todo, librarte a ti de juegos enfermizos. Hasta mañana, amor mío.

Cuando me escurrí entre las sábanas, un inconsciente suspiro de satisfacción patentizó mi bienestar por el simple hecho de vivir.

(Toni, todo ha acabado. Han sido unas malas semanas. Con el tiempo, tu recuerdo se transformará en la dulzura de la felicidad perdida. Eras muy bonita, Toni.)

Decidí instalarme en un hotel del barrio, cuyo aspecto resultaba adecuado a mi posición. Por una temporada se reducirían considerablemente mis gastos. Visiones parciales de la excelente carne de Concha reconfortaban mi soledad. Bostecé y apagué la lámpara.

Sonó un chasquido. El pasillo se iluminó y, unos segundos después, la cocina. De golpe, me senté en la cama. Entrechocaban vasos, golpeaba contra ellos el chorro de agua. El tintineo del vidrio sobre la superficie del armario y un nuevo chasquido del conmutador fueron los mínimos y asordantes ruidos que precedieron a un breve silencio. Y luego, empecé a oír hacia el dormitorio el pausado taconeo de los intolerables zapatos de Toni.

(1964)

Acababa de tenderme al sol, con la toalla sobre la cara, dispuesto a no moverme hasta la hora de la comida si antes no llovía, cuando vino a avisarme que su madre estaba enferma. Mientras me alejaba, se quedó en cuclillas, cerca del castillo de arena, que los otros niños habían construido a media mañana. Desde el bar telefoneé, para saber qué podía sucederle. En la central del pueblo producían los acostumbrados ruidos, cuya duración nunca era menor de tres minutos, y yo me quedé adormilado de codos sobre la barra. Al otro lado del vidrio, las olas crecían y llegaban con mayor frecuencia a las barcas varadas en la arena.

Le dije que volviese a preguntarle a la señora si mi presencia en aquel momento resultaba verdaderamente imprescindible, si no sería posible aplazar mi presencia hasta el almuerzo. Regresó al teléfono sinceramente irritada —tendría anudado a la cabeza el pañuelo que se colocaba siempre que decidía limpiar el living— y me comunicó que la señora le había comunicado que se encontraba muy mal. Entonces recurrí a su opinión y

—estaría apoyada en la barra del aspirador— confesó que ella, con toda franqueza, suponía que, una vez más, se trataba de los nervios de la señora, quien, con perdón y como el señor —yo— sabía, aquellos días estaba particularmente imposible. Después de manifestarle un acuerdo caluroso, aproveché para beber un aperitivo y regresé al hueco que mi cuerpo había dejado en la arena. A los pocos minutos levantó un extremo de la toalla y me propuso que examinase las modificaciones en la estructura del castillo, esencialmente el foso, que había ampliado. Le dije que bueno, que sólo tardaría un segundo en incorporarme y, con una amabilidad inesperada, dejó caer la toalla. Lo que me permitió agarrar el sueño.

Por la posición del sol, entre las nubes, y el desgaste que el agua había provocado en el castillo de arena, calculé haber dormido unas tres horas. El retórico cuerpo de la alemana estaba ahora en pie, dispuesto a bañarse.

Aquella extraña luz, aquel silencio extraño —hasta que oí de nuevo el ruido del mar— me dieron una inusitada sensación de soledad. Me habría enloquecido la irrealidad del momento si no hubiera recordado el tabaco. Me senté, crucé las piernas, me eché encima el anorak y encendí un cigarrillo. Si venía a hablarme de su madre o su madre enviaba a la doncella —continuaría después del almuerzo en el living, emporcando de brillos la única habitación acogedora del chalet—, me sería difícil adoptar una actitud. Antes de terminar el cigarrillo, tuve la clarividencia de ir al bar, beber otro aperitivo y resignarme al bocadillo que se empeñó en venderme, convencido de que no había comido —ni comería— nada, censurando mi insaciable disposición para fumar cigarrillos en la arena.

Con la toalla me abrigué las piernas, aunque el viento seguía alto, y seguí fumando. Entre las olas, el cuerpo de la alemana producía una penosa sensación de levedad. Naturalmente que no había sol cuando salió del mar, ni lo hubo, mientras corría esbelta, robusta, pérfida, asexuada, haciendo más amplia la playa, la franja de arena húmeda, los espacios entre las barcas varadas, el otoño.

mi casi gratuita permanencia allí. Me tendí, cerré los ojos y procuré escupir el cigarrillo antes de dormirme.

Probablemente él había pateado el castillo de arena, pero no tuve ánimos para preguntárselo. En todo caso, denotó una absoluta indiferencia, en cuclillas, de espaldas a la obra derruida, al tiempo que confesaba no haber recorrido ni cinco metros de jardín más allá de la verja.

—O sea, que te volviste y ni siquiera sabes si limpiaba el living.

Dijo que tenía demasiadas cosas que hacer y que yo cogería frío de tanto dormir en calzón de baño.

—Ni por casualidad has subido al dormitorio de tu madre, ni siquiera preguntaste cómo se encontraba.

Insistió en lo de la pulmonía y confesó que, en el último momento, había comprendido que arriesgaba la libertad, si entraba en la casa.

—Pero sí, llevaba un pañuelo a la cabeza —estiró las piernas y, aunque visiblemente le aburría charlar conmigo, añadió—: Creo que esta noche me dejarán salir con ellos.

Para dotar de autoridad a mis palabras, me senté. Tenía la espalda acribillada de arena. Negociamos su obligación de avisarme antes de embarcarse a cambio de la ambigua posibilidad de que yo le autorizase, o no, a salir con los pescadores. Me dijo que cogería frío, si continuaba quieto en la arena, arrebujado en el anorak, con la toalla liada a las piernas, consumiendo cigarrillos.

—¡Está bien, está bien! —le grité, pero no volvió la cabeza.

Habría comido el bocadillo, si no me hubiese entretenido viendo las olas muy espumosas, las nubes ennegrecidas que se apretaban. Hasta que el viento no se levantase —y podía llegar la noche en aquella calma, resultaba idiota molestarse por un bocadillo y por la indecisión de romper una inmovilidad tan injustificada, en principio, como el movimiento. A pesar de mis propósitos, temí empezar a pensar. Me tumbé boca abajo, después de calzarme las alpargatas.

La arena casi llegaba a las fachadas —la más alta de

las casas tenía tres pisos— de cerradas ventanas y alguna que otra puerta entreabierta. Al descubrirla caminando por la estrecha acera de cemento, me sobresalté más que por el color, porque era la primera mujer con abrigo, zapatos y medias que veía en los últimos meses. Los altos tacones repiqueteaban a un ritmo igual. Para lograr una mejor perspectiva, me moví sobre el vientre. Tardé en reconocerla, con el abrigo rojo muy ajustado a la cintura y el amplio vuelo hasta las rodillas, con su pelo rubio —tantas veces mojado en tantas mañanas— y sus piernas, radicalmente diferentes a sus piernas de adolescente, que una semana antes habían corrido por allí mismo. Cuando cruzó frente a mí, levantó un brazo y era ya tarde para que percibiese mi respuesta a su saludo, puesto que ni giró la cabeza, ni demoró el paso.

Decidí no beber ni una gota y, por tanto, considerando el sosiego de mi mente, podía atreverme a pensar. Puesto que teníamos dinero para los próximos dos años —escasos—, únicamente su irresistible afición a las grandes ciudades —y, en parte, el problema del colegio— justificaba que nos amargase la existencia al niño, a la doncella y a mí, como si el final del verano tuviera lógica y fatalmente que alejarnos del pueblo. Ella nunca había estimado mucho las opiniones ajenas.

El viento llegó a ráfagas intermitentes y desiguales.

El monótono argumento de nuestra juventud y un esplendoroso porvenir no bastaría, por muchos nervios histéricos que pusiese en el empeño, para encerrarme en una ciudad con sus automóviles, sus amigas, sus muebles y sus modistas, a que me asesinase un trabajo tan remunerador como repulsivo. O me encerraba en un manicomio, tal como me amenazaba a diario, o lucharía inútilmente por sus joyas y demás bazofias. Ni la falta de colegio podía anular aquella repugnancia que me desmadejaba, cuando —como ahora, con las piernas abrazadas y el mentón en las rodillas— recordaba mi inmediato pasado. El viento, que había dejado de llegar racheado, me zumbaba en los oídos, alborotaba las olas de la orilla, había espesado la luz sobre la playa. Ya que teníamos dinero, el niño y yo, al menos, nos quedaríamos donde estábamos.

En la tarde declinante, con la capucha echada, mientras comía el bocadillo, la olvidé a ella y sus argumentos. De pronto, recordé cómo les habían facilitado las enfermedades y la muerte en las playas, cercadas de alambradas y de senegaleses, o cómo ellos se habían enterrado vivos con una desesperación fuera de todo límite, con esa tenacidad invencible de los derrotados. No tenía frío. Siempre que él y yo encontrásemos media hora para tratar el asunto, lo del colegio tendría solución. Habría dejado la comida en la mesa de la cocina y habría subido —o estaría subiendo— al dormitorio, para preguntar si la señora se encontraba bien o se encontraba mal o se había dormido, narcotizada por su histeria cerril, su cobardía y una aterradora insolidaridad. Daría por seguro que yo permitiría al niño embarcarse por la noche no porque yo respetase la libertad ajena, sino simplemente por aguijonearla a que nos abandonase de una vez para siempre y regresase a sus amontonamientos de salones, amigos, tontas historias sucias, emulaciones. Así que determiné que, si consentía en abrigarse, yo mismo le izaría a la borda y me quedaría en el muelle hasta que regresasen.

En la penumbra del crepúsculo llegó por la arena, con los zapatos en la mano y el abrigo abotonado hasta el cuello, asegurando que yo estaba cogiendo frío y que no me levantase. Pero ella tampoco se sentó.

—No, aquí se está bien, si no fuese por la rigidez de las piernas.

Me ayudó a llenar la bolsa y dimos un paseo. No debía de ser cierto que se aburriera, porque al día siguiente —o al otro— era domingo, lo cual convertía el presente —o el próximo— en sábado, su día favorito, y, además, habló mucho. Le pregunté súbitamente su edad y le dije que a los veinte años lo más sensato que podía hacer era preservar su vida en aquel pueblo. Se lamentó de la cercanía de las lluvias, del mal tiempo y de las tardes cortas como una zambullida. Estuve de acuerdo con ella.

pero alegué que esas sombrías y breves tardes resultaban inmejorables para beber unos tragos frente al televisor del bar. Rió como si yo hubiese manifestado un especial interés por su melena rubia o por su cuerpo, objetivamente apetecible debajo del abrigo de paño fino. Cuando contesté que ella no había salido, porque según mis noticias se encontraba indispuesta, determinó acercarse a visitarla, de manera que continué por la playa, solo, hasta que fue de noche y en el mar no había sino una sombra uniforme.

Al regreso, la alemana, sentada en el vestíbulo del hotel, con un vaso de jugo de tomate a la altura de los labios y el transistor sobre los muslos, y yo, al otro lado del ventanal, nos saludamos con una engañosa espontaneidad. Sólo bebí un par de whiskys en el bar, en pie, sin ninguna premura por regresar a casa.

Las dos estaban en el living, el abrigo rojo sobre el respaldo de uno de los butacones de cuero y un abigarrado despliegue de tazas, azucarero, tetera, platillos y ceniceros repletos. Sin apreciar mi sonrisa, se apresuró a interrumpir la conversación, en la que patentemente estaba muy interesada, para informarme, a una irritante e increíble velocidad, de que había pasado un día espantoso, abandonada por su hijo y por mí, de que dónde había comido y de que acababa de llenar la última maleta —las demás ya estaban cerradas—, porque no soportaba ni más locuras, ni más maniáticos. Añadió que el automóvil estaría dispuesto al amanecer. Le pedí aplazamiento para hablar luego de todo aquello, incluido lo de las maletas y su automóvil.

—Nuestro —precisó.

Mascullé que subía a vestirme. Una vez que me puse el pantalón, unos mocasines, una camisa y el jersey de mangas largas —para ejemplificar la necesidad de abrigarse por las noches—, eludí, al atravesar el jardín los rectángulos luminosos que mantenían las lámparas del living sobre el césped.

Le dije que sólo tomaría otro whisky, por hacer apetito, y, como tampoco era mi madre, sino el dueño, me dejó en paz y me puse a imaginar las noches futuras sin ella en la cama. Se estaba bien allí, adormecido por la televisión, espaciando los tragos, diciendo algo de cuando en cuando.

Recordé mi decisión de no beber, cuando el viento húmedo y salado me hizo vomitar en la playa. Parecía más probable que yo hubiese salido del bar por ser la hora del cierre que por propia voluntad. Antes de sentarme en la arena, permanecí ante la fachada del hotel, con la certidumbre de que la alemana se asomaría y nos diríamos nuestros nombres.

Apareció tan silenciosamente que me asustó.

—Siéntate, anda. ¿O tienes frío?

Dijo que no tenía frío.

—¿No te has embarcado?

Me preguntó si podría caminar o prefería continuar sentado en la arena hasta que pudiese caminar y, después, mientras planeaba sucedáneos a lo del colegio y le oía contarme que ella se había pasado la tarde llenando maletas, nos detuvimos en alguna esquina a fin de que yo recuperase el equilibrio. Soplaba fuerte el viento en las calles iluminadas por pequeñas bombillas sujetas a las blancas fachadas, en el mar, en los jardines oscuros. Le dije que lo de las maletas no modificaba nada y él me dijo que, en una o dos semanas, sabría lo suficiente para salir con ellos en las barcas. Seguimos en silencio, pero me había cogido una mano y la apretaba. Con toda evidencia, la felicidad, que nunca se alcanzaba individualmente, una vez más resultaba una cuestión interior.

(1964)

Apareció, súbita y lentamente, entre las dos hileras de acacias de la acera, la cabeza baja y el bolso al final de la larga correa, en un golpeteo rítmico contra el zapato izquierdo. Al descubrirlo, rígido en la fachada, sobresaltado aún por la aparición de ella, se detuvo, cruzó la reguera y volvió a detenerse, ahora frente a él.

—Estás muy solo, guapo —dijo, con un intento de sonrisa—. ¿Te apetece un ratito de compañía?

—Vete.

Pero ella había comenzado a llorar (por sus ovarios que en un par de semanas, según el del Seguro, le dolerían ya) y, en vez de alejarse, apoyó un hombro en el muro de ladrillos rojos y piedra blanca. Tragaba los sollozos, se secaba los lacrimales con la punta de un dedo envuelto en un pañuelo, había dejado resbalar el bolso, que quedó sobre la acera.

—Te vas a venir conmigo, ¿verdad? Sólo tengo treinta años, guapo. ¿No te gusto? Hoy llevo un día malo, un día cabrón. Perdona; me cabrea hablar mal.

—Márchate.

—Tengo educación, no creas. Hasta hace cinco años trabajaba en una oficina. Y ahora trabajo en el cine. Cuando me avisan del sindicato, dejo de hacer la carrera. ¡Hala, ya no lloro! Dispensa, majo. Yo, por lo de hoy, me ves así, hecha un pingajo. Pero soy una chica alegre.

—Lárgate, malaputa.

—Oye..., ¿qué dices?

En el mismo tono, sin despegar de la fachada las manos (sudorosas desde la mañana, cuando había colgado el teléfono), repitió rasposamente:

—Estás estorbando, malaputa.

Con las rodillas juntas flexionó las piernas y enganchó el bolso por la curva tensa de la correa. Le miró, casi sonriente.

—Tú no serás de la bofia...

Y, nada más decirlo, vio el jeep, bajo las acacias, junto al bordillo, no lejos del quiosco cuadrado (donde ella algunas tardes compraba rubio con filtro, que perjudica menos a los pulmones), frente a los apagados escaparates de las mantequerías. (Y ahora lo llevaba —así es la vida— entre las piernas, donde aquella misma mañana creía llevar sólo el amor, el placer y el oficio.) Los dos pilotos rojos de situación iluminaban el metal de la carrocería.

—Arrea fuera de aquí.

—No. Tú no eres bofión. Tienes cara de esponja, cara de no haber conocido a tu padre, cara de llevar cuernos.

El sudor le caía de arruga en arruga hasta el entrecejo, le humedecía los párpados, velaba sus ojos imantados contra el jeep. La mujer se sentó en el alcorque del árbol más próximo a él.

—Te conviene abandonar, zorra.

Se había quitado los zapatos, que colocaba en la acera, y cruzó los pies para apoyar únicamente una media en la tierra seca. Después se rascó, bajo la chaqueta de hilo azul marino, una clavícula. Le recordó un escarabajo aplastado en la pared y oyó como una tos o una arcada.

—¿Te estás riendo? —preguntó, puesto que no era perceptible más que un ronco silbido—. ¿Qué, que me estás ya viendo con la cabeza como una bola de billar? Guapo, tú no eres bofión. Tú a mí no me metes en el reformatorio. Y si lo eres, mejor. De pronto, a mí, esta noche, lo que son las cosas, todo me importa un carajo. Si eres poli, te adelanto que me llamo Agueda, Agueda Quintanar, la Nelly, de treinta y cuatro años, soltera como mi madre y con un cáncer en el chichi más extendido que el vicio. A mí, esta noche ni tú, ni nadie, me prohíbe nada, porque soy libre y porque me gusta este barrio a mí y la calle es de todos, de los libres y de los esclavos. Ahora que lo pienso, lo que a ti te pasa es que te busca la bofia. ¡Anda y echa a correr, chico!

El grito le acalambró las piernas, obligándole a separarlas de la fachada. Acumuló contra el paladar sus reservas de saliva y escupió. Sonriendo, las manos en el bolso que mantenía sobre los muslos, Agueda vio aplastarse el escupitajo a unos centímetros de su falda roja, que le resaltaba las caderas y hacía silbar a los hombres.

—Señorito de casa, ni a un perro se le hace eso. Te quema la bilis, ¿eh? Así no vas a echarme.

Sonó un zumbido y se desentendió de la mujer. (Transmitirían que todavía nada. Que sí, que él seguía esperando también —como había prometido—, convenientemente apartado.) Se relajó contra la blanca piedra polvorienta.

Agueda observaba el jeep. Tres árboles más allá, un hombre fumaba en el quicio de un portal.

—Oye, lindo, ¿a quién vais a coger?

Entre los automóviles aparcados, las sombras desiguales y esquinadas de las farolas de neón azuloso, Agueda entrevió a un guardia, y seguidamente a otro con la mano sobre la funda de la pistola, en un gesto descarado (como ella solía colocarse, cuando reñía). Agueda giró la cabeza; él había despegado las manos de la fachada, pero no los hombros, la espalda, ni los talones. En aquella dirección, un poco más lejos, la glorieta se quedaba en la soledad iluminada, en el siseo deslizante de algún automóvil.

—¿Vais a coger a un asesino? Yo, al principio, les preguntaba si habían matado alguna vez. Y, tú, lo que es el veneno y el postín, casi todos contestaban que sí, que habían matado de ésta o de la otra manera. Hasta que un día me aburrí y dejé de preguntarles. De fulanos sé más que vosotros. Tú no eres bofia. Y si lo eres, peor para ti. Y para el asesino. Y para la desgraciada que lo parió, tonta de ella, y que no se hubiese dejado preñar. ¿A ti te gusta vivir? —en la acera de enfrente, como un agua removida, se desplazaron unas sombras—. A mí no hay cosa que más me caliente. Levantarme tarde, salir a comer al campo un día de sol con un tío que acabas de conocer y que, por eso, puedes pensar que es menos cerdo que los conocidos. Que el tío te hable de lo bien que conduce él, de lo mal que conducen los demás, de que a él no le engañan, de que él ha nacido listo y eso se nace y no se hace. Y luego, hincharte de espárragos, de chuletas de cordero, de fresas con nata, de vino tinto, hasta quedarte amodorrada y boba, que ni sientes los sobeos que el mamón se está cobrando. A la vuelta es lo peor, porque atardece, y en el campo el atardecer tiene su aquél de tristeza. Y, encima, el choto de él ya ha desfogado y para en la carretera y se te pone a hablar de la mujer y de los niños, y tira de la cartera y aquí tienes, éstos son, ésta, la más pequeña, es la pequeña; ésta es una cuñada y éste un amigo, y me tienes que dejar el teléfono, porque me gustas, y el día que pueda te llamo y hacemos igual que hoy, que verás qué bien te va conmigo, chata, o muñeca, o cielito, o cachonda, y qué regalitos te va a hacer tu amiguito, o tu amor, o tu macho. Madre, qué asco..., parece que todo se ha acabado. Pero de golpetón me pongo contenta, porque me he acordado que, en llegando, me cambio de traje, me meto unas medias caladas, me como un bocadillo y al cabaret, a beber, a golfear, a acostarse de madrugada más frita que un peón de albañil, pero con dos o tres billetes. La vida es más buena que nada de lo que ha inventado Dios. A ti no te gusta vivir. Yo os distingo a los comeansias, que me enseñó a no fiarme de vosotros mi Felipe, el tío más alegre que he conocido. Tenía a su madre vendiendo tabaco en una boca del metro. Pues él, como unas castañuelas. Y la vieja era jorobada, chepuda. Mi Felipe me preñó. ¿Quieres saber lo que hice?

—Márchate.

—Digo yo si esto del cáncer en la almeja me vendrá de aquéllo o de la putería. Tenías que saber lo que es la miseria, guapo. Más limpios llevarías los zapatos y más planchados los pantalones. Yo empecé con esto de la vida tarde, a los veinticinco años. Después de mi Felipe, el más serio fue Ricardo. Se llamaba así, Ricardo, y era lo que más me gustaba de él. Formal, trabajador de nada, con más respetos en el coco que un banquero, oficinista. Yo, que me olí lo que me aguardaba, me tiré de cabeza al fango, como decía un cura que nos dio ejercicios. A chupar fango, pero no sopa de sobre todos los días. Oye, guapo, deja de hacer la estatua. Yo, aquí donde me tienes, esta noche te hacía feliz. A mí esta noche el aire me entra como whisky, me entoña más que el whisky. Te convido a una botella. Déjate de trincar al asesino ése o al ladrón o a lo que sea. ¿Qué ha hecho el infeliz que estáis esperando?

La voz sonó fatigada:

—Anda, mujer, vete. Es mejor.

—Pero y tú ¿por qué sigues ahí, cavilando con el culo contra la pared? Chica, me decía a mí un amigo, para los tristes se han inventado las penas y las amarguras, y para los demás, la buena vida. Mira que si es verdad..., mira que si la diño antes de los cuarenta. Total, en plena juventud —rebuscó en el bolso durante unos segundos y lo cerró—. Me voy a casa. Anda y que te zurzan. Por lo menos, me he dado el gustazo de estar entre vosotros, bofiones, sin que me jorobéis. Pobrecillo el que estáis esperando... Claro que también algo habrá hecho. Pobrecilla yo, que ayer mismo pensaba irme a Benidorm el sábado y, ya me ves hoy, que si lo tengo extendido o menos extendido. ¿Cómo te llamas?

—Te estás buscando un jaleo.

—Di un nombre cualquiera.

—Te van a dar un disgusto.

—Estás de temblores.

—Tu madre...

—La tuya... Muerto de canguelo, y eso que tienes a los polis de tu parte.

Y, por fin, llegó el muchacho (cuando la palabrería de Agueda le había hecho recordar aquel domingo en el campo, comiendo tortilla y chorizo, todos juntos, el muchacho también, quizá la última vez que habían estado todos reunidos). Agueda se levantó de un salto y huyó unos pasos, descalza por la acera. Pero él únicamente había saltado hacia la acacia y desde detrás del tronco miraba, como si embebiese la calle entera, la calzada y las casas fronteras.

Con una calma fingida, Agueda regresó al alcorque, se calzó y recuperó su bolso. Se le ocurrió, riéndose, acariciarle una mano. El permaneció inmóvil.

—Hielas como un témpano. Y, encima, sudando. Pero, tú, ¿es que va en serio la cosa?

Calló, porque, siguiendo la mirada de él, vio cruzar al muchacho la calzada hacia el portal de la maceta de madera. El jeep se movió y se encendieron sus faros. El muchacho se detuvo un instante, antes de cambiar en una línea oblicua la dirección de su marcha. Sin correr.

—Es ése, ¿verdad?

La calle se llenó de guardias, de hombres veloces, del ruido del motor del jeep, enfilando bruscamente el morro hacia el portal de la maceta.

—Pero son más —dijo Agueda—. Son más y están en esa casa.

Retrocedió, apoyó la frente en la piedra blanca de la fachada y esperó, decidida a no mirar. Oyó gritos, unas palabras atroces. Se puso a pensar en su cáncer para sujetar el miedo. Y apretó los párpados, húmedos de sudor. Pasaba el tiempo, demasiado denso, insoportablemente comprimido por el silencio. Luego (era un alivio escucharlo) chirriaron las puertas del coche celular.

—¿Y ésa?

—¿Quién? —dijo él.

—¡Ah!, ya... —dijo la otra voz.

—Una buscona.

—Pues que lo paséis bien. Estate contento, hombre. Es lo mejor que podía suceder. Tarde o temprano, es lo que tenía que suceder. Tú, ahora ya, estate tranquilo. Hasta otra.

Agueda se mordió las manos. Se alejaban los coches. Sintió un par de dedos de él en la espalda y se volvió hablando.

—Mira, guapo —decía—, que yo no te he hecho nada; que yo venía de los bulevares sin meterme con nadie. Me importa un pimiento todo, ¿sabes? Yo no tengo ideas de ninguna clase. Y no voy a contar esto, te lo juro. Que a mí sólo me importo yo.

El, antes, frunció los labios en una circunferencia. Viscoso y caliente, el salivazo le alcanzó la nariz y un ojo.

—Vete —gimió Agueda.

Y se alejó hacia la glorieta, limpiándose con el pañuelo, mientras él (probablemente) volvía a apoyarse en la fachada.

(1966)

Mi admirado y querido A.:

Acuso recibo a tu oportuna Circular (referencia SE-PR-Lolita-967) por la que, en tu condición de presidente de nuestro Sindicato, me comunicas los deslumbrantes actos que se celebrarán en conmemoración del aniversario de nuestra preciada institución. Me ha interesado sobremanera el temario a debatir, temiendo sólo que los de provincias, como año tras año sucede, nos hagan perder demasiado tiempo con la ponencia *Problemas de los escritores en provincias*. Justísimo, el resto del orden del día. Hemos de confiar, por tanto, que las cuestiones pendientes, relativas a:

1) Uso del uniforme de escritor
2) Concesión de máquinas grabadoras y de borratintas
3) Alquiler de gabinetes de trabajo
4) Viajes de documentación
5) Pases gratuitos a espectáculos
6) Exención de impuestos
7) Relampagueante liquidación de derechos de autor,

sean debatidas y, lo que importa, aprobadas. En *Proposiciones y Preguntas* pienso proponer mayor amplitud de miras artísticas. Preguntas, puedes estar tranquilo, no haré.

Por desgracia, me es imposible despedirme y firmar. De nuevo, me siento obligado a informarte de graves acontecimientos, atentatorios a nuestra profesión. Sé que me expongo, aun contando con tu reserva y por eso de que esto de la vida artística es una casa de lenocinio, a que se sepa que he sido yo.

Ayer pasé la mañana en los locales de nuestro Sindicato, de charla con los colegas y haciendo fervorosos votos por el éxito del Congreso, que tantos pasos adelante nos acercará al futuro. Estaba el jardín precioso, repletos los salones de portaliras, abundantísimo el café, muy amenas las salas de billar, ajedrez e ingenios electrónicos, un poco fría, según los bañistas, el agua. Hasta las pistas de tenis no me llegué. Aprovecho esta ocasión para rogarte transmitas mi efusiva felicitación al apreciado y competente colega encargado del Departamento de Bienestar de la Mañana. ¿Sería factible obtener una consignación presupuestaria para calefactar la piscina? Bastaría con reducir el crédito de la biblioteca, departamento al que nuestras autoridades dotaron pródigamente, equivocados, sin duda, por ideas del antiguo régimen. Demasiado gasto para tan escasos usuarios. No olvidemos que un escritor ha de estar siempre en la realidad y los libros son ficción.

El vicesecretario tercero me acompañó a casa en uno de los automóviles del Sindicato. Después de la comida, descabecé una pequeña siesta. Cosa extraña, me desperté con ganas de escribir. Algo, lo que fuese. Quizá tuve una mala digestión. O estos tempranos calores. O mi mujer, que me machaquea que escriba, como si la literatura fuera una cuestión de ganas de escribir.

Me aguanté las ganas. Hay que meditar la obra. Los salones de nuestro Sindicato no tenían la animación de la mañana, porque nuestros más ágiles asociados disputaban un encuentro de fútbol con los del Sindicato de Escultores. No obstante, encontré suficientes voluntarios para una partidita de cartas, cuestión de aliviarse del esfuerzo mental.

Querido A., recurro a tu cazurrería presidencial, a nuestra amistad, al conocimiento que de mis condiciones morales tienes. La Verdad es mi principal utensilio laboral. Por ella permanezco la mayor parte de mi jornada en el Sindicato; sin ella, ahora no me molestaría en testimoniar. (Confidencialmente, tú.)

Así es que perdí la partida, el bar estaba desierto y, por si me retornaban las ansias grafómanas, salí a dar un paseo. En el curso del cual, sin culpa por mi parte, encontré a Z.

No ha sido nunca un secreto mi nulo afecto por tal sujeto. Pero acepté su invitación y subimos a su casa. El tipo sabe vivir. Me ofreció un trago. Nos sentamos en la terraza.

Que nadie dude de mi fidelidad. A esa fidelidad he sacrificado lo mejor de mi vida y he consagrado mi obra, incluido el opúsculo en el que trabajo actualmente. Pocos pueden afirmar con hechos una trayectoria semejante.

Siempre lo sospeché y, efectivamente, Z. escribe. Acerca de mariposas y crepúsculos. Una novela. Que yo conocía su aversión a las mariposas y a los crepúsculos. La conocía y, por ello, suponía que unas y otros simbolizaban a los enemigos del país. No. Tajantemente. Que no simbolizaban carajo. Mariposas que eran mariposas y crepúsculos que eran crepúsculos; eso sí, las mariposas, repelentes como todas las mariposas. Veremos si no se trata de una sátira contra los planes agrícolas de nuestras autoridades.

Entonces —y empezábamos el segundo trago— aseguró que él exclusivamente deseaba escribir, si no mucho, sí cada día mejor. Pedí turno de réplica y Z. se hundió en el sillón, como si fuera a ser aplastado por un tanque. De antemano, se declaró vencido y que hablásemos de otra cosa. Pero en pocas palabras puse de manifiesto la contradicción que le atenazaba. ¿De qué le valía escribir, si no existiese el Sindicato? Más razonable será no escribir y pertenecer al Sindicato, que de esta forma algo siempre se cobra. Balbuceó que nada tenía contra el Sindicato, salvo que en el Sindicato jamás planteábamos el problema de la censura.

Le pregunté a qué censura se refería. A la de mi padre, que habría yo de saber cuál era. Yo lo que sabía —y se lo dije claro, sin gritar aún y sin responder a la provocación— es que en el Sindicato se habían malgastado decenas de horas, cientos de decenas de horas, en la discusión de ese llamado problema de la censura. ¿Con qué resultados? Con los sabidos, coñe.

Pues insistió. También en servir más tragos, como si necesitásemos de esa droga para aguantarnos. Pegué un puñetazo en la mesa y reanudé el discurso. Bastaba que llevásemos desde la Edad Media con censura, como llevamos, para probar que no es asunto artificial, pero es que, además, alguna ventaja tiene. No me dejé intimidar por el color amarillo que iba tomando su piel. Nadie puede negar que la censura ayuda a corregir la obra literaria, a pensar más, a lograr una síntesis que es de agradecer. Por otra parte, reivindicar la libertad artística resulta deshonesto, cuando tantos hombres carecen de libertad. Me apropié esta esclarecedora idea tuya, mi respetado A., sin citar el valioso ensayo que la contiene y sin que Z. percibiese el plagio, lo que demuestra que, encima, no te lee. Objetó —inexperto que es, como todos los malvados— con el consabido tópico de que nuestro Sindicato ha condenado formal y solemnemente la censura. De los países enemigos, le recordé. La-cen-su-ra-de-los-pa-í-ses-ene-mi-gos-fal-ta-ría-más. Que por qué no nos largábamos a respirar aire libre. Estábamos al fresco en su azotea y se adivinaba ya, por su nerviosismo, el germen de sus torvas intenciones. Para comprar aspirina dijo que entraba, en la primera farmacia que encontramos. Y salió con una pequeña bolsa que olía a polvo matarratas.

No se lo tiró a los peces el raticida, cuando, por el paseo marítimo, me molesté en instruirle sobre los deberes sociales del escritor. Que él no era un escritor con deberes. Así, tal como suena. Que él era un tipo a la busca de la anarquía emocional, que incluso había dejado de tomar notas en las borracheras o en el acto de la fornicación. En pocas y medidas palabras, se lo reproché. Además de cumplir sus funciones sindicales, un escritor debe tomar nota de todo, porque es testigo y juez del acervo común. Que le urgía tomar una copa. Nos sentamos en un chiringuito, e inmediatamente las colegas L. y Eledoble nos chistaron desde una mesa vecina, donde consumían té y pastas. Se mudaron a nuestra mesa las colegas, tan entrañables ellas, tan dicharacheras. Y llegaron más tragos.

Z. les preguntó dónde habían adquirido aquellos pantalones y los zapatos y las camisas, principalmente las camisas. Que si Z. estimaba inadecuada la vestimenta. Tercié que las encontraba encantadoras y elegantísimas, como correspondía a las autoras del más reciente éxito de crítica y de librería. Eledoble aclaró a Z. que me refería yo al poemario *O Madre o Píldora*. Y Z., que puso cara de ignorar la edición del poemario, que a dejarse de rimas y a brindar. Ellas, las conoces, brindaron, pero molestas. De modo que le pedí que no me desmoralizase a las muchachas. Sin embargo, reiteró que ni en una línea toleraba él la sugerencia censoria. L. le recordó cómo de joven había corregido lo censurado, por lo que iba a permitirle —Z.— que ella —L.—, adoptando provisoriamente los argumentos de él —Z. otra vez—, le considerase prostituido. Que le considerase. Por el contrario, continuó L., jamás a mí la censura había tenido que tacharme una única palabra. Ese ejemplo puso. Eledoble, que es más atolondrada, afirmó que los censores, con todos los respetos, no entienden de literatura. Con breves palabras, L. y yo la convencimos de que, en virtud de la naturaleza de su función superestructural, los censores no estaban obligados a entender nada de nada.

Z. escuchaba. Con los ojos abiertos. Se quedó meditabundo, al finalizar mi explicación sobre funciones y aspectos multioperacionales de la materia artística. Que qué le parecía. Que se estaba haciendo tarde para cenar.

Era cierto. Noche cerrada y lóbrega cubría el paseo marítimo. Z., más espeso que la noche, tartajeó que desestructuraba la cena y que se largaba al cabaret a terminar de jorobar la jornada y allí se montó el primer acto del drama, porque las muchachas dijeron que ellas también y Z. que no, que mayores de cuarenta no admitían en los locales de esparcimiento y ellas que, aunque sólo fuese por molestarle, pero que, además, necesitaban de ambientes semejantes para sus próximos trinos líricos, y Z., dando traspiés, que las colegas del Sindicato le producen tales inhibiciones que teme le dejen, el día menos pensado, impotente.

Se nos permitió la entrada y pretendimos ilustrar a Z. acerca del papel de la mujer en la nueva sociedad, pero se puso a dar alaridos ininteligibles —que el público supuso que cantaba— y brindó por la censura abstracta, por la censura hiperrealista y por los editores. Le advertí que, si bien nunca hasta suplirla, un editor consciente puede coadyuvar con la censura de forma eficaz. Gritó que en ciertas ocasiones ama las mariposas, recitando a continuación en francés, de tan podrido que le tiene la literatura extranjera, *J'ai peur de la plus petite chaîne, qu'elle vienne d'une idée ou d'une femme,* y L. —al fin femme— preguntó a quién pertenecía la propiedad de tal chorrada y, al enterarse de que la libertaria inmundicia era de Maupassant, dijo que se iba —luego volvió— a vomitar, y Eledoble, que no era para tanto, que peor hubiese sido de resultar autor el Céline, lo que desorbitó a Z. a tal extremo que sacó a bailar a Eledoble y, después, a una, que no parecía del Sindicato, pero guapilla, desde luego, que la trajo a nuestra mesa a ver —a que viésemos nosotros tres— si no valía más que el más bello endecasílabo el pedazo de estructura aquélla, lo que irritó a las colegas —nuestras— y puso el asunto confusísimo, y aquí nos trajeron a las muchachas y a mí, que ya sentimos volvernos la vida tras el lavado de estómago.

Las chicas, que te mandan saludos, se unen a mi propuesta de expulsión sindical de esa bestia asocial, capaz de envenenarnos y, encima —dicen L. y Eledoble—, sobón. Tú decidirás, con tu recto y sabio criterio.

Recibe un abrazo fraternal y asociativo de tu affmmo.,

B.

(1967)

Avatares de la libertad

MOSCA, 1161. Del lat. MUSCA, íd.

JOAN COROMINAS

A la mitad del verano y para tratarse una crónica afección hepática, todos los años mi madre permanecía una semana en un balneario del Norte. No variaba fundamentalmente mis horarios esta ausencia, excepto que me permitía retrasar la cena o, ya que había comprobado cuánto mejor dormía en ayunas, suprimirla. El resto de las noches, mi madre se impacientaba, llegaba a inquietarse, con esos silencios veloces en los que era especialista, y me recibía disgustada, si, al salir de la oficina, había alargado mi paseo o me había demorado en el cine. Durante mis vacaciones, disponiendo de tiempo hasta la saciedad, siempre regresaba mucho antes de las diez.

Aquel agosto, particularmente seco, era agradable caminar por las calles desiertas o, sentado en el balcón, abandonar la mirada en las ventanas fronteras, en la noche, celebrando la templada temperatura de que estaría disfrutando mi madre en el balneario. Allí, en el balcón, entre los tiestos recién regados, extrañando la soledad y fatigado de la máquina de escribir ante la que había pasado nueve horas —siete de jornada y dos extraordinarias—, tuve que verla o, al menos, oírla por vez primera.

Sin embargo, a causa de los acontecimientos de los días siguientes, no pude luego precisar este primer encuentro; para ser más exacto, su invasión de la casa. Aunque con certeza nunca lo supe, presumí que habría llegado atraída por las plantas o nacido en la tierra de una maceta. Mientras cabeceaba de sueño, estuve oyendo su zumbido, al que no concedí mayor importancia y probablemente —después no lo recordaba, repito— cruzase ante mis enturbiados ojos en una tajante curva. En tinieblas la casa, iluminada la calle, razoné que acabaría deslumbrada por los faroles. Tras entornar el balcón, llené de agua un vaso, ordené el despertador para las seis y, dormido antes de caer en la cama, olvidé su presencia, si es que en algún momento había llegado a percibirla conscientemente.

A la mañana siguiente, cuando me disponía a salir, la descubrí, inmóvil en la pared que el sol blanqueaba, a unos dos centímetros de la fotografía de boda de mis padres. Su desmesurado tamaño, el verde, brillante de puntos dorados, que constituía su cabeza, los negros y ocres del cuerpo y patas, y sus plegadas alas —como las recogen al caminar las palomas—, me asombraron. Sin apartar los ojos de aquella pulposa mosca (moscardón, moscón o moscarda), retrocedí unos pasos a fin de alcanzar el periódico del día anterior, doblarlo de forma que una ancha superficie pudiese actuar de mortífera palmeta y avanzar, como de puntillas, enarbolada mi arma en un lentísimo movimiento.

La mosca se había posado de un salto en el vidrio de la fotografía enmarcada. Lo que facilitaba mi plan, puesto que, en caso de que se reventase, lavaría fácilmente la mancha de sus pegajosas entrañas y, además, su desamparo crecía sobre un elemento que, sirviéndola de espejo, por fuerza habría de distraerla. El periódico se abatió catapultado y, en rígida vertical, la mosca cayó a los baldosines.

Una corta incertidumbre, motivada por el asco, y me decidí a recoger con el propio diario el íntegro cadáver, que arrojé por el balcón. A pesar de no haber tocado a la mosca, me lavé las manos. Estas operaciones, saliendo con el tiempo justo, me impidieron la primera firma del parte de asistencia.

La jornada transcurrió como de costumbre. Llegué a casa cerca de la medianoche. Ya acostado, oí su zumbido.

A partir del miércoles logré distinguir el monocorde siseo de su vuelo concéntrico del rápido y agudo tijeretazo del vuelo en línea recta, ascendente o descendente. Siendo el primero en batir alas, el segundo estaba provocado por el rompimiento del aire y que dejaba sembrado, por contraste, un silencio profundísimo y de muy irregular duración. La intermitencia desordenada del rasgueo percutante producía angustiosas pausas, incluso la dudosa esperanza de su definitiva desaparición. Por el contrario, si durante minutos, que se transformaban en horas, roncamente describía círculos de un diámetro muy aproximado, llegaba a crearme una alucinación acústica.

Pero la noche del martes, cuando la escuché en las tinieblas del dormitorio, aquel motor que ronronearía los días posteriores en mi cabeza aún no se había puesto en marcha. Traté de dormir, inútilmente; mi sueño tocaba a rebato y me arrojé de la cama, con una colérica lucidez.

Armado del periódico, tras haber iluminado las cuatro habitaciones de la casa y cerrado los balcones, pegué la espalda contra un tabique y, con el cuello doblado hacia atrás —postura que devendría habitual—, aceché la aparición de la que imaginaba ser otra mosca. Repentinamente, en el silencio, estaba sobre un cojín de raso y era la misma que aquella mañana había creído matar. Quizá repuesta, casi resucitada al caer por el aire, habría vuelto guiada por un terco y vengativo instinto y, aguardando mi regreso, con toda seguridad se habría despertado —en el caso de que las moscas duerman—, al acostarme yo. Era ella, no sólo por la cabeza deforme, por su volumen, igual a la mitad de uno de mis pulgares, por su inconfundible variedad cromática, sino —y en eso la reconocí— a causa de una altanera, casi desafiante, familiaridad.

Ardiéndome las mejillas, me lancé contra ella, que

escapó con la silente ligereza de un mosquito para, inmediatamente, resonar en un anárquico vuelo, visible a veces. Sañudamente, con treguas más propicias al encarnizamiento que a la reflexión, comenzamos aquella lucha frenética como un duelo a hachazos —o como, según dicen, los amantes apasionados, pero esa clase de combate yo entonces aún lo ignoraba—, en que la diferencia de tamaño me llevaba a la derrota y una inquebrantable necesidad de asesinarla me sostenía. No obstante, golpear la nada me escalofriaba tanto como dejar de oír sus zambullidas en el vacío me daba la sensación de que sus peludas patas estaban sobre mi piel.

Porque, durante unos instantes en que la tuve fijada al extremo de un imaginario punto de mira que fuese también microscopio, descubrí unas filosidades, negrísimas, que le nacían de las patas anguladas. Sus ojos, si es que miraba con aquellas manchas que coronaban su cabeza, parecían lanzarme una despreciativa furia.

Agotado por la persecución, abrí el balcón, ella se incrustó en la penumbra de la noche y cerré de nuevo con una presteza histérica. Entonces, sudoroso, tontamente aquejado de temblores, habría bebido —dicen que alivia— un trago de vino o fumado un cigarrillo, expansiones que, principalmente por no apesadumbrar a mi madre, nunca me había permitido. Como era de esperar, me apresó un insomnio largo y, después, una duermevela inquieta. Intentaba retener agua sólida en mis manos resbalosas, al tiempo que el cieno cubría mi tráquea, me embarraba el paladar y, entre los dientes, unas notas musicales como carcajadas me horadaban las encías.

El miércoles, seguro de que allí estaría ella, regresé directamente a casa, provisto de un insecticida embotellado en un pulverizador. En efecto, volaba de habitación en habitación, siempre solitaria, obstinada, invulnerable y —lo comprendí instantáneamente— mosca única, de pertenecer a la especie, por alguna especial conformación necesitada del aire de mi casa. Me senté a esperar.

Tardó mucho en llegar a la mesa y, cuando se posó ante mí, frotó sus patas delanteras, en una actitud de evidente complacencia. Renuncié al insecticida, porque ansiaba ya una muerte violenta, presintiendo que me compensaría de la repugnancia el placer de aplastarla contra mi propia carne. Antes de que yo bajase la mano, corrió, como una gallina, hasta el borde de la mesa.

Me levanté airadísimo, espolvoreando una nube de insecticida. Que resistió impasible y al que sólo opuso, pasados unos segundos, un aleteo.

Sentado de nuevo, comencé a observarla convencido de que un meticuloso análisis de sus costumbres, un estudio de sus casi imperceptibles gestos, quizá —si respiraba— a causa de sus jadeos, me conducirían al infalible sistema aniquilador. Creo que aquella noche por vez primera durmió en mi cama.

De lo que sí estuve seguro el jueves es de que vino conmigo a la oficina, ya que, al sacar el pañuelo, sentí en el fondo del bolsillo removerse su blando cuerpo y, por la yema de los dedos, ondularme una extraña tibieza. Pasados los estremecimientos de los primeros contactos directos, me habitué a encontrarla de paseo por mi pantalón, a la cosquilla de sus patas en mi frente o a un picajoso vuelo bajo por entre mis cabellos. Aunque difícil y clandestina, nuestra convivencia suprimía al menos mucho tedio, parecía darme valor.

Por la noche devoró los granos de azúcar que le puse, restregándose las patas sonoramente, como élitros de una mariposa gigante. Y yo comencé a encontrar fatigosa la distancia que separaba el comedor de mi alcoba, a dormir mal, a sufrir molestias estomacales. El sábado no pude asistir a la oficina.

Una cucaracha, en la carbonera de la cocina, me sorprendió por su excesivo tamaño, perturbación visual que se me agudizó cuando la fachada de la casa frontera desapareció y ya sólo percibía una fibrosa niebla. Luego, me encontraba bien, hasta que el hambre me impulsó a moverme más de prisa.

Buscamos juntos. Pero habiendo cerrado los armarios, me costó una eternidad y un esfuerzo destructor llegar al azucarero. Y eso que aún conservaba un dedo en cada mano.

Ella me enseñó los rincones polvorientos, la riqueza oprimida en las junturas de los baldosines, siguiéndola llegué al interminable maná del cubo de la basura. Lo más penoso resultó superar el vértigo, las náuseas que el vértigo me provocaba, los desfallecimientos en pleno vuelo antes de alcanzar una superficie sólida. A la madrugada, ella cantaba y yo, en las proximidades de las bombillas que habían quedado encendidas, me restauraba de un frío penetrante, que anunciaba el otoño.

Hoy, lunes, hacia las nueve de la noche, regresó mi madre. Vi cómo dejaba la maleta en el recibimiento; cómo, por el movimiento de sus labios, debía de llamarme. Más tarde, disgustadísima, coció unas coles con patatas.

Y, cuando menos lo temía, la descubrió. Mi madre se quitó una zapatilla. Se le arrugaron las comisuras de la boca. Supe en seguida que la mataría, que era fácil darle aquella muerte en la que yo había fracasado. El zapatillazo restalló en una onda de vibraciones y, desventrada, con el cuerpo tronchado, las alas pulverizadas y en un amasijo de humores y de huevos de los que no nacerá descendencia, quedó ella, una mancha más en las sucias paredes de la cocina. Después, se ha vuelto.

De cerca, acabo de comprobar que la comida del balneario ha tensado sus mejillas. Está como ciega, incapaz de reconocerme, quizá interiormente obsesionada por mí. Más que temor por mi propia existencia he pensado en huir y, al tiempo, con una paralizante piedad, he recordado que mi madre esperará mi regreso para la cena, ese encuentro que, si no le falla el golpe, jamás se realizará.

Creí que dolería menos. Sobre todo, supuse que iba a ser más rápido.

La madre movió sus varicosas piernas en dirección a la escoba.

—Idiota —dijo—. Si ya sabía yo que no podía dejarte solo...

(1968)

La tarde libre de un asesino

Tantas veces te lo he dicho, recuerda, gorriona, que víctimas, mira, todas, por el victimario no ha de faltar, así tuviésemos tanta felicidad como deseos de suprimir a ése, al otro, al jefe, al amigo, al enemigo, a ti, leona mía, pero ni felicidad, ni sosiego, para ponerse a ello y, ya puestos, ejecutarlo bien, sin sangre y sin huellas, hiena, que no es tan difícil conseguir de un tipo que, además del aliento, le hieda todo, para acabar pronto y conseguir mi derecho al reposo, para no hablar, lagarta, del asesinato político sin lágrimas, sin huellas, sin remordimiento, ya que por ahí se empieza y no se acaba, pero nada de soñarrera sentimental, a lo práctico, a uno de esos que allí abajo cruzan el río y la corriente del centro sólo les acaricia el ombligo, a una de ellas, de las suyas, sin grasa y sin huellas, que estás engordando con lo de fornicar para no concebir, zorra, y ahora abrazada a tu siesta, soñándome muerto, o desconocido, o millonario, suministrándole perímetro a tus ancas, que esto ha de terminar mal, oye, que no terminará mal porque a ver dónde me encuentras tú a uno que se decida a no ser víctima y tome la iniciativa, ¿dónde?, no en nuestra cama, aunque mejor estarías aquí, ya te digo, con esta gloria de tarde, asaetado por las agujas de los pinos, acribillado por los gritos de los cachorros, drogado de tanto aire, polvo, verano, corza, tú con tal de no oírme ni siquiera a quién mataría yo mañana o al atardecer, cuando el domingo se haya jodido y las esperanzas con él y la expectativa de los sábados, pastelona como la vuelta a casa dentro de cuatro horas, en el vagón, y que no haya novias, paloma, de las que se engarfian al macho, también con sus ojos mansos y bobos, como alguna vez debiste de ser tú, antes de anclarte en la cama y negarte a oírme que sin jefe a quien matar yo, a veces, me suprimiría, si no abundase tanta víctima en potencia y tan poco asesino para las novias de las medias flojas o, ahora que no llevan medias, con las bragas incrustadas en las ingles; pero el mercado es amplio, al de los recibos, a una de esas tortugas, como tú fuiste, leoparda, al tierno hijo del portero, sí, ¿por qué?, porque tiene granos y fabula con tus lomos, ya ves, pasional incluido, y a ti, ovejita, de mi familia a nadie porque ya los tengo fallecidos de no verlos, en esas hermosas ocasiones en que deseas morir porque no comprendes nada, ojalá comprendieses menos, verraca, o te murieses más a prisa, que si encima a mí me cogen es como para conservar limpias las manos del rojizo líquido, o a ésta, que tiene que ser coja, puesto que eliminar a una coja es mayor delito y crimen menor, pero a ti, de puñalada-de tiro-de arsénico-de empujón-de puñaladas-de síncope, asesinato prêt-à-porter, por judía, por turgente, por hueca, por difunta que ya estás, sería capaz de dibujar yo mismo la cámara, cámara portátil, torda, será que no te acecho suficiente y lo triste es que quizá tampoco sirvo, chiva, y ahora que estás en la cama trabajo me ahorrabas de llevarte como cadáver a la cama y que no te barriesen...

—¿Qué lee?

—¡Ah...! ¿Cómo?

—La asusté. Usted se creía que yo estaba dormido.

—Sí, claro... Perdone. Me he sobresaltado.

—No tiene importancia. ¿Qué lee?
—Ya ve, nada... Una novelilla.
—¿Policíaca?
—No.
—¿Le fastidian las policíacas?
—Me dan miedo. Luego, ¿sabe?, llego a casa y ni a abrir el armario me atrevo.
—Por si está dentro el cadáver.
—¡Ay, calle, por Dios! No. De amores.
—¿Y le gusta?
—Son todas iguales. Y mienten mucho.
—También las policíacas. ¿Conoce usted a alguien que haya matado a alguno?
—¡Uy!..., yo no.
—Se ve que usted no ha matado.
—Ni conozco.
—En su oficina, ¿nadie se decide a estrangular al jefe?
—¡Qué cosas...! Pobre don Heberto... Si es un pedazo de pan... Todos le apreciamos horrores. Pero, oiga, ¿cómo sabe usted que yo trabajo en una oficina?
—Por sus manos, por su vestido, por los zapatos.
—¿Y desde su árbol se ha fijado en tantos detalles? A lo mejor es usted detective.
—No la estoy dejando leer.
—Da lo mismo.
—A mí me gusta hablar.
—Y a mí.
—No soy detective. Pero me entusiasman las policíacas. Como a todo el mundo. Ya que uno no se atreve...
—No diga eso. ¿También trabaja en una oficina?
—No, no trabajo en una oficina.
—De fábrica no parece usted.
—Tampoco. Es que no trabajo.
—¡Qué bien...!, quién pudiera decir lo mismo...
—¿Le cuento una policíaca?
—Bueno... ¿Escribe usted novelas?
—Aquí dentro sólo.
—A mí me pasa eso, fíjese. Que me pongo a rumiar cosas, cosas y más cosas y, al rato, ni es gente que yo

conozca, ni son cosas que puedan ocurrir. Como una novela. Hablo demasiado. Perdone. Sí, si no le importa, cuénteme una.

—Me tiene que prestar un trozo de la sombra de su árbol. No se preocupe que no me siento en su falda.

—Es inarrugable.

—¿Con mucha sangre?

—Con poca. De intriga. De ésas que son iguales a una película.

—Pues siga leyendo, mientras me la invento.

—¡Ah!

—Usted lea, que yo cierro los ojos y me la invento, la intriga esa.

—No se vaya a quedar dormido. Con este calor...

Así, marmota, bien espatarrada, puesto que mi cuerpo no ocupa la mitad que conyugalmente le corresponde, me abandonas a la supuesta coja, a sus piernas de zancuda, tan iguales a las de otra como las de otra son iguales a las tuyas, pero sin despreciar sus tetitas y pánfila como tú, ¿recuerdas, coneja?, cuando nos pasábamos las mil y una tardes soñando las noches y, luego, elefanta, ni llegaron a doscientas que ya exigías fidelidad y a la noche trescientas sesenta y cuatro, riqueza y posturas, y a la quinientas veintisiete, pensando en el potito de turno, en el último comemierda, que digo yo, tendría que ser fácil dejarte o que te matase el pajillero niño del portero, te envenenase alguna de esas amigas tuyas, porque seguimos inocentes, novilla, inadvertidos ante la masacre, como te contaría yo a la oreja, si estuvieses aquí conmigo, al sol menestral, con la zancuda que ni huele a mujer, sino a tomillo; los sauces llorones de la orilla, los honrados ciudadanos, las hembras de los honrados que les lavan los calzones, los cachorros, ¡ay, sirena, qué playa de oro te estás perdiendo por quedarte en el cubil!, qué playa infinita, ruiseñora...

—Más o menos empieza por la llegada de un cable. A Europa.

—Creí que se había dormido.

—Londres o París. Mejor, a París. Desde México de

Efe o algo por el estilo. El viejo tío millonario avisa a sus hermanos y a los sobrinos que llega en el vuelo cero cero cero, aterrizaje en Orly a las doce catorce. ¿Le gusta?

—Hasta ahora...

—La familia se prepara a recibirlo. Pero, a la madrugada, la radio comunica que el avión en que viajaba el tío se ha hundido en el mar.

—Se ha caído y se ha hundido en el mar. Es bonita.

—Espere. El viejo venía a firmar su testamento. La radio únicamente la han oído las hermanas más viejas, dos arpías, que deciden callar por... porque...

—Por lo que sea. Siga.

—Por fastidiar a los parientes. Efectivamente, todo el familión está a punto de salir para Orly, cuando llaman a la puerta y se presenta el viejo, tan campante y con sus maletas, diciendo que el avión ha llegado antes de la hora, porque traían viento de cola.

—¿Y las arpías, las hermanas del viejo?

—Ellas son las únicas que saben que el viejo se ha hundido en el mar.

—Pero no se ha hundido

—No lo sé. ¿Qué hace usted en la oficina?

—¿En la oficina? ¡Ah!, pues... llevo un fichero de clientes.

—¿Pagan los clientes?

—Unos, sí; otros, no; algunos, cuando ya nadie lo espera.

—No tiene que ser divertido trabajar en una oficina.

—No lo es. A ratos se pasa bien. Con los compañeros.

—¿Por qué no tiene novio?

—¡Uyyy, madre!, una no sabe eso. Además, a lo mejor lo tengo.

—No se vendría sola al campo con un libro. Quizá no le gustan los muchachos a los que usted gusta. Y, al revés. Hágame caso, eso no tiene importancia.

—Los hombres, ya se sabe... Prisa no tengo todavía, pero el tiempo pasa volando, ¿verdad? Usted es casado.

No, no lo digo por nada. Al contrario, parece usted joven. De mis años. Pero se le nota que es casado.

—¿Qué piensa, que la voy a tocar?

—Oiga, yo no pienso. Y le advierto que...

—No se enfade.

—Déjeme leer. No me gusta que me hablen así.

Comprobé antes de salir, centaura, que quedaba media y no quedará ni media, si me retraso hasta la hora de los últimos trenes, con ellas y sus bragas soldadas a las ingles, porque con la edad y las decepciones, jirafa, empapas media, derramando carnes en la recuperada cama, lo que quiere decir que compras más o me quedo sin gota, anguila, no es lícito desconfiar de tus recursos, zorreta, ahora que cobras meneando las nalgas de las relaciones públicas, y estaréis todos juntos, apóstoles de la transformación del mundo mediante la palabra, cotorra, creyentes que sois, lo que siempre permite ganar un poco más que la zancuda con su fichero de clientes y, eso sí, a cambio de menos esfuerzo, gracias a la mejor preparación de la cuna, ya que el hormiguero está bien ordenado y vale quien gana y según gana y muerte general, si en este instante, por ejemplo, apretara el cabrito competente de uno u otro rebaño, el botoncito, se iban a poner malvas los horizontes, a los nenes les entraría el malva que abrasa y sin poder llamar a mamá, aunque también a mí, luciérnaga, y yo quiero verlo, que mi última hora llegue después de la tuya, para ir detrás de la carroza, del carro de los helados, ¡ah!, gusana, qué estupendo..., el carro de los helados, me lo habrías oído con la boca torcida, pero esta noche, caracola, regresaré a casa, que siempre hay derrota que justifique el regreso, paciencia y menos meditación trascendental, el carro de los helados, y es que, medusa, uno malgasta los deseos de asesinar y acaba uno matándose a sí mismo; ¡qué crimen, mi zopilota!, estando la porqueriza a rebosar ir uno a matarse es, faltaría más, como la masturbación del asesinato; lo curioso es que estando borracha lo piensas, aunque todavía no encontraste el sistema de enviudar, cangreja, como si sustituyéndome, tarántula, fueras a solventar algo, que no es fácil, sin contar con que uno se decidiese, a la zancuda en las soledades de la tarde de fiesta, sí, yo y mi amiguita Alicia y mi amiguito Huguito, que quería hacer una cosa fea, pis no, y entonces pasó ese señor con la señora de las piernas larguísimas y lo vimos todos, y todo, todo, la señora que gemía, lo juro, grititos, las ropas, un laberinto, ése mismo, sí, sucios los ojos verdes, y lo contamos durante la cena a nuestros queridos papás, porque nuestros queridos papás siempre están diciendo que hacemos cosas feas, y no, no, señor, que es Huguito, con sus ojos verdes, pero de oírla gemir se le fueron las ganas, pobre zancuda, más alta cima erótica no podría alcanzar, preferible tú, tritona, a la caída de la tarde, ¡qué bellas ensoñaciones!, como es vario el arsenal, un automóvil, endriaga, me aplasta y a vivir, que la vida es corta, como es vario el arsenal y nada arregla, porque tú, unicornia, ni escucharme sabes...

—Se me acaba de ocurrir.

—Pero ¿no duerme?

—¿Quiere oírla?

—Es usted imposible, de los que se dejan o se cogen.

—Escuche. Al tipo estoy viéndole. Lo conozco, además. Digan lo que digan, la buena literatura se hace con la gente conocida.

—¿Es el protagonista?

—Imagínelo alto, corpulento, cincuenta años, pelo abundante y canoso, gángster de oficio. Maneja los asuntos de los licores y de las drogas y protege a los comerciantes del barrio por un precio moderado. Nunca mató. Le gustan sobre todo las delgadas, beber, las carreras de caballos. Nunca mató a nadie y, en las peleas, a puñetazos, nada de patadas al bajo vientre. Un padrazo del vicio. Pero voy a contarle una nueva.

—¿Por qué?

—No interrumpa, ni quiera disponerlo todo a su antojo. Esta es casi de ciencia-ficción. Pero no tema, no comienza cuando el mundo acaba de ser destruido. No es mi estilo. A mí me dejan solo y ¿qué hago yo? El prójimo es necesario, ¿no cree?

—Sí, señor, si no nos ayudásemos los unos a los otros...

—Total, que ella y él deciden matar al marido de ella.

—¿Es la nueva o la del gángster?

—Deciden matarlo y lo planean para cuando, como todas las noches, el marido se quede dormido delante del televisor. El anciano es un inconsecuente y, encima, aficionado a la televisión. Para tener éxito, hay que hacer antipática a la víctima. Da mejor conciencia al lector, mientras el lector mete también el cuchillo.

—¿Se lo cargan a cuchillo?

—¿A quién?

—Al marido de esa furcia.

—No es una furcia. Ha planeado asesinar a su marido simplemente y su amante le ayuda.

—Si eso no es ser furcia... Un pendón de mujer, vamos.

—A cuchilladas, sí, y cada uno con su cuchillo exactamente. Esperan. El marido cabecea. A la pelirroja de la película la persiguen por los tejados. El marido ronca. ¿Me sigue?

—Claro que sí. Entran y...

—Entran y le tiran el primer envite de cuchillo. El marido, que duerme con un ojo abierto como todos los gagás, despierta. Por el rasgar del aire, ¿comprende? Se levanta con una cuchillada en un hombro y les planta cara. Ellos se aterrorizan. Ahora es preciso matarlo como sea. La mujer, por la espalda, logra meterle una puñalada por el bazo, que le hace girar, para recibir otra del amante en el vértice del esternón.

—Calle.

—Hay que sujetarle, porque se mueve demasiado, y él le sujeta los brazos atrás, ¿lo ve usted?, de manera que a ella le resulte cómodo asestarle una tanda donde caiga y a dos manos. Le dejan. El rasputín del marido conserva aún hígado para apoyarse en la pared, sin dejar de mirarlos, de mirarlos y, no se ría, mirando aún la televisión.

La pareja se precipita a ordenar la habitación, a borrar huellas. Pero, de pronto, sugestionados por aquella mirada, miran también y allí, en la pantalla, está proyectándose la escena del asesinato que ellos dos acaban de cometer. El marido, por fin, se desploma.

—O sea, que... Oiga, ¡es algo tremendo! Ellos ven en la televisión el crimen que están cometiendo y son ellos mismos y el mismo marido.

—Lo ha entendido.

—¿Cómo puede ser? ¿Había una cámara oculta?

—Le advertí que era de ciencia-ficción. Ya se ha marchado el sol de aquí. ¿Le apetecería pasear?

—Sí, gracias. Tiene usted unas ideas...

—No olvide su libro. A todo el mundo se le ocurren.

—Es verdad, el libro... A mí no se me ocurre eso así me esté pensándolo diez años. Soñar sí, sueño historias horrorosas, como si yo fuera otra y me pegase.

—¿Lo ve?

—Cuando me despierto, no me acuerdo de nada. Pero me queda como un temblor.

En las umbrías sendas, abubilla, a la propicia zancuda y hasta facilitaría la operación suponiéndome otros designios, placer agotador, hoy no porque es domingo, mañana no porque es lunes, pasado porque ya lo haré, ¿te habré matado y no lo recuerdo ahora o estoy empezando a recordarlo?, lo esencial, basilisco, es que no nos llegue la última hora sin haberlo hecho, la zancuda valdría, ¿que es de baja condición?, perversiones como de las tuyas, lamprea, pura pretenciosidad, qué buen domingo en la cama, pulgona, sudando sueño y gandulería, y tu hombre matando, toda la santa tarde matando, la zancuda se presta, tampoco pierdo nada por intentarlo, ni me conoce ni me dejaría yo reconocer en caso de un fallo, pero no me fallará, salamandra, que la zancuda no sabe mirar como tú y además ahora estoy decidido, lúcido, emprendedor, lo malo es complicar las cosas fáciles, que es lo que siempre tú has hecho, pantera, ¿qué digo pantera?, gonococo.

—¿Prefiere bajar hasta el río o seguimos por el bosque?

—Seguimos. ¿Vive con su familia?

—Con mi padre y un hermano. El hermano se nos casa y, para mí, mejor, porque como se quedan a vivir con nosotros hasta que ellos encuentren piso, tendré la ayuda de mi cuñada. Y usted, ¿vive con alguien?

—Si quiere, le cuento la del gángster.

—La del cincuentón canoso, que apostaba en las carreras de caballos, ¿eh? Me acuerdo, para que vea.

—Un padrazo, ya le digo. En el barrio le apreciaban. Era listo, astuto, con una especie de astucia femenina para hacer daño aguantando sólo. El daño necesario. Un día, por un asunto tonto y por ser leal a los suyos, le cogieron y tres años a la cárcel. La gente se portó bien. Le cuidaban, le esperaban, hablaban de él. Casi unas vacaciones. Engordó, como en las vacaciones. Se aburrió, pensó poco, muy poco, pero pensó. Que envejecía, una de esas ideas que parecen al principio de juego, para entretener la melancolía. Bueno, tres años y una mañana de sol, a la calle. Se bebió tres jarras de cerveza helada, respiró hondo, caminó hacia casa. El barrio no había cambiado; más mugre, eso sí.

—Pero no es de crímenes. Me gusta la que más.

—Las mujeres, los puestos del mercado, el coche de riego, las radios, las muchachas en las ventanas y los niños. Al pasar, ya le digo, nada, que acaricia el pelo a una pequeñina de unos diez años, que ella le sonríe, que dos pasos más allá le parece oír a la niña gritar que ése, ése es, se vuelve extrañado, con la sonrisa todavía en los labios, y desde una esquina le meten una ráfaga en el estómago. Luego, medio despierta en la cama del hospital y entonces sí que piensa.

—¿En la niña?

—No se detenga ahí, entre los matorrales.

—La niña estaba de acuerdo con los criminales, ¿no?

—Hace usted preguntas de muchacha boba.

—Es que sus historias no terminan.

—Porque nunca termino nada. Ni de nacer. Fíjese con atención y me verá aún entre los muslos de mi madre.

—No se enfade.

—No haga preguntas cretinas.

—Algún día, sin darse cuenta, terminará una historia.

—Peor para usted ese día.

—¿Le gusta enfadarse conmigo?

—No entiende usted nada. ¿Cómo puedo aguantarla? Váyase, váyase. Si no sirvo, no hay por qué terminar las historias. Y sé muy bien quién es la niña y el viejo que se hundió en el mar. ¡Lárguese, que no voy a tocarla! Y no venga sola al campo, ni hable con desconocidos, ni deje que la toquen sus compañeros de oficina. Ande, déjeme en paz.

—Yo...

—Usted me harta. A los que son como usted o se les suprime o le suprimen a uno. ¿Quiere largarse? ¡Corriendo!

—Pero... lo que yo digo... no llore usted, hombre..., que seguramente no es para tanto. No llore.

Te darás cuenta de que no he vuelto y mañana harás gestiones, te lo dirán y, reconócelo, alguna admiración vas a sentir, castora, allá también yo pensaría y me bebería tres jarras de cerveza helada y el niño granujiento te señalaría, ésa es, que no llegarías ni a verme la cara, un poco de admiración, mi foto en los periódicos, y alivio, claro, y curiosidad, él se había quedado atrás, pero ella le esperó, riña de novios y ni siquiera pensé en la escopeta, pero ella esperaba mucho en los matorrales, no había niños, todo aconteció en el paraje denominado La Trocha, donde el sol a las indicadas veinte y doce no estaba presente, aun así no debe tolerarse el espectáculo, que suele llegar a más, a atentado a la moral pública en descampado, obrando en consecuencia me salí del camino, despacio, digno, oculto, pero llegué tarde y no había atentado, sino que la retorcía el cuello y el asesino, ése, ese mismo, juro que no lo declaro por favorecerle, tenía lágrimas en los ojos, estuve a punto de soltar el seguro, pero habría caído ya sobre el cuerpo inerte de la infortunada joven, yo opino que no llegó a la violación, sería historia antigua, que él la odiase desde hacía años o de familias encontradas, no me salí de la ordenanza, que con la furia estuve a punto de matarlo, que me perdone su señora, víbora, manda ya a buscar otra, urraca, que la zancuda supone que me ha confortado y van a acabar sus prendas íntimas en mis bolsillos, o despertarte, lobezna, llevándola en brazos, rígida, yerta, y tirártela encima...

—En serio, ¿quiere que me vaya? Me gusta que sonría. Yo antes no había conocido a nadie parecido a usted. Perdone que entre donde no me llaman, pero yo no tengo que ver, supongo, ¿verdad? Usted a lo mejor necesitaba compañía. Toni, me dije... Me llamo Antonia, ¿sabe? Pues eso, que me dije, Toni, él tiene aspecto de bueno, buenísimo, y entonces se me ocurrió que a usted le pasaría ese problema de sentirse solo..., ¡ay!, no se acerque tanto..., el problema de sentirse solo en la vida. Como yo me siento muchas... Pero... Espere, que acabamos de conocernos. Las manos, quietas. Me hace daño... No, no importa, vamos, sigue... ¡Qué vergüenza, si acabamos de conocernos...!

—Llevándote en mis brazos.

—No te entiendo. Y no hables tanto.

... encima de la cama, flemático, enigmático, apático, yegua, que da mucha apatía acabar de matar y llevarle a la esposa el fruto del trabajo, si uno te recuerda, serpentaria, maldita hidra, volando, gaviota, por mis ideas, y luego te encuentra, ladilla, uncida a esa imagen que he olvidado, no desesperes, inserta anuncio en la prensa diaria, discreción colocados, a ser posible limpio, domesticable, digerible, con mejor dotación orgánica, absténganse uxoricidas, para sufrir el que tuve, libélula, la oferente pone carnes restauradas, talento, pasado, posición sexual, a veces invertida, simia, aunque me olvides, ahora, becerra, te los estoy poniendo, disculpa un instante que uno tiene que abrir en canal a la zancuda, que no todas, abejorra, sois distintas.

—No, no, no. ¡Eso no! Además, que no te gusto. Se te nota mucho que yo no te gusto.

—¿Quieres que te cuente otra?

—Déjame que apoye la cabeza en tu pecho. Parece que se ha levantado un poco de viento. Si te molesta que te abrace, quito los brazos. Anda, cuéntala. ¿Es de horror?

—Como todas las mías. Pero minuciosa, técnica, casi científica. Un crimen perfecto. Al final, cuando el policía tiene todos los datos, cuando parece que ya lo sabe todo y lo va a descubrir..., nada. Que no puede descubrir quién es el asesino, que no puede y no puede. Así termina. ¿Te ha gustado?

—No.

—Pues es la mejor.

—¿Eres casado?

—¿A que al lector le daría un ataque de nervios?

—Oye, si no eres casado... Ahora, de noche, no me importa. Si es que no eres casado.

—Soy casado.

—No te gusto nada. Tú estáte quieto. Te beso yo. Estáte quieto. Pero, hijo, ¿qué crees?, ¿que voy a matarte? Con poca luz, te beso yo. Y, mira, no me da vergüenza.

—Un día, con tales ideas, te quedas preñada.

—¿Dónde vas?

—Me marcho.

—Pero ¿me dejas así, sin más?

—Si lo necesitas, te doy para el billete de vuelta.

—Espera, espera, que me voy contigo.

—No me gusta ir en el vagón con una mujer cogida a mi camisa.

—Pues me voy a ir contigo. ¿Por quién me has tomado? Tú estarás loco, pero yo no te dejo. O no haberme hablado el primero, cuando estaba tranquila, leyendo a la sombra, sin decirte nada, sin preguntarte la hora, ni parece que hace buen tiempo, ni un cigarrillo.

—Calla, flaca, que mareas.

—Callo, pero me voy contigo, que tú a mí no me dejas diciendo que ya volverás el próximo domingo, y no te veo más el pelo. Espera que me sacuda la tierra de la falda, que me la has puesto hecha una pena. Si es por el billete, yo pago los dos.

No pierdas la esperanza, murciélaga, que yo no la pierdo, descuida, y un día te sorprendo, quizá cuando creas que ya me ha vencido la resignación, porque, bípeda, uno no puede abandonar este valle de lágrimas, está comprobado, sin haberse dado el gusto, sobre todo que esta inmensa multitud de chivos expiatorios a mí, carroña mía, me provoca, grasienta de confianza va encaramada a mi brazo, ella ya tiene víctima, pero el domingo que viene, quebrantahuesos, a esta desdichada víctima le va a pagar unas copas la zancuda.

(1968)

Hay coincidencias que se cuentan y no se creen. Porque estaba yo, desde que había despertado de la siesta, pensando —todo lo que me permitía la acidez de estómago— que mi situación la arreglaba únicamente un terremoto, la guerra, una epidemia o el suicidio, cuando oigo sonar el timbre, me levanto, voy, abro, entra Pascual y en el mismo vestíbulo me anuncia:

—Se acaba de declarar la guerra.

—¿Contra los antiguos revolucionarios?

—Sí, claro.

O sea, que estábamos ante un asunto mollar. Por vez primera en los últimos cinco años dirigí la palabra a mi mujer:

—Suzy, trae café y coñac. Que no sea de recuelo. El café.

Pascual, colgado del teléfono y enmarañado en sus propios aspavientos, le ordenaba a Hertha se presentase inmediatamente y ya Suzy traía la cafetera, la botella, las copas, las tazas, y olvidaba —como siempre— el azucarero.

Por si se trataba de una de sus distracciones, le pedí precisiones a Pascual. Que por la radio. No teníamos. También por la televisión. Habíamos vendido el televisor la semana pasada. A cambio, a Suzy le cogía el evento con un aceptable depósito de conservas. Que las abriese con los dientes, las latas, y no interrumpiese. ¿Quién la había declarado a quién? Ni lo sabía, ni le importaba. Le sobraba razón; a caballo regalado no le montes con remilgos. En la calle —eso lo podía asegurar— los grupos eran muy numerosos e, incluso, se formaban manifestaciones. Ignoraba si en pro o en contra. Esperaba él que contra la guerra. El cretino.

Tan rubia y broncínea, tan desnuda, puesto que parecía llevar el mínimo vestido bajo la piel, tan hermosa como agitada de carnes, Hertha llegó al diván sin que mis brazos pudiesen retenerla ni para un saludo. Sentada, la falda se le quedó invisible. En mi tórax resonaban tambores y aullaban hienas. Suzy y Hertha se besuquearon y resultó que Hertha se había traído su depósito de latas de conserva. Pascual cerró el ventanal, como si los vidrios fueran a detener la radiactividad, y nos solicitó asilo. Que se quedasen, aunque los cuatro tuviésemos que dormir en la misma cama. No había por qué; en aquella casa, a pesar de todo, quedaba cama de huéspedes. Ni le repliqué a Suzy, que se envalentonaba, creyendo que las anormales circunstancias le daban derecho a un trato de ser racional. Me acabé la copa, me puse el traje azul marino, cogí el cuchillo de monte y anuncié que corría a cumplir con mi deber.

Suzy de entrada enganchó la oportunidad y, golpeándose las sienes, intentó abrazarme. Rechazada, Pascual me abrazó, mientras abrazaba yo a Hertha. Crucificada en el hueco de la puerta, gritaba Suzy como en los últimos tiempos de nuestra luna de hiel y primeros descensos al infierno (de nuestra vida en común). Grité más que ella y, sollozando, se me enroscó, de hinojos, a las piernas. Sin embargo, se soltó al primer rodillazo. Por la caja de la escalera sus tres voces me rogaban prudencia, tal que si yo marchase a un consejo de acreedores y no a la conflagración.

Efectivamente, las calles chorreaban multitud. Apesadumbrada multitud, aunque la mayoría de ellos estarían asqueados de su mujer, con el negocio en ruina, acribillados a facturas y pateados por sus parientes poderosos. Aun así, apesadumbrados. El pueblo, ya se sabe, nunca comprende nada.

El tipo de la garita me comunicó que habían ido al almacén a buscar los impresos, pero que no me preocupase, que era yo el primero. Le di un cigarrillo y, natural entre compañeros de armas, me pasó la metralleta, mientras se buscaba las cerillas. Lo de los impresos no podía retrasarse mucho. Además, no hacía mala tarde. Un poco de calor. Un poco de calor, concedí al tiempo que llegaba el Noble Anciano y se le participaba el asunto de los impresos. Le molestaba ser el segundo, ya que en los últimos lustros había esperado que nadie se le adelantaría, cuando el gobierno se decidiera a declarar la guerra a los antiguos revolucionarios. La condenada ocasión allí estaba y eso era lo reconfortante. Como se nos podía considerar de la casa, en tanto el de los impresos regresaba del almacén se nos invitaba a penetrar en el patio, que él nos reservaría los dos primeros puestos, para que, llegado el momento, eligiésemos unas buenas botas, dado que, con tanta paz, casi todos los pares se encontraban podridos o descabalados.

El patio amplio, de guijos puntiagudos y brillantes, con olor a estiércol y a napalm, era una hermosura. El Noble Anciano se apoyó en mi brazo, a fin de no desnucarse contra el pavimento, y le pregunté dónde tenía el cáncer. En la vejiga. Cortésmente se interesó por la localización del mío. Lo mío no era cancerígeno, sino afectivo-económico-judicial. La Arpía (Suzy) contra el Ideal (Hertha). Mi talento contra los Tribunales. El Mundo emponzoñando mi Felicidad. A cada edad, sus preocupaciones. No obstante, siempre acaba por sonar la hora de la revancha. El Noble Anciano gruñó que no me fiase en exceso de nuestros impulsos digitales, que lo mismo apretaban antes el botón los antiguos revolucionarios, visto el estado paupérrimo de nuestra organización, como el tipo de los impresos estaba demostrando.

Un toque de clarín llenó de guarnición el patio. Nada más ver al Invicto Hoc, el Noble Anciano y yo comprendimos que, con un hombre semejante, el camino a la victoria iba a ser un paseo dominguero. Ante la formación, el Invicto Hoc nos impuso las medallas Al-Que-Llega-Primero y Al-Que-Llega-Segundo, respectivamente. Con las condecoraciones prendidas, le advertimos que alistados no podía aún confirmarse formalmente que estuviésemos. Bronca general. Séquito destacado al almacén. Que nada, que estaban a la vista, pero que el deficiente recluta encima era analfabeto. El más corpulento del séquito ofreció sus espaldas como pupitre y el intelectual hizo de amanuense. Al fin, aptos para la batalla.

En la sala de mapas el Invicto Hoc nos nombró ayudantes de servicio permanente. Con la medalla y el nombramiento, al Noble Anciano se le aguaron los ojos. Los del séquito y el Invicto Hoc dedicaron su talento a rayajear unos mapas con compases y tiralíneas, mientras el Noble Anciano y yo buscábamos bocadillos y, de paso, noticias. El Noble Anciano los trajo de escabeche, de lechuga, de chorizo y de escabeche con lechuga. Yo, malas nuevas. El Invicto Hoc llamó al Mando Central y les preguntó a qué esperaban para fusilar a los conscriptos que no se presentaban. Que rápido o les iba a mentar la madre.

Aproveché la línea para hablar con casa. Hertha, Pascual y ella no se separarían, que, juntando los miedos, se daban ánimos. Alguien había llamado a la puerta pero no abrieron. Que no abriesen. Estábamos en guerra, y en tiempo de guerra cobrarle una letra a un combatiente —o intentar cobrarle— no sólo era una cochinada, sino alta traición. Que bueno y que si iba a ir a cenar. Que si estaba tonta. Y que, con lo del miedo, no fuesen a caer en un ménage-à-trois.

Nada más colgar yo, el Mando Central. Estaban enterados de la declaración de guerra, pero no absolutamente decididos a seguirla. El Invicto Hoc les mentó la madre, como había prometido, y les llamó pacifistas y comemierdas, puesto que, si de lo que se come se cría, lo que no se usa se marchita, y ellos habían criado mucho sosiego. En consecuencia, los destituía, nosotros —incluidos el Noble Anciano y yo— constituíamos a partir de aquel instante el único y verdadero Mando Central, dictábamos bando de alistamiento voluntario bajo pena de fusilamiento sumario, y que ya estaban enviando las claves, llaves de contacto, esquemas de radiactividad y demás papeles concernientes a la Bomba. Tras lo cual, lo mismo que un torero la montera, el Invicto Hoc, entre vítores, arrojó el auricular contra los mapas.

Con las primeras sombras el patio se fue llenando de voluntarios, entre los que se encontraban algunos de los jenízaros del depuesto Mando Central. Antes de la cena el Noble Anciano y yo éramos ascendidos y, hacinados en unos cuantos coches con el resto del séquito, por la ciudad oscura como un cementerio africano y libre como mis deseos de Hertha, nos trasladamos al palacio del gobierno, donde hasta en las escaleras discutía la jauría de funcionarios, a ladridos los teletipos. El jefe dijo que recibiría al Invicto Hoc solo y sin pistola. En un salón el Invicto y yo deliberamos y, a cambio de su pistola, le entregué mi cuchillo de monte. Inmediatamente, dispuesto a agotar sus reservas de paciencia, fue introducido en el despacho del jefe.

La cosa se puso que llegué a temer lo peor. Si por la tarde resultaban alentadoras, las noticias coincidían ahora en transmitir la angustia, las dilaciones, la marrullería, la falta de decisión de los ciento veinte gobiernos con armamento nuclear. Nadie se decidía a desintegrar a nadie, a no ser que alguien comenzase a desintegrar a alguien. Para quitarle leña al fuego, varias docenas de representantes de otras tantas religiones desembarcaban en Roma, empecinados en oponerse a la declaración de guerra, acto que ya ni se sabía quién había efectuado. Me vi —repito— desayunando al día siguiente frente a Suzy, recibiendo a los del juzgado, aceptándole a la familia un empleo en una fábrica, suplicando in mente una mirada de Hertha. Hay instantes en la guerra en que un hombre puede encanecer, de golpe.

El Noble Anciano irrumpió en palacio. Las oficinas de alistamiento se vaciaban. La radio transmitía comunicados y discursos, no marchas marciales, como si quisiesen debilitar aún más el espíritu de las masas. En dos horas todo el trabajo que nos estábamos tomando podía irse al carajo de la paz. Incluso el séquito se había trasladado a sus hogares, con el pretexto de recoger pijamas y cepillos dentales.

—¿A sus casas? A sus pocilgas.

—¡Pura roña postulosa! —les definió el Noble Anciano, rugiendo.

La incertidumbre me llevó al teléfono. Pascual, en el sótano. Ella, una vez que colgase, al tejado. No estaba dispuesta a quedarse enterrada. Prefería caer desde lo alto, escombro más o menos. Y ¿Hertha? Hertha, pataleando en la cama y desgarrándose las vestiduras. Que si el desgarro era metáfora. Que literal y que allá cada uno con su histeria. Me deseaba una muerte veloz, siendo la última ocasión que en este mundo hablaríamos. Que le diese tila a Hertha y la cubriese con la colcha, por lo menos. Yo, si mis deberes bélicos me concedían un segundo de tregua, me acercaría a poner orden. El orden —ansiosa de subirse a las tejas, así lo dijo— me lo guardaba donde yo no ignoraba que me cabía. Y cortó la comunicación.

El Noble Anciano, sonriente, me llamó, me tomó de un brazo, nos abrimos paso por la desbandada de funcionarios y, desde el umbral, me mostró —con evidente oficiosidad, porque la sangre me lamía ya la punta de los zapatos— al jefe y a sus quince ministros, degollados. El Invicto Hoc, con mi cuchillo de monte y el teléfono en la diestra, participaba a los medios informativos el cambio de situación gubernamental, y sacudía la siniestra en el aire, goteante y aún temblona del esfuerzo. Además del gran hombre que el Noble Anciano y yo habíamos adivinado, nuestro presidente Hoc era zurdo. Pocos minutos después, en tanto retiraban cadáveres los camilleros, el Noble Anciano juraba el cargo de ministro del Atomo, y yo, de Comercio. Firmé un decreto de anulación de documentos crediticios emitidos en los últimos años y, a la madrugada, nos instalamos en la torre de la base de proyectiles con cabeza atómica, dependencia del Ministerio del Noble Anciano. Todo se lo habían dejado abierto y, despedidas las mujeres de la limpieza, allí, una vez dispuestas las rampas de lanzamiento, sólo bastaba con apretar el botón. Los botones, puesto que teníamos para los tres y todavía sobraban.

Entonces, el presidente Hoc nos pidió esperar.

—¿A qué?

—Habrán meditado ustedes las muy probables consecuencias del acto que nos disponemos a ejecutar, señores ministros. No debo ocultarles que, por mucha eficacia que imprimamos a la ofensiva, quizá los antiguos revolucionarios no queden totalmente destruidos a la primera y, en cuestión de minutos, repliquen.

—¿Y qué? —volvió a razonar el Noble Anciano.

—Hombre, que nos pulverizan.

Las facciones del Noble Anciano reflejaron honestamente el mordisco —de su cáncer y su bilis— en el bajo vientre. Magnífico, justiciero, estratosférico, su índice sobrevoló el pulsador de los cohetes. El presidente Hoc asió el dedo del Noble Anciano a medio centímetro de la baquelita.

—Señores, sin duda he sido mal interpretado. Estos misiles se dispararán. Lo juro. Unicamente, que dentro de seis minutos. Les ruego que me aguarden seis minutos. Soy llamado el Invicto, porque jamás tuve ocasión de pelear. Desde mi más dura adolescencia he anhelado este momento, he vivido por él, para él he gastado energías, fortuna y talentos. Tengo derecho a sentarme en el trono.

—Sí, señor, eso sí —reconoció el Noble Anciano—. Si lo que usted quiere es sentarse en el trono y que, arrellanado en el trono, le coja la respuesta del enemigo, nada tengo que oponer. No seis, sino quince minutos tiene usted, excelencia, para regresar a palacio, vestir los ornamentos y consumar sus legítimas aspiraciones. Además, señores —la voz del Noble Anciano vibró como un fleje—, venceremos al primer disparo. Y, tras la victoria, nos quedarán todavía enemigos que aniquilar.

—Los interiores, faltaba más... —dictaminó el presidente Hoc.

—Pero a ésos habrá que fusilarlos o gasearlos —dije.

—Un cuarto de hora, ¿eh? —de un brinco llegó a la puerta.

—Confíe en mi palabra.

Acompañé al presidente Hoc hasta el helicóptero y, con una exactísima clarividencia, comprendí que a mí también me había llegado la oportunidad estelar de mi vida. Por asegurarme que Pascual seguía en el sótano y Suzy en el tejado, telefoneé.

—Ven —susurró su voz, enronquecida por el terror—. No aguanto más.

—Voy. ¿Te has quitado toda la ropa?

—Dicen que unos perturbados se han apoderado del gobierno, que nos quedan minutos de vida...

—Quince. Espérame.

Me apoderé de un automóvil. Conduciendo con una sola mano, me despojaba de la chaqueta, de la corbata, de la camisa, y atrás quedaban los edificios sombríos, las avenidas desiertas, el aire expectante. Ante mí, Hertha...

El resplandor me acaba de inmovilizar, como si yo hubiera frenado. Asciende el cono de luz, en silencio (y nunca oiré su estruendo), apoyadas las ondas de fuego —escarlatas— en las espirales —anaranjadas— del vacío que se crea a sí mismo, que estira los poros de la piel y rasga mis dientes. El condenado viejo no ha podido esperar.

No oiré el estruendo, que se producirá en los próximos segundos, ni mis manos jamás acariciarán esa carne deseada, ahora que, estando tan cercana e inevitable la muerte, nadie me habría impedido arrojarme sobre Hertha.

Asesino impaciente.

Maldito viejo, con su maldita bomba. Miserable.

Como él nada tiene que perder...

(1970)

Las infiltraciones del domingo

> Si alguna de esas noches que las carga el diablo.
>
> JAIME GIL DE BIEDMA

Sale usted de casa y se acuerda, antes de salir, de apretar los grifos del agua y del gas, de desconectar el artilugio de los voltios y de dejarle a la persiana algunas lajas separadas, para ventilación, y se preocupa usted, a conciencia, de que la jaula del canario no quede en corriente de aire y que tenga a pico el canario su alpiste, su hojita de lechuga, su agua y su terrón de azúcar; tampoco se lleva usted el teléfono, porque nadie se lleva el teléfono cuando sale de casa, aunque el teléfono no esté considerado prácticamente mueble, como demuestra que, a estos efectos, usted comprobará que no olvida las llaves, el pañuelo, la documentación, el dinero, los cigarrillos y, sin embargo, usted no comprobará si lleva o deja el teléfono, igual que deja usted la cama, los sillones y las alfombras, y las cacerolas, y el botiquín polvoriento del cuarto de baño y todos esos infinitos inventos, más o menos transportables a mano, que rellenan el vacío entre las paredes, y en el mismo orden de costumbres ni usted, ni nadie que usted conozca, se lleva a la criada, a no ser que, estando aún la criada en casa, la criada y usted decidan cargar juntos con la tarde del domingo, a solearse, que puede ocurrir, si bien no suele acabar dichosamente, recuérdelo; tal tipo de historia empieza ruidosa y aventurera y termina como ya le dijeron a usted sus viejas tías, que conservan ideas sociales todavía claras, por lo que nunca se les habría ocurrido llevarse, al salir para la iglesia, el teléfono (a manivela y tubo), ni el canario, ni el bidet, y, al fin y al cabo, ellas fueron educadas a viajar con abundante impedimenta, y eso les disculparía de andar para la novena con canario, brasero, sombrerera y baúl mundo, ítem más con doméstica, sin dejar por ello de ser una excentricidad, imperdonable en usted, que viajó por vez primera hacia los 30 del siglo, llevarse el teléfono y el consiguiente laberinto de avisar a la compañía y explicar, sin rubor, que se cayó, que los niños (de los que ni huellas se perciben en su casa sin niños) tiraron de semejante manera gangsteril el chisme comunicativo, que, sin más daño aparente, quedó limpiamente desgajado de su cable nutricio, ni usted, oiga, ni el tipo de la compañía, ni la criada aquí presente, se creen tamaño relato, cuando más si corta usted el mencionado cordón umbilical con tijeras, que eso ya es aborto, provocado y criminal, lo haga usted, lo haga el ginecólogo de sus tías, la criada y hasta el tipo antedicho, por mucha bula técnica que la especialización le conceda, resultando, por tanto, más recomendable, si es que usted se ha empeñado en acarrear el teléfono para dar un simple paseo, que lo cuente así (a circunstancia excepcional, remedio excepcional), o sea, no mentir, que ni podría, fíjese, a la noche misma, antes de lo de la compañía, antes de la cena, antes de lavarse las manos, nada más entrar con ese bovino entrar de los domingos crepusculares, ya estaría usted oyendo señorito andá señorito qué le ha pasado al cacharro que se ha estampao o qué señorito pues menuda ahora vete a saber lo que nos hacen esperar esos pachorras y ya me dirá señorito mi novio y sus señoras tías y el de la tienda y para saber la hora y que el despertador ande a la hora y la vecina de enfrente y la misteriosa que siempre dice que se equivoca y lo mismo es pretexto o choteo, porque de todo hay, y como a veces ligan, llaman a la desesperada; así que, escuche, mejor no arranca usted el teléfono y sale usted de casa con la tranquilidad de que el gas, la electricidad, el agua ni, respectivamente, intoxicarán, electrocutarán, ahogarán, y se preocupa usted, antes de salir, de su hojita de lechuga, de su alpiste, de su terrón de azúcar, de que la jaula no quede en corriente de aire, y regresa usted a la noche y se encuentra usted al canario fuera de la jaula, que ha descolgado porque probablemente le molestaban los timbrazos, y, diga, ¿qué hace usted?

Por ahora, nada. Por ahora, sale usted no más que por no quedarse, y en la primera esquina, apenas reconfortado por el aire y por el sol, ya ha visto a ése que hace un gesto a aquélla que camina por la otra acera, una seña innocua, con la cabeza, intraducible para alguien que, como usted, no les conozca; pero ¿qué sucede?, dos se cruzan y se saludan en mudo, no es casualidad, porque lleva usted algo así como tres calles recorridas y todo sujeto/a que usted ve hace por lo menos un visaje en silencio a otra/o ciudadana/o, y usted parpadea a veinte por segundo y, al tiempo, medita que no todos han de conocerse y que, de conocerse por parejas, podrían hablarse, o detenerse, o hacerse cortes de mangas, en todo caso a usted no le parece lógico que esta tarde todos los transeúntes gesticulen, comedidos, naturalísimos, incesantes y promiscuos, transformando la tarde en campo de aterrizaje de marcianos, en el apocalipsis sin tramoya, en la atómica psíquica, en el domingo que le ha caído a usted, que aprovecha la farmacia de turno y se compra un analgésico omnicalmante, salvo para las visiones o, mejor, para la falta de visión, dado que tanta gesticulación le ha impedido percibir hasta abandonar la botica que no circulan vehículos por las vías públicas, quizá porque es festivo, quizá al doblar la esquina, quizá cortaron la circulación por alguna solemnidad oficial, ganas, amigo, de endulzar el fenómeno, de tal forma que usted piensa (como se piensan esas cosas, de prisa y sobre grasa) que usted se ha vuelto loco, pero no hay síntomas, y, sobre todo, no es de noche, todavía no regresó usted a su casa, aún no se ha encontrado —y verá la que es buena— al canario descolgando el auricular, porque a la puñetera ave los timbrazos le fastidian, esa es la ventaja, la única, que queda mucha tarde por delante.

Así, usted, como si la pantomima no fuese con usted, llega al parque, se sienta en una silla de hierro, le cobran a usted la ocupación (y deberían pagarle por la tortura), durante un tiempo (si es que el tiempo transcurre, especula usted con elegante ironía) usted no contempla nada extraordinario, en parte, porque está usted de espaldas a la glorieta y sólo contempla, imagínelo, la pradera en declive, los sauces, los gorriones, unas piedras, unas nubes, una estatua, una nube de hollín que cierra el paisaje, y, luego, esa paz del domingo, esa fofa bobería del domingo solitario, que a usted (y a cualquiera), poco a poco, sin zanjas, le va conduciendo a considerar la soledad, el dinero que puede usted gastar antes del final de mes, el dinero que le hará gastar a usted quiera o no quiera usted su criada, el lenificante descubrimiento de la soledad no superado por ningún progreso técnico, sus calcetines, y vea que hizo bien, aparentemente, en dejarse el canario en casa y en no arrancar el teléfono, dígame si no qué carajo pinta usted aquí con la jaula a sus pies y el aparato en las rodillas, no siendo considerado, en la civilización de la que usted es partícipe, el teléfono como objeto de ornato personal y, tal como el mundo rueda desde que salió usted de casa, expuesto a que, colgándole los cables, empiecen a sonar timbrazos sobre sus rótulas. Cada cosa en su sitio. Salvo (y no vuelve usted la cabeza) que no hay automóviles y que los peatones, por parejas, se dirigen gestos a distancia. Usted tiene un rapto interior de valor —inconmensurable— y decide, si encuentra uno, abordar a un guardia oiga usted qué pasa esta tarde.

Al guardia acaba de dirigirle un guiño un ama de cría, que empuja cochecito. El guardia raja el aire con la mano derecha abierta, como una cuchilla. Usted interpreta que el guardia se muestra conforme en desmembrar a la criatura, que supone usted porta en el cochecito el ama. Al aproximársele usted, el guardia se lleva la mano al adecuado lateral del casco y usted me dirá señor. Usted decide, con independencia de sus derechos civiles, plantear el asunto sin brusquedades. Opina que hay poca circulación de vehículos. El guardia que sí. Rectifica usted su opinión, la matiza y el guardia ratifica que esta tarde no hay ninguna circulación de vehículos. Usted olvida que no debe preguntarse nunca su criterio a un inferior —en la escala social, se entiende— y requiere el dictamen del guardia acerca de las posibles causas de la afonía ciudadana. El guardia, que no es sordo, sino lerdo, ruega repetición de la pregunta. Repite usted y el guardia, sonriente, no está enterado, pero, señor, si lo desea puedo recibir su denuncia y la elevaré a la Superioridad en terminando mi servicio en el parque. ¿Qué decisión adopta usted?

Antes de responder, considere que nadie le ha dirigido gesto alguno, que —es una manera de hablar— usted va por las calles como el hombre invisible. ¿Qué decide? ¿Presenta usted la denuncia? Preséntela y usted ya no será dueño de los acontecimientos. Es más, si formula la denuncia, desencadenará usted un torrente de papeles, que pueden ser su tumba.

Usted no presenta la denuncia y sigue paseando, entre gestos, eso sí, horadado por la autorrecriminación, arrebujado en sus llagas, porque usted sabe que no se cambia a su edad de usted, ni se cambia a los veinte años, ni se cambia a los cinco, ni se cambia cuando uno viaja en cochecito locomocionado por ama seca, de tal modo que usted no resiste más, máxime que desde hace media hora todas las mujeres que circulan por el parque son altas.

¿Cómo preguntará a un guardia por qué todas las mujeres son altas, si no ha osado usted llevar a sus últimas consecuencias una simple inquisición acerca de la ausencia de vehículos? Usted se resigna a su manera de ser y, si no se resigna, se suicida, pero usted no se suicida, porque ni usted, ni el lector, ni yo carecemos de principios, morales al menos, así es que usted coge un taxi (cuando hay dinero, todo se arregla) y, dada la falta de circulación, en un tiempo récord, entra usted en un bar, donde la penumbra le acaricia, la música le muelle y, nada más acomodarse, una guaja arruga la nariz en su honor. Usted finge no haber visto, pero ella atraviesa el necesario trecho de local, se sienta, hola guapo, y usted se encuentra con dos whiskys a su cargo de usted. ¿Qué hace usted con la desenfrenada ramera?

Consciente de que la prostitución es una lacra a la que no ha contribuido jamás, usted se considera con derecho a utilizar (no carnalmente) los servicios de la bigarda, en trance ya de empapar whisky y masticar almendras, único ser que, si puede decirse así, se ha relacionado con usted en toda esta tarde de domingo y hasta el momento, y cuya estatura es inferior a la suya, lo que le permite comentar que esta tarde todas las mujeres son altas, no monstruosamente, sino la más baja más crecida que cualquier hombre, sin olvidar que todo el mundo gesticula y que no circulan automóviles, a lo que la cortesana responde que, si usted la considera achaparrada, ella se vuelve al taburete, precipitándose usted, con un exceso de cortesía muy propio para el trato de mujeres generalmente tratadas a la baqueta, a dejar claro que ella goza de tamaño tranquilizador, lo ves vidita cómo ya sabía yo que tú y yo pocholón nos íbamos a entender, que no le des más vueltas que es barato y no te preocupes por los coches cerquita y no nos harán señas si quieres sigilo absoluto hipersensible neurasténica discreción el botones nos busca un carruaje con cortinillas y nadie ni alto ni enano se nos guasea presidente. Usted, que ya preveía gastos extraordinarios antes del final de mes, decide aceptar la oferta en el precio señalado, pero, conjuntamente, insiste en que le interesa sólo respuesta a sus preguntas en torno a las características de esta tarde o, caso de imposible respuesta, se le permita intercambiar discurso coherente respecto a tamañas peculiaridades. Ella, apurando whisky, llamando camarero, recogiendo bolso, alisándose falda, pinzándose sobre vestido faja, acepta que por eso no ha de quedar ricacho que una está acostumbrada a todo lo anormal lo medio normal lo casi anormal lo poco normal e incluso alguna vez también sufre lo normal que es un suplicio y no olvides dejar una buena propina al camarero; este bar es como mi oficina como para ti —para usted— es la oficina pues mira jefazo tenías razón parece que todas las tías han estirado un par de palmos esta tarde qué será, siendo, por tanto, dos, al menos, los que os preguntáis la causa de tales metamorfosis, con lo que se establece el consabido calor humano, que acorta las distancias hasta esta habitación convencional, donde ella se desnuda, antes de que usted se haya sentado en una butaquita, y ya la tiene, como antes habría podido tener el teléfono (ése que, por ahora, usted ignora que le descolgará el canario), en sus rodillas, y, sinceramente, ¿qué hace usted?

Usted habla. Ella asiente. Sigue usted hablando. Ella bosteza. En un alarde de brillantez metafórica, usted afirma que no le extraña nada de nada, que ahora mismo entra un bombero vestido de buzo y usted se queda impasible. Entra, sin llamar, la rufiana —una rubia de dos metros— y pregunta si alguno de los presentes ha formulado una denuncia, lo cual le regocija a usted esplendorosamente, despertándose la dormida y, una vez informada de que un guardia pregunta si alguien ha formulado denuncia, opina que mire doña yo que usted no daba información tienes razón zorrilla que le voy a decir que aquí en este prostíbulo no planteamos problemas a las autoridades ni yo ni los señores ni las educandas me has dado una idea raposa que te agradezco y que perdone usted —y usted— de la interrupción pero era asunto oficial y sigan ustedes holgando, entonces confiesa que su prometido presentó denuncia contra un banquero que se negó al precio acostumbrado, pero se le escapa un precio que es la mitad del precio que en el bar dijo ser el acostumbrado, y usted discute y gana en un tercio lo que ya daba por perdido, pero el tercio se lo da como regalito, lo que demora la marcha, arrumacos, es de noche, todo el mundo gesticula, todas las mujeres son altas y continúan vacías las calzadas, por lo que usted tarda una eternidad en llegar a su barrio, a su casa, a su piso, detrás de cuya puerta suena y suena el teléfono, y, cuando usted entra, el canario, que ha abierto la jaula, acaba de descolgar el auricular, probablemente porque resulta insoportable estar oyendo durante toda una tarde de domingo timbrazos telefónicos entre los barrotes de una jaula.

Pero aun así, algo se debe hacer, alguna actitud debe adoptarse. En principio, usted persigue al canario, rompe un cenicero, derriba un cuadro, raya con las uñas la pared y con la pared se quiebra las uñas, se encoleriza, amenaza, el canario se intimida y, atrapado, vuelve a la jaula, acontecimiento simultáneo a la recepción que usted sufre de una especie de jadeo, de entrecortadas procacidades, que una voz masculina emite en la alcoba dormitorio de usted, a la que, animado de ciega furia, catapultado por la exasperación, usted se precipita, en la que irrumpe y donde descubre frente al espejo del vestidor a un tipo, vestido con su mejor traje y su mejor camisa, calzado con zapatos de tacón alto, en actitudes lúbricas, que su entrada ha interrumpido, provocando un segundo de indomeñable pánico, una congoja súbita y una vergonzante derrota, manifestada mediante ininteligibles súplicas, durante las cuales y a pesar del bigote postizo usted reconoce a su criada, de rodillas rogándole secreto para su vicio, sus hábitos degenerados, con tal pesadumbre, con tal compunción, que usted, que en cierto modo calculaba aprovecharse del descubrimiento, se aturde, adopta (con una rapidez que sólo la comodidad justifica) una posición reprensiva y admonitoria y ordena a la muchacha se despoje de las prendas que no corresponden ni a su sexo ni a su condición deje todo en su sitio vístase el delantal la cofia y venga al salón convenientemente hablaremos señorito que no puedo remediarlo que a mí misma me prometo no volver a caer y en cuanto tengo la ocasión señorito me depravo y usted —y usted— conoce la flaqueza de los instintos la fortaleza de los instintos la imposibilidad de enderezar los meandros del río oculto de la existencia y encima (admite usted que la chica lleva su parte de razón) el atractivo de lo prohibido, de tal manera que reconviene usted a su sirvienta, le promete tratamiento facultativo, le pide la cena y sorprende al canario a punto de escabullirse por la puerta entornada de la jaula, cúmulo de sucesos que acaban con sus nervios.

Por eso, ahora me dirá, ¿qué hace usted? Por lo pronto, usted mata al canario, despide a la criada, denuncia el extravagante comportamiento de sus conciudadanos, la falta de circulación y el repentino crecimiento de las mujeres. ¿Sí?

No. Usted, que es persona de bien y razonable, usted que ha enfrentado situaciones espinosas, una guerra, una viudez, usted, que acepta la vida como es, no hace nada semejante. Escribe usted al director del periódico más sensato una carta, en tono ligeramente condolido, sobre sus observaciones dominicales; usted pone candado a la puerta de la jaula, porque eso sí, si usted consiente que el canario descuelgue el teléfono, un día puede encontrarse con el canario reclamándole a usted un jornal; y, antes de conectar el televisor, autoriza a la chica (¡qué caramba!) a que use alguno de los pijamas que usted pensaba desechar, y la chica ríe, y usted le palmea la nalga a la chica, y la chica ríe más, y usted, que acaba de conectar el televisor y se encuentra con derecho a un poco de paz en esta jornada que parecía sin fin, advierte a la muchacha que nunca defraudará usted a sus tías señorito una servidora jamás ha pensado que usted fuese a casarse con una servidora, así que, empezando a rumiar imágenes, usted aún considera si no será más conveniente el próximo domingo sacar de paseo al canario, al travesti y al teléfono.

(1970)

La persecución y acoso de Horacio Cálamo comenzó por entonces, antes de la guerra de Chile y a pocos meses de las elecciones. Por aquellas fechas, como recordarán los aficionados a los asuntos del espíritu, Horacio gozaba de una merecida fama de escritor resistente. No sólo había resistido cuarenta años de dictadura orgánica, sino que, durante la cuarentena, había firmado catorce mil seiscientos escritos de protesta a quien corresponda, una estilística stalinista y algunas novelas concienzudamente vociferantes.

—Tiene mérito —le decía Claudio, que era bondadoso, matemático y admirador de Cálamo— porque salvo el veintinueve de febrero de los bisiestos resulta, por multiplicación, que firmaste un papel todos y cada uno de los días de la Orgánica.

—Falacias de la estadística —replicaba Horacio, obligado por su oficio a replicar siempre—, puesto que hubo días que firmé hasta seis; contra la censura, por la libertad de los presos y exigiendo los derechos humanos.

Fueron duros, evidentemente, los años de la Orgánica,

pero, si bien persistían los estados de excepción, los presos políticos y la censura, a cambio habían sido sepultados por el peso de la Historia los años.

—Ahora, a descansar un poco de la política y a publicar libros —le animaba Claudio, con su natural ceguera para verlas venir.

—Mientras no empiece la guerra de Chile —concedía Horacio Cálamo.

—Ya no puede tardar mucho.

Y así transcurrían los días en plan ocio creador, o sea, cócteles culturales, festejos editoriales, concursos florales, conferencias coloquiales y etéreos proyectos de obras colosales. Como la felicidad tampoco viene nunca sola, Flavia desde hacía unas semanas compatibilizaba su ideología con la idea que Horacio tenía de lo que una relación sentimental debe ser. Es decir, Flavia acudía, sólo cuando era requerida, al apartamento de Horacio, se desnudaba, fornicaba lo suficiente para no acabarle, de paso limpiaba la casa, le dejaba la cena hecha y, de cuando en cuando, sólo cuando Horacio lo estimaba conveniente, se ponía su túnica nepalí y, como estrella invitada, le acompañaba a los saraos.

—Es un regalo de los dioses Flavia —afirmaba Claudio, sin llegar a discernir la conmoción que le producía la muchacha.

—Ha tenido suerte encontrando un hombre como yo. A su edad es fácil dejarse embobar por la subcultura del placer.

No es de extrañar, por consiguiente, que, al sonar aquella noche de primavera el teléfono, Horacio Cálamo supusiese que iban a proponerle o una entrevista o una conferencia, ni tampoco es para reprocharle que no supiese adivinar la que se le avecinaba, porque, realmente, cuando la Fatalidad llama, el timbre del teléfono suena igual que cuando llaman de «Triunfo».

—Dígame.

—No sé si te acordarás de mí —dijo Luis Leonardo Gómez de Huelva y Pimpollo Encendido—. Soy Luis Leonardo Gómez de Huelva y Pimpollo Encendido...

Nos presentaron la otra tarde en el vernissage de Bonifacio...

—¡Ah, sí! —dijo Horacio, que lo único que recordaba del vernissage de Bonifacio era la espalda desnuda de Melitea.

—Pues, verás, nosotros habríamos pensado que nos gustaría charlar contigo... Cuando te viniere bien... Si te pareciese, saldríamos a cenar una noche de éstas... Sin compromisos previos, va de sí...

De modo y manera que dos noches después Flavia, con túnica nepalí y collar de nueces incaicas, y Horacio, de jersey ladrillo con los codos rotos (cuestión de patentizar su desprecio por los convencionalismos), penetraban en las suntuosidades de «El Hígado de Oro» y, escoltados por un pelotón de camareros, eran conducidos al comedor escarlata, donde les esperaban los miembros todos (tres) del comité ejecutivo de La Piña Social Popular Demócrata, ornamentados los tales por dos de sus legítimas más La Fastos, quien, a efectos de aquella cuchipanda, se había prestado a pasar por legítima de Ricardito Traganóminas. Recitada y mimada la parábola del hijo pródigo, entronizado Horacio en la presidencia de la mesa, Flavia a la diestra del Marquesonazo, suprema jerarquía de La Piña, y aprendiéndose poco a poco los nombres los unos de los otros, llegaron a la perdiz imperial, sin que La Fastos dijese más de tres veces coñe. Tan prometedores principios animaron al Marquesonazo, de proverbial dinamismo, a exponer el objeto del ágape antes de los postres.

—Ante to, ilustre escritor, sinceridad —proclamó, acostumbrado ya a sustituir sinceridad por franqueza—. La Piña, que me honro en dirigir, ganará sin lugar a dudas las próximas elecciones —las damas aplaudieron—. Nuestra inequívoca voluntad popular y regional se ha preocupao de que en nuestras filas estén representaos tos los estamentos del Estao. Yo me atrevería a asegurar que, en base a esta filosofía, estamos motivaos a nivel de profesiones. Tenemos arquitectos, pero también aparejadores; abogaos, pero también delincuentes; una de la canción, dos catalanes, un judío, un objetor con el servicio cumplido, tres fresoneros...

—Fresadores —matizó Luis Leonardo.

—... tres fresadores además, un serviola y está a punto de ingresar una comuna de jubilaos.

—Sin contar, naturalmente— apostilló Luis Leonardo—, con nuestros tradicionales partidarios de toda la vida.

—Eso es, Ele Ele. Ahora bien, yo me atrevería a asegurar que el partido está concienciao que no tenemos ningún intelectual de pensamiento.

—¿Y qué falta os hace? —preguntó Flavia.

—Por la cosa de la imagen —explicó la señora de Luis Leonardo, Amanda de nombre ella.

—Y porque lo de la mentalidad viste el muñeco —amplió Ricardito.

—Sobre to, que nunca se sabe, diría yo. Estorbar no estorba y un artista, una vez concienciao, puede corregir los discursos.

—Muchas gracias —dijo Horacio—. Pero ¿por qué se me ha elegido a mí?

—Ya empezamos —masculló Traganóminas.

—Coñe, mi vida, ¿dónde te has mercao ese collar?

—En base a dos razonamientos, me atrevería yo a testimoniar. Primero, por tu renombre; segundo, por tu fama; y tercero, por tu heroico comportamiento frente a la Orgánica, inasequible al desaliento democrático y de tan enraizada andadura con nuestro común sentir.

—¡Muy bien, Marquesonazo! —vitoreó La Fastos, probándose el collar de Flavia—. Y lo que yo digo que por qué no nos largamos de jarana una vez solucionao este cotarro de apuntar aquí.

—De acuerdo, hermosa —aprobó el Marquesonazo.

—Un momento —pidió Horacio—. He de subrayar, agradeciendo antes el reconocimiento a mi obra ensayística y a mi obra de creación, que mi participación en la resistencia contra la Orgánica estuvo inspirada no por ideario político alguno, que rechazo todos en nombre de la libertad, sino por razones morales.

—¡¿Mo... qué?! —aulló Ricardito—. ¡¡Por ahí sí que no paso!! Esto es un acto de provocación.

A Ricardito acabó de amansarlo Flavia en la pista de baile de la sala de fiestas.

—Ya, ya sé que a los de la pluma les gusta escandalizar a la gente decente, pero es que a mí, te lo confieso, linda, el palabro ése que ha dicho tu novio, me enferma.

Después, el comité ejecutivo instaló en la barra el cuartel general, con Flavia de condottiera, mientras en una mesa la Marquesonaza, Amanda de Ele Ele y La Fastos, encandilaban a Horacio, chismorreras, adulonas y culebreantes.

—En resumen, que lo hemos pescao entre tos —resumió el Marquesonazo, cuando, de madrugada, dejaron en casa a la cultural pareja.

—No me atrevería yo a decir tanto —dijo Ele Ele, que no en balde había leído a Balmes.

Sin embargo, acostumbrados a declarar lo contrario de lo que pensaban y a creer lo contrario de lo que oían, decidieron que aquel pájaro ansioso por ingresar en La Piña, recibiría con alborozo el carnet.

—En resumen, que pasasteis una noche fenomenal y no os gastasteis un duro —resumió Claudio al día siguiente, recién dado de alta de resaca Horacio—. Pero ¿quedó claro que te niegas a ingresar en su partido?

—Clarísimo.

—Quizá —confesó Flavia— tendrías que haberles hablado de la guerra de Chile.

—Tú eres tonta —argumentó Horacio—. ¿Vas a enseñarme a tratar a unos podridos burgueses?

A pesar que los de La Piña, en las siguientes semanas, estrecharon el cerco, Horacio mantuvo su negativa. Tras varios almuerzos, algún desayuno de trabajo, dos recepciones y una cacería, el Marquesonazo estalló. Intolerable. La clase política asistía regocijada a la acometida; cierta prensa había ironizado, canallescamente, y, lo que era peor, Cálamo comenzaba a aceptar invitaciones de otros partidos. Imprescindible organizarle un crucero mediterráneo y de soltero al pendolista aquél, considerando su natural hiperestésico y rijoso. Ele Ele planearía la operación, que simultáneamente serviría para relajar los nervios del ejecutivo antes de la recta final electoral. Ele Ele se apresuró a organizar el relajo.

Por costumbre, Claudio llegaba, al atardecer, al apartamento de Horacio, donde Flavia había acabado por instalarse. Bebían algunos litros de té y charlaban. Cuando no comentaban la tenaz repulsa de Horacio a las asiduidades de La Piña, mantenían prolijas conversaciones sobre la guerra de Chile. Flavia, que sufría diarios abatimientos mientras la luz solar desaparecía, a veces, en la penumbra, temía que Horacio llegase a ceder. Pero, al encender las lámparas, Claudio ya había restablecido la confianza. A la madrugada, entre sueños, Flavia oía llegar al sondeado, dando tumbos y entonando himnos.

El crucero fue un portento, aunque regresaron con las vísceras troceadas. Horacio respetó a La Fastos, coqueteó con Lolita Borgia, apenas tuvo tiempo para El Torbellino Mollar y, tras unos días de encaprichamiento con La Zorra Atómica, de la especie rubia efervescente, se enamoró a lo turbulento de Bucles y Volutas, una monería. Tendidos ambos en cubierta, le confesó a Ele Ele que quizá la clase intelectual supiese algo del hombre, pero que indudablemente la política lo sabía todo de la mujer. Ele Ele participó al ejecutivo que el anhelado alistamiento podía darse por consumado. No obstante, cuando desembarcaron, Horacio accedió únicamente a ser nombrado asesor de La Piña, con la retribución adecuada y sin mayor compromiso.

Flavia empezó a hablar de largarse a Londres. Sin entender los motivos de su oposición al proyecto de Flavia, Claudio trataba de disuadirla.

—Cualquier día empezará la guerra de Chile —advertía, tetera en mano y el corazón apretado—. No puede tardar mucho.

—¿Y qué? Cojo un avión y en diez horas me planto allí. Desde Londres hay aviones a todas las partes del mundo.

—Sí, y desde Gerona. Evidentemente para ir a la guerra de Chile no habrá fronteras, pero, en cierto modo, es una guerra muy nuestra, como propia, ¿comprendes, Flavia?

—¿Sabes, Claudio? —dijo una tarde Flavia, con la voz también en penumbra—. A veces pienso que la guerra de Chile ya pasó.

Durante minutos, en silencio, Flavia creyó que Claudio meditaba. Sin embargo, el tintineo, apenas perceptible al principio, fue creciendo hasta convertirse en un fragor a ritmo frenético. Alarmadísima, encendió una lámpara, logró arrebatarle la taza y el platillo, resquebrajados, y, sujetando las manos de Claudio, Flavia no encontró más consuelo que sollozar. Cuando el temblor cesó, Claudio lloraba también. Ella prometió que no volvería a pensar aquella idea terrible y, en compensación, Claudio hizo más té y profetizó que Horacio no tardaría en regresar a la ciudad.

Y, aunque la profecía su cumplió pronto, Horacio sólo permaneció en el apartamento el tiempo de recoger los manuscritos de sus obras, que guardaba en beneficio de la posteridad. La Piña le había alquilado una residencia digna de las nuevas funciones asesoras. En contra de sus convicciones de emancipada, Flavia compuso un alboroto de tonalidades histéricas.

Hasta que un mes más tarde Ele Ele irrumpió en la mansión paradisíaca, Horacio había vivido en la beatitud. Bucles y Volutas, alternando pasión con molicie, sedas con encajes, bobería con invención, no sólo era radicalmente distinta a Einstein, sino que restituía al universo las dimensiones ptolomeicas. Alelado, marcado con la indeleble mueca del goce, Horacio se dejó arrastrar al mitin del Marquesonazo. En el automóvil despertó de su sueño de príncipe durmiente.

—Pero ¡esto ¿qué es?!

Su nombre ultimaba en los carteles la candidatura de La Piña; incluso, su fotografía competía, desde las vallas, con las fotografías de los ciudadanos más relevantes del país; aunque de dudosa catadura. Ele Ele le explicó que había sido presentado como independiente. Luego, tuvo que hablar, tras el discurso del Marquesonazo, y, aunque nadie comprendió nada, el eje de su existencia acabó de rotar, cuando allí mismo, a pie de podio, la Marquesonaza le presentó a Melitea.

Dos días más tarde, Bucles y Volutas, sin derramar una lágrima, retornaba a los vestíbulos de los grandes hoteles, a sus tediosas noches de espía sicalíptica. Melitea tomó a su cargo la dirección de la campaña de Horacio. Horacio le entregó cuerpo y alma y aún no se lo creía, cuando le veía la espalda a Melitea.

Por muy increíble que le resultó al mismo electorado, lo cierto es que de la candidatura de La Piña Social Popular Demócrata sólo salió elegido Horacio. Sabiamente aconsejado por su prometida, Horacio, como primera providencia, se inscribió en el partido. A continuación expulsó al Marquesonazo y a Ricardito Traganóminas, por venales y sandios. A Ele Ele le nombró secretario general.

—En el futuro —preveía Melitea— necesitarás, para redondear tu carrera política, una amante, y la más conveniente me parece Amanda de Gómez.

En verdad, para Horacio, fueron tiempos de inverosímil dicha, de esas poquísimas ocasiones en las que la Fortuna se encapricha con un elegido y no le deja ni a sol ni a sombra. Ya en el Congreso, ya casado con Melitea, Horacio fue dejando de arrodillarse por las noches, en el cuarto de baño, para comunicar a las potencias celestiales su agradecimiento eterno. Conforme el ejercicio de la política le hacía más importante y más incompetente, Horacio, sin abjurar de Jesusito de su vida, ni de Melitea, se convenció de que el azar sólo favorece a los que valen. Y, por otra parte, se fue acomodando a la dicha, con esa conformidad que los desdichados se niegan a practicar. Hasta tal punto aprendió a sobrellevar el éxito, que un atardecer esa nostalgia de infortunio, reservada sólo a los prósperos, le hizo escapar de una sesión parlamentaria y correr hacia su olvidado apartamento, como el que, recién duchado, se encasqueta el cubo de la basura.

Por las escaleras, creía oír a Flavia, creía oler libros, dilatarse el tiempo en dilatadas quimeras. La raya de la luz bajo la puerta le detuvo. De improviso, supo que había soñado, que aquella nueva vida era sólo una de esas alucinaciones que provoca el manejo de la literatura. Abrió, obnubilado, desprendiéndose de la irrealidad.

—Hola —Claudio levantó la vista de uno de los planos, esparcidos por la habitación—. Flavia se marchó a vivir a Londres.

—No lo sabía —y Horacio sintió que la realidad volvía, rotunda y dorada.

—Tenía ganas de verte.

—Yo también. En La Piña nos hace falta un matemático.

—He abandonado las matemáticas. Ahora, ya ves, soy estratega.

—Pero, Claudio, ¿todavía sigues pensando en la guerra de Chile?

—¿Tú no? —preguntó, ansioso.

—Bueno... Actualmente, en contacto con la dura verdad de la lucha... En fin..., estimo que no estamos preparados para una guerra tan decisiva, que es preciso esperar... mejores condiciones..., soportar arduos sacrificios...

—Horacio —aunque las facciones desencajadas presagiaban un grito, la voz fue casi un susurro—, cállate.

Horacio apartó unos planos, se sentó, sonrió, obligó a sonreír a Claudio. Después, carraspeando, preguntó, con aquella condescendiente entonación que ha de usarse con los sujetos gregarios:

—¿Seguís pensando en ocupar primero Argentina?

Hasta muy entrada la noche, Claudio estuvo detallándole las operaciones de invasión. Fue la última vez que se vieron. A Claudio le ametrallaron una mañana a finales del verano, recién desembarcado en una de las playas de Atacama, cerca de Chañaral, al sur de Antofagasta. A unos metros de su cadáver quedó, también acribillado, el cuerpo de Flavia. Como Horacio Cálamo, por entonces no leía ni periódicos y, además, había alcanzado el convencimiento de que aquella guerra era sólo una embaucadora supercheria de la oposición subversiva, nunca llegó a enterarse de que, para sus antiguos amigos, la guerra de Chile había terminado ya.

(1977)

Después de dos días de vagabundeo, sólo cuando consideró haber alcanzado las antesalas del infierno, Octavio se decidió a pedir cobijo. Sería a media tarde, quizá a última hora de la mañana, en algún instante de aquellos indistintos días, paseando por alguna de aquellas calles igualmente abrasadas, que, de repente, se transformaban en dunas, ondulaban hacia los límites del bochorno, se abrían en abismos de luz crispada. Octavio se encontraba sentado en la penumbra de un bar, bajo un árbol de un parque público o, sencillamente, inmóvil sobre el cemento sucio del verano. La noche no llegaba nunca y, aunque nada le resultaba más espantoso que la noche, cerraba los ojos y, a veces, conseguía imaginar una fresca tiniebla. Tuvo que ser en uno de los instantes de lucidez, tan enloquecedores, mucho antes de que aquella decisión diurna de buscar un refugio se concretase en actos, porque los faroles estaban encendidos al llegar al callejón donde vivía el Destilado.

Desistió en seguida de preguntarle, le sirvió un vaso de agua helada, que Octavio no bebió, y, conforme le miraba y se asombraba de que alguien pudiese sudar tanto y tan sin interrupción, sonó de nuevo el timbre.

—Llego antes, porque convencí a Raúl de que me trajese a estas lejanías —dijo Celia, desabotonándose el vestido.

—Espera —susurró el Destilado—, espera.

—Pero habíamos quedado, ¿no?

—Sí, claro que sí. Es que ha venido alguien.

—Una mujer —afirmó, insólitamente jubilosa.

—No, y no te desnudes.

Pero ya lo estaba, cubierta por un manso sudor, mientras recogía del suelo el liviano vestido y dos breverías transparentes. Con mayor irritación de la que sentía, el Destilado la empujó pasillo adelante, Celia haciendo volar sus planas sandalias y riendo, sin quererse afectar por el recibimiento, pero acongojada ya por sus diminutos pechos, una de esas maldiciones que no avisan. La cocina apestaba.

—No te muevas, hermosa. Te aseguro que, se trate de lo que se trate, soy inocente.

Octavio dormía sobre el diván. Continuaba sudando y el Destilado llamó a Celia, que no contestó. Con creciente contundencia, le desnudó, apagó la lámpara y, tontamente, sin saber por qué, le tomó el pulso.

Probablemente para ahorrarse unas náuseas, Celia también había apagado la bombilla de la cocina. El Destilado salió al terrado y, acto seguido, al verla de espaldas, acodada en el pretil, comprendió que el vuelo de una mosca podría hacerla gritar.

—Es Octavio. No sabía que iba a venir. Imposible saberlo. En cinco años, apenas si nos hemos encontrado dos veces. ¿Qué quieres que te diga?

—¿Qué quiere él?

—Matarse. O al menos ésa es la impresión que da. Podemos limpiar ese estercolero y traer un catre; o colocar el catre en el pasillo; o que te vistas y te largues hasta el día que decidas acercarte a esta basura de barrio con cualquiera de esos infinitos amigos tuyos, arrastrada. Yo, ya ves, me voy conformando a vivir sin ti.

Celia se volvió, tardó en descruzar los brazos y, cuando se le abrazó, el Destilado, a quien la soledad tenía más desarmado de lo que él suponía, rompió a sudar, incluso por los ojos. Que ni uno solo de los rojos baldosines del terrado estuviese fijo devolvió la alegría a Celia y para el Destilado comenzó el único tiempo humano de un verano atroz. Más tarde, aún abrazados, el Destilado recostado contra el muro, Celia descubrió la luna, enorme y amarilla, al otro lado de las tejas y de las antenas.

—Esa es la culpable.

—Pobre... Lleva así varias noches, obesa, hepática y casta. A ella también le afecta el calor —el Destilado apretó el cuerpo de Celia y consiguió mover la pierna izquierda, que se le acalambraba—. Ha bebido a gusto este verano y raro será que no acabe cirrótica, la pobre doncella.

—Estás contento, Destilado.

—Por tu limosna de amor.

—¿Bebes con ésa por las noches?

—No todas. A veces recibo a otras doncellas.

—Ni tu difunta madre habría sido capaz de creérselo.

—Con ésa de ahí arriba, poco. Sale tarde y yo me duermo temprano. La otra madrugada me despertó. Iba ya de retirada, no tan rozagante como ahora, palidísima, a trompicones por el firmamento. Me acordé de ti, arrastrada. Recordé los buenos tiempos, cuando llegabas a esas horas tú, tan lunática, tan furiosa de volver. Ella ha sido más fiel. Bueno, no más, sino, sencillamente, fiel.

—Pero es que es más doncella que yo —Celia, creyendo saber lo que hacía, le acarició el rostro—. Bueno, no más, sino sencillamente, doncella. No tiembles, Destilado. No te me pongas a temblar ahora, que ya lloraste antes y no quiero oírte preguntar si me voy a quedar contigo toda la vida.

—Ni dos días te vas a quedar tú conmigo.

—Ni tan siquiera dos minutos, como no domines tu compasión por ti mismo, sucio. Tengo hambre.

—Veré si hay algo.

—Embustero, seguro que te has pasado la tarde comprando. Y luego estarás una semana a pan y sardinas. Más vale que hubieras fregado los cacharros.

—Pensé que no tendrías que pisar la cocina.

Se había alzado lo suficiente, parsimoniosa y fondona, para despegarse de los tejados. Celia abrió las piernas, hasta sentir un tirón en las ingles, y en un murmullo apenas audible fue injuriando a la luna, a sus fofas nalgas, a su cara de Destilado, feminoide, eunuco, castrato, diva llorona, maldita sea la que os mire y ojalá ya hubiese amanecido. Sin embargo, quedaban horas, propicias a los peores errores, y ella, Celia, samaritana, habría renunciado en aquel instante a la posibilidad de dos enormes pechos a cambio de algo en forma de manguera gigantesca para mearle a chorro la jeta a la doncella. Cuando él puso la bandeja en el suelo, Celia cerró histéricamente las piernas.

—Y, además, ostras. ¡Qué chantagista tan bobo eres, Destilado!

Permaneció de rodillas, con las nalgas en los talones, viéndola comer, demorándose en la contemplación sin fingimientos. Hasta que terminó con los pastelillos y con el zumo de piña, Celia se dejó observar. Después dio un puntapié a la bandeja, hicieron el amor de nuevo y el Destilado la llevó en brazos a la cama, renqueando por el esfuerzo. Antes de dormirse, estuvo escuchando la respiración de Octavio. Más tarde, aún era de noche y las uñas de Celia le arañaban suavemente el pecho.

—Está volviendo a casa la gorda pálida —susurró.

—¿Quieres marcharte?

—Tengo que contarte un secreto.

La siguió soñoliento por el pasillo, jugando a abrazarla y Celia, escapándose de puntillas, deteniéndose de pronto, toda entera contra el cuerpo de él. Había aumentado el calor y en el cielo sin estrellas se insinuaba una neblina semejante a la calina del atardecer. Celia se tendió en los baldosines del terrado, con las manos bajo la nuca, y le ordenó que se sentase junto a ella.

—Ahora puedo conseguirlo. Sé que ahora puedo conella no tardaría en acariciarle la mejilla abofeteada. Mientras esperaba la caricia —y los ojos se le abrieron nada más sentir las yemas de los dedos de Celia— calculaba, si es que cedía, el precio mínimo que pondría a su renuncia.

—Destilado, no puedes hacerle una guarrada a una chica que te quiso. Serían ganas de fastidiar por fastidiar y a ti no te va el hacer daño. A ése, ahora, con tal que tú no intervengas, lo sano yo.

Se fue, sin que él tuviese tiempo de besarle las rodillas, sin concederle siquiera la oportunidad de volver a discutir el asunto. Cuando ya se habituaba a la desesperación, todavía hubiese decidido también aterrorizarle. Luego, Celia hacía café en la cocina.

Nada más regresar ella al dormitorio, escapó él sigilosamente al cuarto de baño, regresó, fregó toda la vajilla sucia, que era toda, el suelo, los baldosines del terrado, donde el agua se evaporaba al instante, se sentó a beber un trago y, de pronto, decidió que no resistía más allí, en su propia casa, fingiéndose a sí mismo que no intentaba escuchar cualquier murmullo. Oyó sólo la voz de Octavio y entrevió a Celia, desnuda, pero calzada con sus planas sandalias, que empujaba el sillón de cuero hacia la ventana.

Aquel primer día eligió el barrio del puerto, con la esperanza de sus húmedas callejas, quijosas y hundidas, y aunque se controló el número de copas, cuando volvió a casa estaba desmesuradamente borracho y, a la vez, sacudido por una indeseable clarividencia. No se atrevió a ducharse y, mientras entraba tanteando en la penumbra, tropezó, junto a la puerta del terrado, con el sillón de cuero, sobre el que Celia había dejado caer —con la punta de los dedos, indudablemente— el batín. Estuvo contemplándola subir pacientemente por el cielo, abultadísima, manchada, a ratos como congestionada, a ratos, vesánica. Se asustó (pero no podía remediarlo) al percibir que la estaba hablando en voz alta, que de un momento a otro

seguirme a Octavio. Por favor, Destilado, no me jo
la operación.

Casi de un salto, se puso en pie y huyó. No tarc
volver, pero, cuando regresó, vestía su astroso
y traía, cogido con ambas manos, un vaso rebosant
whisky, que mantuvo entre sus piernas al volverse a
tar junto a Celia.

—Para mí es definitivo, ¿no te das cuenta? En o
en diez años, ni siquiera tú, Destilado, soportarás
esqueleto. ¿Es que no quieres darte cuenta, amor, lo
es ir por la vida con estas irrisiones? —conforme se
vantaba, se ocultaba los pechos con las manos—. No
pido que colabores, pero tampoco me jorobes, tozu
y te prometo que tendrás tu recompensa. Pero a ti ¿q
puede importarte?, seamos serios. De verdad, amor,
de mí ya no puedes esperar nada, por muy rematac
mente bonita que te parezca. Y a mí me queda algo p
delante y yo lo quiero todo y con Octavio lo voy a ten
todo. Es así, ¿qué quieres que te diga?, tú sabes que
así, borrachito, que por lo menos uno de los dos no
hunda. Yo te prometo que te iré sacando a flote.

—¿Qué te hace pensar que...? —bebió un trago, son
rió como suspirando—. ¿Qué te hace pensar que ahor
puedes cazar a Octavio?

—He estado viéndole dormir y no tengo ninguna duda.

—Muy razonable. Pero dentro de poco amanecerá, Octavio se levantará descansado, verá sus problemas bajo otra perspectiva y... y... La gente como Octavio nunca tiene problemas insolubles.

—No seas cínico, Destilado, que no es lujo para pobres.

—Bueno, bien, arrastrada, bien... Aunque creo que has olvidado lo fundamental, senos de nácar. Aun admitiendo que esté metido en un embrollo serio, parece muy optimista esperar que Octavio vaya a encontrarte lo suficientemente masculina para su gusto.

Como tenía el vaso cerca de los labios, la bofetada de Celia no sólo le quemó la mejilla, sino que chocó el vidrio contra sus dientes. Cerró los ojos, intentando disimular las lágrimas. Al tiempo, le apenaba saber que la luna le respondería y era algo enorme, hasta entonces inimaginable, retumbaría sobre la ciudad calcinada.

La luz quemante de la madrugada le despertó. Pegado a las paredes, a una angustiosa lentitud, llegó hasta la puerta, que habían dejado abierta, quizá para propiciar una corriente de aire. El aire estaba quieto, como en bloques torpemente estibados. Dormían. Durante unos segundos tardó en distinguir (y en comprender que fuese posible) dos cuerpos en aquel aberrante volumen de carne, único, resplandeciente de sudor sobre la cama.

El sol asomaba, salvaje, cuando el Destilado llegó a las primeras calles del barrio alto. Aquella noche se quedó unas horas acurrucado en el pasillo, oprimido por un bozal de fatiga, hasta que los gemidos estridentes de Octavio le obligaron a refugiarse en el sillón de cuero. Por la mañana, Celia, desnuda y descalza, partía un bizcocho en rodajas. Se levantó, con una brusquedad que buscaba sorprenderla, y ella, sonriente, le sostuvo la mirada.

A ciertas horas, cuando aún faltaba tiempo para que alguna figura humana apareciese en las solitarias calles, cuando la ciudad se abrasaba servilmente y los árboles se petrificaban o llamas de mármol cerraban las perspectivas de las avenidas, cuando en las plazas se solidificaba esa tristeza esplendente, que sólo mana del corazón del verano, el Destilado se abandonaba a la esperanza de encontrar a su vuelta la casa vacía. Una noche, que encontró iluminadas todas las habitaciones, mientras Celia, que quizá le había esperado, le guiaba hacia la cocina, estaba tan borracho que sólo despertó a la tarde siguiente. Y Octavio cantaba.

Unos días después, esperó a Celia en el pasillo y le pidió dinero para irse una temporada fuera de la ciudad. Ella le aseguró que lo tendría, pero debió de olvidarlo, porque lo único que encontraba sobre los grifos del fregadero, fuese cual fuese la hora, eran escuetas notas, en las que Celia le comunicaba que Octavio quería hablar con él.

Regresó de improviso una tarde porque para entonces

ya había decidido espiarlos, seguro incluso de soportar la visión de sus cuerpos aglutinados. Aunque no había nadie aparentemente, adivinó que era sólo Celia la que faltaba y se reprochó no haber adivinado desde el principio que el asunto había de terminar así, Octavio y él abandonados, una incierta amenaza enrareciendo aún más su furtiva soledad.

Estaba en el terrado, tendido en una hamaca nueva, con un vaso de zumo, cigarrillos, una radio, al alcance de sus manos cruzadas sobre el vientre. Vestido.

—¿Y Celia? —preguntó el Destilado y era lo único que no habría querido preguntar.

—Si estás en condiciones de razonar, ponte otra ropa y vamos a un sitio con aire acondicionado.

—No. Dime lo que sea.

Octavio extendió un brazo, tanteó sobre los baldosines y levantó un llavero.

—Con tu casera ya me he puesto de acuerdo. Unicamente tendrás que pasar por el despacho de mi abogado a firmar esos papeles, que siempre se necesitan para que las cosas sean como deben, y mi casa será tuya. Coge las llaves.

—No quiero tu casa.

—Te conozco. No hay nada que te niegues a hacer por dinero regalado.

—No puedo mantenerla.

—Te he abierto una cuenta para eso. Quizá, al vivir en un lugar limpio, consigas ser persona. A cambio te exijo que no vuelvas por aquí. Olvídate que nos conociste, Destilado. Ni siquiera te dé por recordarnos con los amigos. Es mucho lo que te pago.

—Sí, hasta demasiado diría yo. Por ese precio podrías comprarte docenas de pocilgas como ésta. Y docenas de mujeres. Con auténticos pechos. Pero quiero también tus dos coches.

—Sólo el grande.

—De acuerdo. Te devolveré todo, el día que Celia vuelva conmigo.

Sus propias carcajadas le hicieron incorporarse en la hamaca. Aquella explosiva alegría de Octavio pareció aligerar el aire, como si el verano, de repente, se hubiese transformado en algo mortal, vulnerable.

—¡Destilado... cretino... pelagatos..., gaznápiro...! ¡Destilado... hijo de zorra oligofrénica...!

Mientras llenaba la maleta, oía decrecer la risa de Octavio y sus insultos. Acababa de meter entre la ropa las sandalias planas de Celia, cuando le sintió entrar en la habitación.

—¿Cómo puedes ser tan siniestro, Destilado? No entiendes a nadie, ni sabes nada de nada, te aborreces a ti mismo y, encima, te asombra que la gente sea incapaz de quererte. Los tipos como tú sois los escombros de la humanidad —luego, en tanto el Destilado arrastraba la maleta de escalón en escalón, Octavio añadió—: No pierdas la ilusión de que algún día te la devuelva. Hasta con unos auténticos pechos de mujer.

Después de una semana, se redujo a unas habitaciones del segundo piso. Al atardecer paseaba por el jardín, que en una semana ya comenzaba a asilvestrarse. En parte por el calor, en parte por falta de costumbre a las habitaciones superfluamente amuebladas, al inmenso silencio de los salones, pasaba las noches en la terraza de la fachada postrera, cuyo mosaico suponía de mármol. Cuando se cansaba de escuchar música o la música le tensaba los nervios, creía encontrarse fuera de la ciudad, en un bosque jamás hollado por el hombre. Dormía sin sueños y, a lo largo del día, dejaba vasos sin vaciar. Desistió de salir en el coche, porque pronto, en los pueblos costeros o en los de montaña, las muchedumbres, que el calor había expulsado de las calles, le estropeaban el gusto de conducir.

En un bar, de madrugada, encontró a una muchacha, a quien escuchar le proporcionó alivio. Sin embargo, a la mañana siguiente era mucho menos joven, menos comunicativa, de una creciente vulgaridad a medida que transcurrían las horas. Al despedirla y tras pagarle una cantidad exorbitante (que sólo era congruente en relación con aquel parque y aquel chalet), le arrebató el bolso, repleto de heterogéneas y valiosas rapiñas. Su amante ocasional, desde la escalinata de la fachada delantera, apedreó las vidrieras de las puertas-balcón. De aquella experiencia, y aunque le entristecía y le asustaba, le quedó el hábito de satisfacerse a solas. A veces, como una amenaza vana, sonaba el teléfono y ya ni lo descolgaba. Primero por previsión, más tarde por el placer de robarse a sí mismo, depositaba en un banco joyas, la plata, cuadros. Planeó contratar para el otoño a dos criadas, a un jardinero, y aquella decisión a plazo le hizo más tolerable la suciedad.

Una noche reapareció, gigantescamente redonda y próxima, la luna. Para entonces el Destilado ya había descubierto en uno de los cuartos de baño, en la escalera del servicio y en el garaje, tenues pero evidentes rastros de sangre. Juraría (y así se lo fue contando a la pálida obesa en noches sucesivas) haber localizado un rincón del parque donde había sido removida recientemente la tierra. Poco a poco, creía saber algo de la complacencia, de la renuncia, de las mujeres, a medida que añoraba menos a Celia, conforme cumplía lo pactado con una sumisión rayana en amnesia.

No obstante, sobre todo cuando aquella bola parecía estar incrustada en el cielo, sentía una necesidad rabiosa de enseñarle a Octavio las noticias de misteriosas desapariciones, que recortaba de los periódicos. Otras veces, era un impulso, que sólo la abulia aplazaba, de cavar en aquel rincón del parque y dejar de imaginar un rostro. Discutía con su blanca interlocutora las probabilidades de que regresasen ambos, a expulsarle. O únicamente Celia, a compartir con él la casa vacía. O quizá Octavio, que siempre supo que yo sabría, y entonces, lívida, me enterrará ahí y seremos dos ya los cuerpos abonando este lujuriante jardín que rodea la lujosa mansión, en la que, al final, acabará reinando la flaca de hinchados pechos, inyectados de parafina. Pero la noche avanzaba, incluso la luna se empequeñecía, y el Destilado se adormilaba como satisfecho, dormido por completo seguía aprendiendo a vivir, y eso era lo esencial, qué importa que se la haya inyectado o no, endemoniada, ¡qué bella eras antes de engordar!, y ahora ya sois iguales las dos, almidonadas y gordas las dos, y tú, encima, tetona, que ya os parecéis tanto, arrastrada, que un día vas a parir hasta lunitos.

(1978)

Tres años después del final de la guerra, cuando papeleaba en la biblioteca de una pequeña ciudad inglesa por cuenta de la Comisión de Investigaciones Literarias Europea, Julius Hamilkar cayó desmayado. Unico ocupante de la sala de manuscritos, a aquella hora crepuscular amortiguaron su caída la sucia bruma, que velaba las ventanas, y la alfombra. Al despertar, fuera dominaban ya las tinieblas y en las otras salas de la biblioteca persistía un silencio de lámparas aisladas y restos de té frío. Sobre el pupitre, entre los legajos que había estado consultando, la ficha de cartulina negra, ocupada en su totalidad por renglones de letras blancas, evidenciaba que Julius no había sido víctima de una alucinación.

Sentado de nuevo, aspirando rítmicamente, le bastaron no más de veinte segundos para, clarividente y minucioso, programar el radical cambio de vida que aquella ficha acababa de posibilitarle. Ordenó papeles, anudó las cintas de algunas carpetas, se puso en pie, apiló legajos y, con una tranquilidad relampagueante, introdujo la cartulina entre el chaleco y la camisa. Mientras se despedía de la bibliotecaria (una esquelética e insaciable cuarentona que en la última semana había fabulado suficientes sucias imágenes con Julius para que ahora le pudiese entristecer su brusca partida), Hamilkar llenaba mentalmente su maleta, liquidaba la cuenta de la hostería, caminaba hacia la estación, saltaba a un vagón del tren nocturno para Londres.

En Londres telegrafió a la oficina de Bonn que proseguiría su trabajo en París durante los próximos diez días, al cabo de los cuales pediría instrucciones. Viajando hacia la costa, insomne, se prohibió volver a leer la ficha de cartulina negra. A media mañana, ya en el Continente, telefoneó a Zurich; Unga no sólo estaba en la redacción, sino que accedió con una sencillez pasmosa a encontrarse con él en Roma la tarde siguiente. No obstante, nada más llegar a París tuvo Julius la oportunidad de tomar un avión y aquella misma noche durmió en Roma, antes de lo previsto y con un profundo sueño, que diluyó su fatiga y una ansiedad, encubierta de parsimonia, que le corroía desde el hallazgo de la ficha secreta.

Su excelente estado de ánimo, una mañana de otoño esplendorosa y la perspectiva de su inminente enriquecimiento, le ayudaron a encontrar un ático en las inmediaciones de piazza Navona, cuyo alquiler superaba con mucho las posibilidades de un investigador de la CILE. Después de trasladar el equipaje, llenar de flores las habitaciones y almorzar calmosamente, le sobraba aún tiempo para ir andando a la Stazione Termini. Si recordaba su camino entre la niebla de la noche anterior, no podía menos de sentir cuánto y cómo había cambiado su existencia. Se sentó en la terraza de un bar. Ahora, el sol poniente ya no hurgaba las viejas piedras monumentales, las acariciaba, dorándolas. Julius, ahora, habría podido desvanecerse por pura complacencia.

Julius Hamilkar ingresó en la Comisión de Investigaciones Literarias Europea unos días antes de ser desmovilizado del Cuerpo Expedicionario canadiense. Durante los dos primeros años había efectuado su trabajo con entusiasmo y eficacia, impulsado todavía por la excepcionalidad de la vida de combatiente. Su trabajo le impresionó tanto que renunció sin excesivo dolor a escribir; o al menos confió su vocación a los arcanos del futuro. Por entonces, conoció a Unga Brod; y en el último año sólo su profesionalidad había acallado lo que Julius no lograba ocultarse a sí mismo: un corrosivo desdén por la investigación, ahora que conocía la falacia de la creación literaria.

—Pronto ocuparé un puesto directivo —se había permitido confesar a Unga unos meses antes—, porque no creo que tarde mucho en alcanzar un alto nivel de incompetencia.

Unga probablemente había supuesto que bromeaba o no supo oír lo que él no se atrevía a decirle. Con frecuencia, Julius percibía que Unga no escuchaba. La ensimismaban hasta la sordera su frenética decisión de llegar a ser, simultáneamente, una pintora famosa, una novelista famosa, una actriz famosa y un arquitecto famoso, y la endemoniada calamidad de estarse convirtiendo en una buena periodista. Unga sólo le escuchaba con atención, a causa del odio, cuando Julius argumentaba su negativa a acostarse con ella.

Llegó a Stazione Termini con el tiempo justo de informarse del andén pertinente, comprar un periódico y, por fin, colocándola sobre el periódico como si lo leyese, permitirse releer la cartulina negra. No cabía duda; lo que allí estaba escrito era lo que no había dejado de estar, literalmente, en la memoria de Julius desde que la ficha se desprendió de un legajo.

Proyecto KNE. Fecha del Proyecto: 14 de febrero de 1828. Sujeto del Proyecto: Franz Gómez. Biobibliografía: Franz Gómez nacerá en Zamora, en 1928. Llevará la vida sórdida de un insignificante empleado en una Compañía aseguradora. Morirá, soltero, a los 41 años de edad y, gracias a la devota desobediencia de su mejor amigo, se publicarán sus escritos póstumamente, coincidiendo con los estertores de la dictadura bajo la que gemirá España por entonces. Su primera novela, América, *narrará las peripecias de un muchacho gallego, que emigra al Nuevo Continente en busca de fortuna. Un relato anterior,* La metamorfosis, *otro posterior,* En la colonia penitenciaria, *y dos novelas,* El proceso *y* El castillo, *supondrán una cumbre no alcanzada desde Cervantes en la narrativa española. Toda su obra será un astuto espejo del ambiente y actitudes de la mencionada dictadura.*

De repente, Julius Hamilkar se sintió observado. Sin volver la cabeza, avanzó unos pasos, tiró a una papelera el periódico al tiempo que se guardaba en un bolsillo interior de la chaqueta el Proyecto KNE y, conforme el tren entraba en vías, giró de improviso. Una prostituta le miraba, insinuante.

Unga, como si en esta ocasión hubiese comprendido, traía un equipaje, que llenó el taxi. Con las manos de Julius entre las suyas, se permitió ser más optimista que irónica:

—Espero que, en el hotel, nuestras habitaciones separadas estén por lo menos contiguas.

—Hay más de dos habitaciones separadas esta vez —Julius dejó de mirar por la ventanilla trasera, aliviado al comprobar que nadie les seguía.

Cuando entraron en el ático, Julius encendió las luces y las flores brotaron encima de cada mueble, Unga se sentó en el borde de un diván y comenzó a temblar. La conmoción de Unga facilitó las operaciones preliminares y, en cierto modo, prefijó las conmociones de una noche propicia a la felicidad.

—Algo tremendo y rarísimo ha tenido que ocurrir —dijo Unga, al mediodía, mientras desayunaban, demostrando ser la muchacha inteligente e impaciente por la que Julius había reprimido sus sentimientos los diez últimos meses—. Tremendamente anormal... ¿Me lo vas a contar, Julius?

—Para empezar, ya no te mentiré más. Y, luego, te lo voy a contar poco a poco, porque tenemos la vida entera por delante y, además, no te va a ser fácil entenderlo.

—Ni a ti justificar tantas vaguedades y tantas evasivas.

Aquella misma madrugada le perdonó. Abrazados en la penumbra, Julius dijo lo que siempre había sabido que le diría a Unga, cuando la tuviese desnuda y abrazada. Unga fue comprendiendo, primero, el trabajo de Julius en la Comisión de Investigaciones Literarias Europea; después, aquellas actividades de la CILE que Julius había descubierto que se llevaban a cabo; incluso, lo que Julius, rigurosamente deductivo, se atrevía a suponer. El tiempo de un cigarrillo tardó Unga en romper el silencio:

—Y ahora les tienes cogidos —dedujo ella también.

Pero las caricias de Julius dieron lugar a otros silencios y a otras confidencias, y transcurrieron dos días más, antes de que Julius la hiciese partícipe del milagroso hallazgo del Proyecto KNE.

Fue al atardecer cuando, habiendo salido Julius a la pequeña terraza, creyó descubrir, en otra a inferior altura de la casa frontera, a la prostituta de la Stazione Termini. Conforme avanzaba hacia la baranda de hierro, con los brazos abiertos en cruz y respirando hondo el aire de la tarde, vio, al otro lado de la calle, a una mujer que se retiraba precipitadamente al interior. Pudo percibir una bata de raso verde con un dragón negro estampado en la espalda, un peinado barrocamente vulgar, un muslo rollizo. Continuó distendiéndose, se apoyó en la baranda, llamó a Unga a su lado y, al día siguiente, depositó la ficha del Proyecto KNE en la caja fuerte de un Banco. Llegado el momento, a Unga le enseñó una de las muchas copias del texto que había hecho. Como si no acabase de creerle, Unga mostró interés por las circunstancias —fortuitas— del hallazgo.

—Lo que no entiendo es cómo en vez de Franz Gómez acabaría por nacer Franz Kafka, en Praga y no en esa ciudad española programada en el Proyecto, y, por si no fuera bastante, muchos años antes de lo que habían programado. Lo único claro, me parece, es la importancia de tu descubrimiento, Julius, ya que demuestra que ellos también fallan.

—Aún no lo comprendes, Unga. Fallan tanto que no

pagarían más de cinco dólares por ocultarlo. Encontrarían montones de disculpas; por ejemplo, a nadie le extrañaría que una computadora de 1828 hubiera trastocado los datos. No. Fíjate, quizá ni siquiera se trate de un fallo, sino de una modificación parcial del Proyecto a última hora, cuestión de hacerle checo de lengua alemana en vez de zamorano. Y todo en virtud de alguna de esas motivaciones, que únicamente ellos conocen y que cambian el curso de la Historia. Quizá, ¿comprendes, Unga?, archivarían la ficha, por inútil, y algún tipo de la CILE la robaría de los archivos secretos, incluso por curiosidad, o por sacarles un buen dinero, como pretendo hacer yo y él no supo, o simplemente por robarla, porque te aseguro, Unga, que en la CILE hay días en que dan ganas de robar hasta los bolígrafos gastados.

—Entonces, ¿quieres decirme, amor, qué valor puede tener ese demoníaco trozo de cartón?

—Poner de manifiesto ante el universo mundo que el arte no es la consecuencia de alguna dedicación y del puro azar, como creen estúpidamente los artistas auténticos, sino el resultado de una maquinación planificada. Nunca jamás sería ya posible el arte.

—¿Y qué? —arguyó sensatamente Unga, para rectificarse neciamente a continuación—. Sí, sí, tienes razón. Sin arte, les sería más difícil perpetrar sus designios. O sea, Julius, que el arte vale para algo, ¿no?

—A nosotros, por lo menos, nos va a valer muchísimo más de cinco dólares.

Como así lo creía y aunque le irritaba tomar la iniciativa, irrumpía con frecuencia en la terraza, fingiendo una naturalidad cada vez más precaria. Pero en la terraza frontera no aparecía mujer alguna. Era durante las pausas del amor, en las separaciones de los cuerpos que el agotamiento les imponía (incluso a la compra en el mercado salían juntos), cuando Julius Hamilkar sentía crecer la sospecha de estarse comportando erróneamente. Ese pavor, que reprimía como había reprimido el deseo, se hizo más insoslayable a partir de la fecha en que se cumplió el plazo para telefonear a la oficina de Bonn a fin de recibir instrucciones. No telefoneó. Continuó esperando, sublevado contra sí mismo, rehusando calcular lo que duraría el dinero, convencido también de que ellos deliberada y puerilmente acechaban el estallido de sus nervios. Y Unga, de repente, acababa de arrodillarse a sus pies y, de un manotazo, arrugar el periódico que él estaba leyendo. No había en la expresión de Unga la consabida incitación, incluso estaba vestida como si tuviese frío o vergüenza.

—Unga, ¿es que tienes miedo?

—Sí —dijo.

Aquella noche —y las siguientes— Unga, nada más beberse un vaso de leche, se acostó. Aquella noche —y también las siguientes— Julius salió de casa. Cuando regresaba, amanecía y poco después Unga se levantaba; Julius, no antes del mediodía. Como si un tercero lo hubiese decretado así, se encontraron reducidos únicamente a las tardes y, aunque no en intensidad, su amor perdió la originaria intemporalidad elástica, la desmesura, declinaba.

Comenzaba a ser un experto en arrabales, en los retorcidos barrios de la sordidez, cuando una noche la descubrió en una de las aceras de aquel bulevar periférico —unas hileras de farolas en el campo—, que en noches anteriores había ya explorado. Ella cruzó la calzada y llegó a la ventanilla en el momento en que Julius pagaba al taxista.

Vista de cerca y golpeado por su perfume, a Julius le pareció más joven o que, sin maquillaje, sin abrigo de piel de conejo, le parecería más joven, como si, despojado de sus atributos profesionales, aquel cuerpo tuviese arreglo.

—No me vengas con regateos, golfo, que no tendrás queja de tu sierva. Ahí cerca está mi auto. Anda, vamos pronto, necesitado de vicio.

Antes de sentarse frente al volante, se arrugó la falda de cuero hasta las ancas; luego se sopesó los pechos y no cesó de vanagloriarse, mientras conducía a paso de carreta. Pero no le tocó, ni le besó y, por eso, Julius no dudó que era ella el contacto enviado por la CILE, ni siquiera cuando la retahíla de la ramera alcanzaba sus más convincentes tonos de sincera falsedad. Al llegar a calles céntricas, la ordenó parar.

—Cállate. Soy yo quien tiene que venderte la mercancía.

—A nuestros amigos, querrás decir. Pero ellos han de verla antes, la mercancía ésa. Para saber lo que vale, si es que vale algo.

A media mañana apareció en el bar, donde se habían citado, moderadamente menos prostituida. Se negó a examinar la copia de la ficha y le explicó, como si tratase de convencerle para que la llevase a un hotel de lujo en vez de a una casa de citas, que solamente en América podrían determinar el precio.

—Tú ya sabes que de los chantages caros se encarga la CILA, porque en Europa sólo tenemos dinero para atender pequeñas estafas.

—Esta no es pequeña, desde luego. Me alegro que lo hayan entendido.

—A la una, en el aeropuerto. Te sobra tiempo para recoger el pasaporte, el cepillo de dientes y darle un beso de despedida a tu amiguita. Puedes asegurarle a la pichona que pasado mañana vuelves al palomar.

Recogió el pasaporte, llenó el maletín y dejó a Unga una nota avisándole que regresaría dos días después. Encerrado en el cuarto de baño, desarmó la abridora eléctrica de latas de conserva y escondió en su interior el recibo del depósito bancario. Le habría gustado, efectivamente, despedirse de Unga y, hasta el último minuto, la buscó por las tiendas de los alrededores. Al pasar la policía de fronteras, se le ocurrió que Unga quizá estaba en la peluquería. Le reconfortó la certidumbre de que nada se detendría a partir de aquel instante.

La prostituta acumuló todas las revistas cretinas de que se disponía en el avión y sobre Julius descendió la bendición del sueño. Al despertar, faltaba menos de media hora para Nueva York. Ella devoraba un pedazo de tarta. Julius le acarició una rodilla y a la mujer se le tensaron las facciones.

Nada más desembarcar, un tipo concienzudamente acorde con el estilo matón gomoso les llevó, obviando todos los obstáculos aduaneros, hasta otro avión y, cuando bajaron en Washington, fueron dos los tipos, tan idénticos entre sí como el de Nueva York a ellos, los encargados de depositarles en un motel. Aquella noche Julius se emborrachó. A la mañana siguiente los mismos jaques acudieron a la hora convenida, le trasladaron al edificio de la CILA y, a medida que le convocaban de despacho en despacho, de un pasillo a otro, por la desierta jungla enmoquetada, Julius experimentaba la sensación de que subía por una escalinata de honor y de que, durante aquella ascensión, los rótulos de la Comisión de Investigaciones Literarias Americana perdían una de sus siglas.

Pasaron algunas horas hasta que, asombrosamente, apareció Hermann, su jefe inmediato en la CILE. Después de un cansino regateo, habían aceptado su precio. Con la misma naturalidad de una entrevista cotidiana, en un tono exento de rencor, le citó en Bonn para ultimar la compra del Proyecto KNE. Y ahora, mientras le acompañaba a la puerta, Hermann decía:

—Habrás buscado un buen lugar, supongo, para disfrutar de esa fortuna.

Fue el único conato de amenaza. Desde el motel, emparejado de nuevo con la prostituta, escoltados por los homologados matones, emprendieron el regreso, estrictamente ajenos, Julius conteniendo un júbilo atroz. En el aeropuerto de La Guardia telefoneó a Unga para confirmarle la llegada. No obtuvo respuesta y, tontamente, pensó que Unga seguiría en la peluquería. Luego, después de haber pasado la aduana de Ciampino, después de haber visto perderse entre la gente a la prostituta («Búscame cuando tengas el dinero, golfo, y no te arrepentirás»), mientras oteaba buscándola, descubrió a Unga, que caminaba alejándose de él. La llamó e inmediatamente, al abrazarla, supo, como un don que le otorgasen sus sentidos últimamente hiperestesiados, que Unga no había estado esperando, sino que había regresado a Roma en el mismo avión que él. Esa angustiosa adivinación no desapareció después de una noche, ocupada alternativamente por el placer y por hermosos planes de vida común, con una Unga sin rastro de miedo.

Dos días más tarde, recorriendo uno de los pasillos de las oficinas de la CILE, en Bonn, vio entrar en un ascensor a la prostituta y a Unga. Se sonrió, porque aquel calculado efecto teatral llegaba tarde para sorprenderle. El ya había adivinado, gracias a ese conocimiento que da el amor y que convierte cualquier movimiento del cuerpo amado en una implacable brújula para orientarse por la trama de la traición.

Se detuvo antes de llegar al despacho de Hermann, como si aún dudase, como si todavía fuese incapaz de renunciar a aquellos billetes, tan deseados. Aunque sólo fuese por unas horas. Luego, reunió energías, dobló por otro pasillo, bajó por una de las escaleras de servicio, entró en los sótanos de las computadoras y, algo antes de que ellos llegasen, introdujo la ficha de cartulina negra y blancos renglones en una de las programadoras, al azar. Le alcanzaron cerca del aparcamiento. Para entonces y si bien no habían transcurrido más de cinco minutos, Julius Hamilkar ya era otro ser, transformado por el terror en un animal sin memoria, alborotado por la inminencia de la muerte y que, de habérselo alguien recordado, no se habría jactado de haber engañado a sus asesinos en el último instante, legando a una posteridad hipotética un incierto testimonio de su triunfo y de su fracaso. Murió pronto, sin conciencia de la saña que se abatía sobre lo que ya no era su cuerpo.

Volando de Bonn a Zurich, desde donde la prostituta seguiría viaje a Roma, Unga sintió que su compañera de asiento la observaba y, tras unas páginas, abandonó la cretina revista que hojeaba y enfrentó aquella mirada más atónita que inquisitiva.

—¿Qué te pasa? ¿Es que quieres saber cómo se comportaba en la cama? Ni mejor ni peor que otros. No te habría enloquecido.

La prostituta acumuló saliva en su boca, pero la tragó. Después le trajeron el pedazo de tarta y hasta sonrió a la azafata.

—Me gustaría que me dejarais en paz con mi guarro oficio durante una temporada. La verdad es que, trabajando para vosotros, una echa de menos las babas de los borrachos. ¿No te gusta el dulce, hermosa?

La programadora, en la que Julius Hamilkar había logrado introducir, antes de ser alcanzado por los pistoleros de la CILE, el Proyecto KNE, elaboraba en esos instantes la bibliografía de un tal *Juan García Hortelano, quien nacerá en Andorra el año 2028, escribirá novelas,* etcétera, etc.

Y llegado el momento preciso, pero muy anterior a 2028, a un novelista sí llamado Juan, como fue programado que se llamarían todos los novelistas de esa generación, se le ocurre, sin más, un apólogo o fábula y sin saber quién se lo inspira, ni de qué archivos procede la inspiración, convencido (si alguien se lo insinuase) de que nadie se lo ha inspirado, es decir, en estado de supina ignorancia, comienza a imaginar esa historia de Julius Hamilkar y, como siempre, supone que es una historia original y, al tiempo, parecida a las que habitualmente pergeña (condición imprescindible para que un sujeto se ponga a contar vidas ajenas), por lo que decide que va a escribirla y, aunque no llega a percibir que la historia en cuestión es muy parecida a las que habitualmente pergeña y, al tiempo, que tiene algo extrañamente diferente o epistemológico, provisto de esa ceguera sin la cual es imposible escribir historias, la escribe hasta el final y, llegando al final, me veo obligado a dejarlo así dicho, aquí, en esta época (que, eso sí, no sabemos por qué error electrónico nos ha correspondido vivir), tampoco por nada trascendental, sino para que conste y por si el día menos pensado me ocurre algún percance que se sepa quién ha sido.

(1978)

Indice

Cuentos contados 299